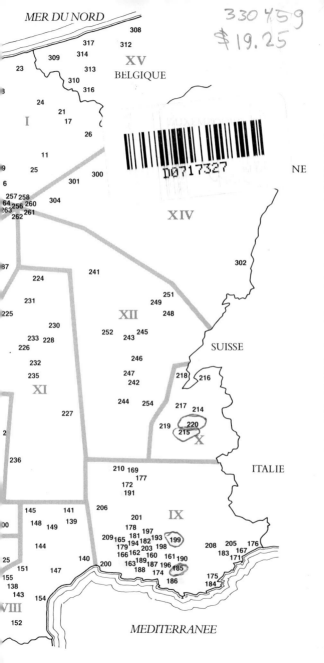

guide de la vie de Château

PHILIPPE COUDERC

guide de la vie de Château

« Vieilles demeures hôtelières,
manoirs, châteaux, castels,
donjons, gentilhommières,
moulins, folies,
rendez-vous de chasse, palais
et autres... »

Illustrations de Michel Otthoffer

FLAMMARION

DU MÊME AUTEUR :

GUIDE DE LA BONNE CAVE
en 2 volumes (1970   La Table Ronde)
GUIDE DE LA BONNE VIE
(1971 - La Table Ronde)
L'ARGUS DES VINS DE FRANCE
(1977 - Balland)
LES VINS, LA CAVE
(1978 - Hachette)
MES CHERS VIEUX QUARTIERS
(1979 - La Table Ronde)
LES VINS, LA CAVE
(1979 - Marabout)

© 1984, Flammarion
ISBN 2-08-200205-5
Imprimé en France

AVERTISSEMENT

« La vie de château »... elle a été longtemps privilège. Alors, dans l'expression, il y a eu beaucoup d'envie et, au pire, un peu de jalousie. Cela a toujours été une part de rêve. Or voici soudain qu'elle est à portée de main, paradoxalement parce que le temps et les hommes sont de plus en plus durs aux châtelains.

Pour les sauver, ces châteaux, il a fallu les ouvrir à tous ceux qui n'y ont jamais eu droit. En rendant d'ailleurs à ces demeures cette vocation d'hospitalité qu'elles maintenaient jadis et qu'elles avaient oublié, par égoïsme.

Ainsi est née l'hôtellerie de château. Epiphénomène d'abord, elle a pris une importance certaine. De la forteresse médiévale à la villa du Maître de Forges du début du siècle, on compte aujourd'hui en France, et en Belgique aussi, quelques centaines de maisons privées ayant basculé.

Pour se faire connaître, elles se sont alliées en des Chaînes par affinités ou cooptation (Relais de Campagne, Châteaux Hôtels, Château Accueil, Demeures Club, Châteaux Hôtels Indépendants, Châteaux et Demeures de Tradition, Châteaux en Vacances) parfois rivales, parfois complémentaires, se mariant aussi (Relais Châteaux). Las, on y trouve de tout, dans ces Chaînes : le meilleur et le pire, et même le moderne. Leurs Guides respectifs ne sont jamais que des répertoires, des annuaires. Y être inscrit suppose une cotisation et parfois de solides critères de sélection (pas toujours !). Qui les consulte, peut avoir des doutes et surtout désirer en savoir plus.

Alors, parce que la vie de château se mène, pas toujours à grands guides, d'ailleurs, j'ai fait le tour de la France et de la Belgique, à sa recherche. Sans prétendre avoir visité tous les hôtels châteaux existant, j'en ai vécu plus de deux cents qui m'ont donné plus

5

de deux cents raisons de m'enthousiasmer ou de me mettre en colère pour leur histoire, leur manière de recevoir, leur atmosphère. J'ai parlé à des châtelains sincères qui étaient des hôteliers maladroits, à des hôteliers qui n'étaient pas devenus de vrais châtelains, à certains qui frôlaient la perfection dans cette double vie.

J'ai eu des coups de cœur comme des coups de rogne ; j'ai eu envie de vous envoyer immédiatement vers certains, de vous en faire éviter d'autres. D'autant que les plus beaux, les plus parfaits, les plus chers ne sont pas toujours les meilleurs, les plus séduisants, les plus fascinants.

Désormais, vous allez en savoir plus long sur votre « vie de château ».

Je tiens à remercier ici Catherine Graziani, François Lancel, Bernard Louis-Nounez et Guy Richer pour l'aide précieuse qu'ils m'ont apportée dans la préparation de ce guide.

PH. C.

P.S. : Hors cas d'exceptions, la « Vie de Château » passe rarement par une table exceptionnelle. Sa qualité première est celle de l'hospitalité.

Les prix donnés dans ce guide sont ceux en vigueur au moment de l'impression, c'est-à-dire en mai 1984. Ils peuvent être sujets à variations.

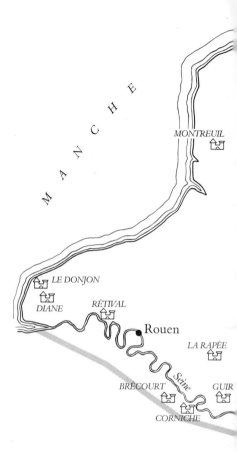

I — NORD ET VALLÉE DE LA SEINE

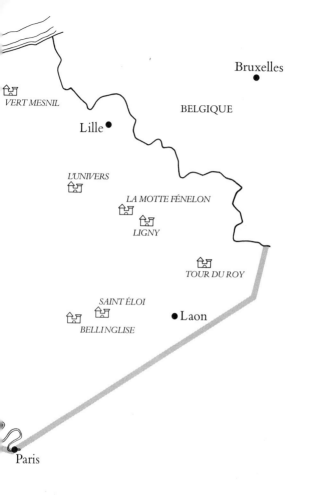

Bruxelles

VERT MESNIL

BELGIQUE

Lille

L'UNIVERS

LA MOTTE FÉNELON

LIGNY

TOUR DU ROY

SAINT ÉLOI

BELLINGLISE

Laon

Paris

9

CHÂTEAU DE BRÉCOURT

Un rien d'alchimie

Mais qu'est-ce que j'apprends là ? Monsieur d'Alembert (celui de l'*Encyclopédie* avec Monsieur Diderot) fréquentait ce château alors qu'il appartenait à un certain Louis de Brehan qui y pratiquait l'alchimie ! Ah ! ces savants, il faut toujours que cela sente un peu le soufre ! Mais sans doute venait-il aussi profiter des ombrages du parc qui perdirent l'avant-garde de l'armée des fédérés de Normandie qui, en 1793, à trop longtemps s'y reposer, laissèrent à Paris le temps d'envoyer des renforts pour les repousser.

Mais ce sont bien là les seuls événements marquants de ce château qui fut sans doute demeure fortifiée dès le XIVe, avant de trouver son visage actuel au début du XVIIe et au XVIIIe. En effet, le corps principal de logis est du plus pur Louis XIII, les deux ailes nettement postérieures (XVIIIe), tandis que les deux tours d'angle sont vestiges de l'ancienne forteresse. Un ensemble très majestueux et de bon ton.

Un bon ton qu'on retrouve dans les chambres un peu hétéroclites et que je n'ai pu m'empêcher de trouver un peu tristes en dépit de meubles anciens et, comme on me l'a rappelé, des sols en carrelage d'époque. Il y a dans cette belle maison, réussie depuis des siècles, un je-ne-sais-quoi d'aujourd'hui qui touche peut-être à son âme : elle en manque un peu. Peut-être faut-il venir avec son propre état d'âme pour profiter de ce luxe incontestablement réel et confortable (pas une faute du côté des salles de bains), de bon goût même, et d'une cuisine un peu pédante et guère plus chaleureuse que le reste. Mais que faudrait-il donc pour que tout cela, élégant et distingué, plaise sans retenue ? Peut-être un rien d'alchimie, celle du cœur.

Monsieur Ph. Savry
Ouvert du 1/1 au 31/12
Tél. (32) 52.40.50
Douains. 27120 Pacy-sur-Eure. 24 chambres. De 250 à 480 F. Parc. Tennis. Petit déjeuner à 30 F. Menus à 130, 187 et 265 F. Carte à 280 F environ. Accès par A 13, sortie Vernon, puis entre D 75 et D 18.

CHÂTEAU DE BELLINGLISE

Elincourt-Sainte-Marguerite. Oise

Le Nord chaleureux

Parfois, comme les anciens inspecteurs des impôts, je me prends à compter les fenêtres d'une façade en traversant le parc qui mène au château. Cela me fait passer le temps de la promenade et me permet d'imaginer la puissance du seigneur qui les fit ouvrir. A Bellinglise, j'en ai additionné une cinquantaine, sans compter celles des tours d'angle curieusement carrées et en biseau. Décidément le XVIe savait vivre, et cet appareillage de briques, ces tours surmontées de clochetons aux formes parfois inattendues, ces retours appuyés à des contreforts visiblement vestiges d'un manoir de deux ou trois siècles plus ancien en témoignent.

Pourquoi est-ce que, dans ce Nord plutôt gris, m'a-t-il fait chaud au cœur ? Parce qu'il est d'une noblesse rassurante et souriante : aucune condescendance, mais une hauteur bienveillante. Et puis, il y a une véritable chaleur dans sa façon d'être habité : boiseries dans la salle à manger, tissus et velours dans les salons. Plus une maison de gens de qualité qu'un hôtel. Les chambres surprennent, car elles jouent le style « campagnard » coquet, sans richesse. Pour être vieux, les meubles y sont sans recherche mais charmants. Et cette simplicité (bon confort tout de même) va plutôt bien avec le reste. De cette visite j'ai retenu que les châteaux n'étaient pas toujours des palais. (Cuisine bien élevée.)

Monsieur R. Pollet
Ouvert du 1/1 au 31/12
Tél. (4) 476.04.76
60157 Elincourt-Sainte-Marguerite. 32 chambres. De 230 à 290 F. Parc. Tennis. Petit déjeuner à 25 F. Menus à 75, 98, 140 et 180 F. Pas de carte. Accès par N 32 (Compiègne-Noyon) et D 142.

CHÂTEAU
DE LA CORNICHE

Rolleboise. Yvelines

Drôles d'impressions

Est-ce que par hasard cette région de Seine aurait rendu les hommes prodigues avec leurs maîtresses aux alentours de la fin du siècle dernier ? Le fait est qu'après avoir repéré un château (Bazincourt) donné par un homme riche à l'une de ses favorites, je me trouve à présent en face d'une autre demeure, de la même époque (entre 1850 et 1880), elle aussi somptueux cadeau fait à une jolie femme. L'heureux bienfaiteur n'était autre que le bon roi Léopold II de Belgique qui avait installé là la baronne de Vaugham, qu'il épousa enfin trois jours avant de mourir. Bien des maisons n'ont pas d'aussi belles origines. Mais l'amour n'interdit pas l'esprit de famille, et il paraît que le futur général Weygand passa ici bien des instants de sa jeunesse.

C'est en 1922 que ce château de la Corniche se transforma en hôtellerie. Avec beaucoup de succès, car sa situation, très haut perché au-dessus d'une des boucles de la Seine, avec une vue panoramique assez fantastique (même les anciennes sablières finissent par être belles et l'on oublie les HLM grignotant déjà les lointains) et l'intimisme autant que l'intimité qui ne peuvent qu'y régner, tant tout est de sage dimension, avaient de quoi séduire.

Ils persistent aujourd'hui et il y a là un je-ne-sais-quoi de calme, de reposant, un peu hors du temps, qui permet une vraie détente. On a renoncé au style Napoléon III pour l'intérieur et je crois cela bien, car il aurait été étouffant dans d'aussi petites pièces. Tout y est moderne, franchement moderne : les chambres, le salon meublé « cuir » et même la salle à manger vitrée au-dessus du fleuve qui donne l'impression de le survoler, tandis que le bar, très anglais, joue la chaleur. A noter la gentillesse extrême des propriétaires et la cuisine, de plus en plus séduisante, qui pousse même jusqu'à cuire son pain. Une naïveté, ce salon dont les murs sont recouverts de « repros » des tableaux des Impressionnistes : pourtant la maison de Monet est à quelques pas !

Monsieur J.R. Picard
Ouvert du 11/3 au 23/1
Tél. (3) 093.21.24
Route de la Corniche, Rolleboise, 78270 Bonnières-sur-Seine. 26 chambres. De 180 à 390 F. Parc. Piscine. Tennis. Petit déjeuner à 35 F. Menu à 180 F. Carte à 300 F environ. Accès par N 13.

LE DONJON

Etretat. Seine-Maritime

Un drôle de tour

Entre les arbres on distingue bien, je crois, cette fameuse aiguille d'Etretat, si chère à Arsène Lupin. L'endroit ne lui aurait pas déplu, car il a aussi un petit air délabré et mystérieux cet hôtel du Donjon. Depuis qu'un petit seigneur dont on a oublié le nom s'est offert cette caricature de château fort en 1800, il a tout de même eu des jours meilleurs. Le lierre qui le recouvre est un peu un cache-misère.

L'insolite est une chose, le laisser-aller une autre, et je crains fort que le second n'ait un peu tendance à l'emporter aujourd'hui. C'est dommage, un peu triste, car il y a beaucoup d'originalité et une véritable présence dans ce donjon où tout est un peu fouillis, mais négligé. C'est vrai que certaines chambres sont drôles, inattendues, que la salle à manger en véranda, avec la mer, plus loin, plus bas en horizon, est elle aussi imprévue. Le service même, assuré par une très jolie Marocaine, habillée d'un tailleur très strict, prend des dimensions pour le moins surprenantes. Las, cela ne chasse pas les odeurs de cuisine, les peintures écaillées et le reste pas très soigné. Mais peut-être, depuis mon passage, y a-t-il un renouveau... Le printemps n'est-il pas fait pour cela ?

Monsieur et Madame Abo Dib
Ouvert du 16/2 au 31/12
Tél. (35) 27.08.23
Chemin de Saint-Clair. 76790 Etretat. 7 chambres. De 210 à 320 F (+15%). Parc. Piscine. Petit déjeuner à 18 F (+15%). Menus à 95 et 145 F (+15%). Carte à 220 F environ. Accès en ville.

CHÂTEAU DE DIANE

Ecrainville. Seine-Maritime

Le romantisme écologique

Etes-vous tentés par l'étrange ? Croyez-vous que le romantisme passe parfois par des voies qui n'ont plus rien à voir avec lui ? Croyez-vous que l'on peut encore aujourd'hui jouer au croquet ou au volant dans un parc ? Auriez-vous la curiosité de connaître une châtelaine qui a écrit une *Méditation sur les étoiles* (de l'hôtellerie) ? L'imagineriez-vous posant avec une ombrelle sur le perron de sa demeure et vous expliquant que des salles de bains partout sont plutôt nuisibles pour la beauté et la santé ? Quelle surprise auriez-vous en découvrant qu'elle est avant tout esthéticienne férue d'art de vivre ?

Les chambres de son château, qui pourtant ressemble à tous ces gros châteaux du XIXe, ne sont pas au format habituel : meublées d'une façon anarchiquement poétique, mêlant le meilleur et l'incroyable, peu portées au confort moderne (c'est un dogme), baptisées de noms tels que « Baie de Hong Kong », ou « les Dadas ».

Le salon du château, domaine de Diane — mais si, elle se nomme Diane ! —, est la pièce la plus secrète et la plus ouverte du château : son accès y relève de son bon plaisir.

Sincèrement, je ne pense pas, toutes ces choses dites, que l'on puisse raconter ce château-là. Il faut le vivre, à ses risques de plaisirs ou de déceptions, puisqu'il échappe aux normes du quotidien.

15

Madame D. Delaheve
Ouvert tous les week-ends et en août
Tél. (35) 27.76.02 et 42.64.19
Ecrainville. 76110 Goderville. 22 chambres et appartements. De 130 à 425 F. Petit déjeuner à 20 F. Parc. Pas de restaurant. (Attention, ce château n'est pas un hôtel mais une demeure recevant des hôtes payants.) Accès par la route de Rouen à Etretat.

CHÂTEAU
DE GUIRY

Guiry. Val-d'Oise

La rencontre incertaine

Cergy-Pontoise et ses lourdeurs contemporaines sont à deux pas, et tout soudain, un village épargné par on ne sait quel miracle. Une petite place, une grille et, très au-delà, dans un parc admirable, le château. Mansart le construisit en 1666 pour les Maistre, et en 1984 il appartient toujours aux Maistre.

Une élégance rare, un raffinement inouï, un passé qui fait regretter ce passé. Un seul appartement qui ne se loue mais qui se gagne plutôt. Devenir l'hôte de Guiry, c'est avant tout être admis par les Maistre. Or, rien n'est plus délicat. Mais il y a des distances dont on peut apprécier de s'affranchir. Un instant que cette rencontre.

Comte et Comtesse Jacques de Maistre
Ouvert du 1/5 au 30/10
Tél. (3) 467.40.31
Guiry-en-Vexin. 95450 Vigny. 1 appartement à 600 F. Petit déjeuner inclus. Parc. Pas de restaurant. (Attention, ce château n'est pas un hôtel mais une demeure recevant des hôtes payants.) Accès par N 14 et D 159.

CHÂTEAU DE LIGNY

Ligny. Nord

L'étrange laisser-aller

C'est bien le plus puissant et le plus massif des hôtels châteaux du nord de la France : celui aussi qui aurait tendance à me plaire le plus, bien que le propriétaire en cache jalousement l'histoire. A la limite, depuis le XIIᵉ, ce château de Ligny a eu d'autres maîtres, et je suppose qu'il en aura d'autres : je n'ai donc qu'à attendre pour satisfaire mes curiosités. L'aspect médiéval de l'endroit, sa façade que je suppose Renaissance et sa jolie cour suscitent en moi un certain début d'intérêt. D'autant que le tout est apparemment en parfait état. Dans ce plat pays, il fait déjà figure d'événement pour l'œil autant que pour l'esprit.

L'accueil n'est pas enthousiaste, ce qui est rare dans ce pays du Nord où l'on sait en général recevoir, tant l'extérieur est froid qu'on veut réchauffer le voyageur. Ici, ce n'est pas le cas (enfin, pas toujours). Le romantisme approximatif du lieu ne suffit pas. Les très jolies chambres et les rares appartements (les premières à l'ancienne et un des seconds farouchement et très joliment moderne sous ses poutres d'avant) pas plus que les grandiloquences du logis de la tour ne suffisent à faire oublier des détails qui y clochent vraiment et un entretien qui n'est pas non plus celui des gens de là-bas. L'immense tranquillité du parc ne compense pas non plus. Quant à la cuisine, parfois pédante et hors de prix, elle souffre d'un service en salle à manger pour le moins évasif.

Mais à me relire, j'ai idée que ce château est un domaine d'humeur : la mienne peut-être, mais n'est-elle pas née de celle de la direction ?

Monsieur A. Blot
Ouvert du 2/2 au 20/11 et du 27/11 au 31/12
Tél. (27) 85.25.84
59191 Ligny-Haucourt. 6 chambres et 2 appartements.
De 350 à 700 F. Parc. Petit déjeuner à 30 F. Menus à
100 F et 180 F. Carte à 250 F environ. Accès par
Cambrai et N 43, puis D 74.

CHÂTEAU
DE MONTREUIL

Montreuil-sur-Mer. Pas-de-Calais

Un tout jeune château

Chaque époque a ses châteaux et je peux vous garantir que du côté de la Sologne comme dans les environs de Paris ou alentour nos grandes métropoles provinciales, avec un peu de curiosité, et pour peu que l'on sache regarder au-delà de certaines grilles, on se fait de belles surprises. L'entre-deux-guerres a dû être prospère pour les architectes de « villas ». Car il est bien vrai que l'appellation de château n'étant plus alors bien portée, on avait la « discrétion » de baptiser « villa » ce qui n'avait rien à voir avec un pavillon de banlieue. Les grosses fortunes ont ainsi des modesties de midinettes.

C'est donc une « villa » que se fit ériger la famille Fould-Springer (fortunes en tous genres) sur les hauts de la cité de Montreuil, quasiment sur les remparts (on a le sens de la châtelainie ou on ne l'a pas). Après les parties de chasse en baie de Somme, il devait faire bon y conter l'aube dans l'inconfort de la hutte, car on avait vu assez superbe pour un simple pied-à-terre. Cela devait se passer dans les années vingt. Les familles heureuses n'ayant apparemment pas d'histoire (ou si discrètement tenue cachée), on reparle de la « villa » devenue cependant

« château » par force de l'usage, lorsqu'un général allemand s'y installe avec son quartier général. On peut être militaire et aimer les belles maisons, un joli jardin et une vue dominante. Il succéda, dit-on, aux Rothschild qui y habitèrent peu.

L'après-guerre en fit un hôtel, car les temps et les fortunes avaient changé. Celles de cet hôtel furent pour le moins variables, mais il semblerait que le temps du bonheur soit revenu.

D'ailleurs, dès qu'une jolie femme accueille ses hôtes sur le pas d'une maison élégante, claire et distinguée, on sent bien que les dieux sont favorables. Et les chambres romantiques au possible, des dessus-de-lits piqués aux cretonnes, d'alcôves en baldaquins, de jolis meubles anciens en tapis délicats, le confirment assez (salles de bains exceptionnelles), tandis que la cuisine apparaît comme une des meilleures de cette région de France, ce qui fait pardonner une salle à manger inutilement « rustique ». Mais il y a tant d'intimités et de charmes par ailleurs !

Monsieur et Madame Germain
Ouvert du 15/2 au 15/12
Tél. (21) 81.53.04
4, chaussée des Capucins. 62170 Montreuil-sur-Mer.
11 chambres. De 275 à 450 F. Parc. Petit déjeuner inclus. Menu à 160 F. Carte à 190 F environ. Accès par la ville.

CHÂTEAU
DE LA RAPÉE

Gisors. Eure

Gai comme un guichet de banque

Ce faux manoir anglais, avec ses toits à pignons pointus et ses faux pans de bois, a beau faire : il ressemble à un coffre-fort camouflé. Je veux dire par là qu'on subodore immédiatement que c'est pour le moins un banquier qui s'est offert cette folie. Il me semble même

19

que l'on m'a murmuré que celui-ci aurait fait construire la chose pour sa maîtresse. Fallait-il qu'il ne l'aime plus pour l'enfermer là ou bien avait-elle des avidités de respectabilité ? Car pour faire sérieux, cela fait sérieux. Sérieux et établi.

La nature alentour apporte tout de même un peu de gaieté, et la manière même dont on vous ouvre la porte rassure puisque le sourire n'y est pas forcé. Il devait avoir des moyens cet homme riche : les lourdes boiseries abondent des murs aux plafonds ; il y a même une somptueuse cheminée dans le salon et les bronzes eux aussi font le poids. Il ne lésinait pas. Emile Zola ou Maurice Druon auraient adoré comme pied-à-terre campagnard pour quelques-uns des requins de leurs « grandes familles » respectives.

Cela fait éminemment cossu, mais c'est hélas devenu bien triste. Jadis cela devait crouler sous les bibelots, les tableaux, les brocarts et les velours. Sans aller aussi loin, quelques couleurs gaies, des fleurs, des objets seraient les bienvenus pour donner enfin à cette demeure la gaieté qu'elle mérite. Car enfin il y a tout pour que cela devienne plus chaleureux, et l'on pardonnerait même ces tissus brochés sur les murs qui ne font pas dans la légèreté. Les chambres même, vastes, impeccables et assez riches (jusqu'aux salles de bains parfaites) ne sont pas des plus guillerettes. Il manque une main de femme, de femme qui se laisse aller à ses fantaisies et qui ne se confine pas dans le convenu. (Cuisine bien au-dessus de la moyenne et salle à manger d'été à véranda plus aimable.)

Monsieur Bergeron
Ouvert du 1/3 au 31/1
Tél. (32) 55.11.61
Bazincourt-sur-Epte. 27140 Gisors. 9 chambres. De 220 à 310 F. Parc. Petit déjeuner à 30 F. Menus à 105, 135 et 150 F. Carte à 200 F environ. Accès par A 13, sortie Les Mureaux, et direction Pontoise, Dieppe, Rouen.

CHÂTEAU
DE LA MOTTE FÉNELON

Cambrai. Nord

La maison de blanc

Ebouriffant, l'orgueil des industriels ayant réussi : ce château-là, d'un néoclassicisme qui se veut aussi royal que Versailles, ou presque, est né du rêve d'un blanchisseur passé de l'artisanat à l'industrie, et ne se prive pas de se rengorger. Après tout, pourquoi pas ! C'est une allure qui en impose et cela vous a des airs de Matignon aux champs qui donnent à sourire.

Dommage qu'il donne l'impression d'être beaucoup plus voué aux séminaires et autres réunions qu'aux délices de la paresse. On sent bien que les propriétaires actuels relèvent aussi de l'industrie, et ils doivent savoir l'exploiter au maximum. Tant mieux pour eux !

Je ne saurais donc que vous suggérer, en cas de petite faim, un arrêt au grill installé dans de très belles anciennes écuries ou dans l'étrange salle à manger en sous-sol du château même, éclairée par de fausses fenêtres, voûtée de briques roses, bien faite pour le soir. La cuisine, passée entre les mains d'un ancien propriétaire de la *Mère Brazier* (au col de la Luère près de Lyon) est bonne mais hors de prix à la carte. Quant aux chambres, elles sont ennuyeuses, ennuyeuses comme un carnet de blanchisseur.

Monsieur J.-P. Gonzalvez
Ouvert du 1/1 au 31/12
Tél. (27) 83.61.38
Allée Saint-Roch Prolongée. 59400 Cambrai. 11
chambres et 22 motels. De 127 à 217 F. Parc. Piscine.
Deux tennis. Petit déjeuner à 17 F. Menus à 88, 125,
165 et 195 F. Carte à 220 F environ. Accès par
Cambrai.

MANOIR DE RÉTIVAL

Caudebec-en-Caux. Seine-Maritime

Nostalgie, nostalgie

Comme je l'aime bien ce petit manoir accroché à
flanc de colline un peu au-dessus de la Seine, avec la
fabuleuse forêt de Brotonne en horizon au-delà des
cargos qui passent ici de la manière la plus incongrue,
comme s'ils avaient perdu la route de la mer.

Oui, je l'aime bien, car il fut un des premiers à se
vouloir hôtel, dans les années d'après-guerre. Il y avait
en cuisine une jeune femme qui avait bien du talent. Elle
est toujours là, ayant laissé un peu ses cuisines de côté,
devenue vieille dame charmante et tellement accueillante.
Elle parle de ce manoir construit avec les pierres de
Jumièges, authentiquement Renaissance, transformé
ensuite par un maître de forges au XIXe, un peu comme
d'un ami cher.

Elle aime à le faire visiter car il renferme bien des
jolies choses, des objets vrais, des meubles riches d'années
et de bon goût, et quelques autres moins heureux, et ses
pierres s'expriment. Elle ne lui reproche pas de ne pas
être grandiose et elle l'apprécie plutôt de ne pas être
immense. Il a les dimensions des maisons que l'on aime,
d'une génération à l'autre. Peu de chambres mais elles
aussi carrément familiales, un peu désuètes, un peu
surannées, un peu dépassées (salles de bains simplettes),
encore que celle qui a pris place dans l'ancien bureau du
maître de forges ait une allure folle. On sent comme une
vie au ralenti rythmée doucement, lentement par la
grosse horloge du temps.

Madame Collot
Ouvert du 1/1 au 31/12
Tél. (35) 96.11.22
Rue Saint-Clair. 76490 Caudebec-en-Caux. 10 chambres. De 150 à 320 F. Parc. Petit déjeuner à 25 F. Pas de restaurant. Accès par A 13, puis D 913 et D 490.

LE VERT MESNIL

Tilques. Pas-de-Calais

Un certain néant

Des façades à pignons comme celle-là, ça ne trompe pas : on se rapproche des Flandres. Cela pourrait d'ailleurs tout aussi bien être la maison d'une grosse industrie de Lille à sa plus belle époque. Il y a un XIXe architectural qui avait ainsi ses types et archétypes. Cela donnait en général de jolis parcs (comme ici), sauvait des communs plus anciens (du XVIIIe par exemple, comme ici encore), assurait de grandes pièces (comme ici) qui font des chambres vastes mais souvent décorées de bric et de broc (comme ici) lorsque de telles demeures passent à l'hôtellerie.

En dépit de mon amour des vieilles pierres et de ma passion pour les châteaux, j'aurais bien du mal à me laisser aller pour celui-ci. Il n'a pas grande âme et sans doute n'en a-t-il jamais eu. Mais c'est tout de même mieux d'être au calme que de coucher en ville. A mettre en sursis cependant le restaurant situé dans les communs, plus humains, où la cuisine se veut elle aussi plus généreuse, tournée surtout vers les poissons au beurre blanc.

Famille Duhamel
Ouvert du 1/1 au 31/12
Tél. (21) 93.28.99
Tilques. 62500 Saint-Omer. 40 chambres. De 210 à
360 F. Parc. Tennis. Petit déjeuner à 24 F. Menu à
75 F. Carte à 150 F environ. Accès par A 26, puis
N 42 et VO.

HÔTEL
DE L'UNIVERS

Arras. Pas-de-Calais

Le logis des Etoiles

Il y a un style que j'appellerais celui des « petits palaces » de province. Un style qui est surtout une manière d'être, qui correspond à une France que l'on croyait disparue et qui est celle des notables ayant bedaine ronde et grosse voiture discrète, et qui, en face des jeunes cadres aux dents longues, semblent appartenir à une race en voie de disparition. Or, les uns et les autres se retrouvent dans ces hôtels feutrés, aussi bien tenus que bien pensants, où l'on prend avant tout le temps de vivre, moins vite, beaucoup moins vite qu'à Paris. Et ceci sans pour autant rien perdre ni de son efficacité ni de ses ambitions.

L'Univers à Arras, c'est un peu cela, et que l'on ne me pense pas en état d'agressivité, car ce type de maison me touche toujours et finit par m'installer dans un bien-être aussi étrange que certain. Au cœur de la ville, cet ancien monastère, devenu école des jésuites (très beaux vestiges du cloître), avant de basculer dans l'hôtellerie vers 1800, propose donc un confort soigné, un décor soigné, une cuisine soignée, une réception soignée, le tout sans personnalité définie. Oserais-je dire que c'est très bourgeois de comédie : on y a préféré la mesure en tout et l'ordre. Allez donc vous étonner alors que les généraux les plus célèbres de 70 et de 14 — Henry, Fayolle, Pétain — y aient tenu logement ?

Monsieur L. Rambaud
Ouvert du 1/1 au 31/12
Tél. (21) 21.34.01 et 71.34.01
3, place de la Croix-Rouge. 62000 Arras. 36 chambres.
De 120 à 250 F. Petit déjeuner à 23 F. Menu à 60 F.
Carte à 130 F environ. Accès par le centre ville.

SAINT ÉLOI

Noyon. Oise

La vie de militaire

Noyon a quelques beaux monuments à offrir, et sa situation à l'orée de la forêt de Compiègne, si elle ne suffit pas à justifier de tout un week-end, peut être une étape impromptue agréable. L'hôtel Saint Eloi ne se cache pas d'avoir été un hôtel particulier comme on les aimait en province vers 1850 : des tours, des tourillons, des clochetons, des toits partout, des faux pans de bois... Ah ! comme elles auraient aimé être manoir ou château, ou gentilhommière, ces maisons ! C'est sans doute un général — Noyon était ville d'armée — qui l'a fait élever pendant ses jours glorieux de garnison, et combien de jeunes lieutenants ont dû rêver d'aller y courtiser la générale ou sa fille... à moins que ce folklore-là n'ait jamais existé.

Un bout de jardin autour (pas assez grand pour des manœuvres), une tenue impeccable à la revue de détail, un mess (oh ! pardon, une salle à manger !) pour laquelle on a dévalisé un menuisier spécialisé dans le rustique, un bar aux couleurs étrangement tendres et des chambres meublées lourd et très confortable (c'est du solide, mon général !). Et on y est mille fois plus aimable que dans une caserne. Fermons le ban !

Monsieur Paternotte
Ouvert du 1/1 au 31/12
Tél. (4) 444.01.49
81, boulevard Carnot. 60400 Noyon. 31 chambres. De 51 à 123 F. Petit déjeuner à 15 F. Menus à 57, 92 et 155 F. Carte à 170 F environ. Accès par A 1, sortie Roye et centre ville.

LA TOUR DU ROY

Vervins. Aisne

La salle de bains de la tour

Rues pavées, toits pentus, position haut perchée, souvenir de Philippe II d'Espagne et d'Henri IV signant en 1598 un traité de paix (un de plus) entre la France et sa sœur ibérique, vestiges de remparts... Allons, Vervins, capitale de la Thiérache, vaut bien une petite halte sur la route d'Aix-la-Chapelle ou même de Bruxelles. Et puisque j'en étais à Henri IV, autant rappeler aussi qu'il existe encore la tour où il fut reconnu roi de France (dépliant hôtelier *dixit*) et qu'apparemment on peut y coucher dans l'« Auberge de la Tour du Roy ».

Pourquoi pas ? D'autant que cette chambre sur deux étages est assez cocasse avec son escalier intérieur en colimaçon dont la rampe vous envoie peu ou prou directement dans la baignoire dominée de poutres anciennes et appuyée au mur rond de briques vieilles. Le reste étant d'une rustique façon maison de poupée quasiment touchante avec ses tissus à fleurs.

Tout cela ne se prend pas au sérieux et se veut avant tout sympathique et bonhomme. Les Desvignes sont des gens chaleureux, amoureux de leur métier et de leur gentille maison. Elle, aux fourneaux, cuisine avec l'amour des femmes aux fourneaux, tandis qu'il veille au véritable confort (chambres très coquettes) et à l'accueil qu'il veut familier. Allons, Henri IV serait bien content.

Monsieur Desvignes
Ouvert du 16/2 au 14/1
Tél. (23) 98.00.11
02140 Vervins. 15 chambres. De 120 à 280 F. Petit déjeuner à 25 F. Menu à 80 F. Carte à 250 F environ.
Accès par N 2 et la ville.

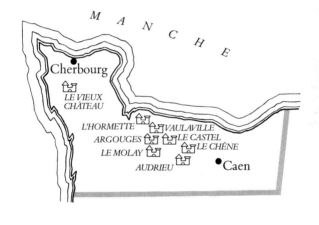

II — NORMANDIE

HÔTEL D'ARGOUGES

Bayeux. Calvados

L'hôtel de la Dame de fer

Dans ce charmant hôtel très bien tenu, en plein cœur de Bayeux, la patronne n'a pas pu me recevoir comme (j'espère ?) elle l'aurait souhaité. Mais on ne peut lui en vouloir car l'on sent chez cette maîtresse femme une grande volonté à bien faire son travail, à opérer point par point avec méthode et discernement. Alors, le temps pour elle de recevoir le tapissier, l'artisan ferronnier... Les heures se faisaient longues, et l'on m'a délégué une charmante soubrette qui fit de son mieux pour me montrer les lieux. Ici tout respire la propreté, la simplicité et le confort normand. Les salles de bains sont impeccables et les chambres toutes coiffées de soliveaux et de poutres d'époque. Le décor y est net et entièrement restauré. Et lorsque l'on sait que cet hôtel particulier du XVIIIe siècle a ouvert ses portes d'hôtel il y a seulement deux ans, on sent que là-dessous il y a un professionnalisme dont on ne peut que se louer. Une petite cour avec un jardin derrière promettent un silence en accord avec cette maison bourgeoise, ancienne demeure de Corentin Conseil, maire de Bayeux. Ce dernier dut avoir le même courage d'adaptation que la patronne en question, puisqu'en quelques décennies il reçut Louis XVI devant sa porte, rue Royale, à l'époque encore en chair et en os, et entendit crier, imperturbable, sur la place, toujours devant sa porte, « Vive l'empereur », « Vive l'impératrice », puis « Vive Louis-Philippe » et enfin « Vive Napoléon III ». C'est du moins ce que je me disais en feuilletant l'histoire de cet hôtel, attendant encore que la patronne en eût fini avec son tourbillon d'artisans et qu'elle se montrât disposée à me faire visiter son salon. C'est alors qu'elle m'expliqua que sa cheminée de pierre — ou plutôt sa cheminée manquante — était le résultat d'un procès, qui durait depuis plus de deux ans et valait *Les Plaideurs* de Racine, notre dame de fer n'étant pas femme à se laisser fléchir. Les boiseries d'époque, anciennement recouvertes de peinture, ont été entièrement décapées, et à la façon dont elle en parlait, il est à gager qu'elle fut de la partie. Enfin, toujours à son honneur, et dans ce même salon, j'ai remarqué un lustre énorme en dentelle de laiton, une splendeur venue d'un navire de Louis XIV.

Madame Auregan
Ouvert du 1/1 au 31/12
Tél. (31) 92.88.86
21, rue Saint-Patrice. 14400 Bayeux. 20 chambres. De 125 à 200 F. Petit déjeuner inclus. Pas de restaurant. Accès en ville.

CHÂTEAU D'AUDRIEU

Audrieu. Calvados

L'ancien combattant

Vingt-sept obus de 105, une bonne centaine d'obus antitanks... il faut croire que la pierre de Caen est solide puisque le château d'Audrieu s'est parfaitement remis de la campagne de Normandie de 1944. Il est vrai qu'il avait fort bien passé le cap de la Révolution (seules les armoiries avaient disparu de son fronton) plus fatale encore que les guerres modernes pour les demeures seigneuriales. Moins heureux que lui, son ancêtre, une « motte féodale » faite de motte et de terre rasée pendant la guerre de Cent Ans. Ce qui avait permis de construire ensuite au XVIᵉ un château dont il subsiste les deux ailes actuelles, restaurées au XVIIᵉ lors de la construction du corps central actuel du bâtiment.

Avec ses deux ailes, il semble vous ouvrir les bras, en signe de bienvenue. Le jardin à la française vous faisant révérence, il vous accompagne jusqu'à une aile... ce qui fait regretter l'exquise cour d'honneur. De tant de noblesse on espérait un accueil presque royal et on a tout soudain l'impression de passer par le service. Il est vrai que la petite pièce de réception comme le petit bar-salon sont bêtement décevants.

Heureusement, la découverte des chambres de plain-pied, parées encore de leurs boiseries d'époque et de meubles anciens en parfaite harmonie, toutes illustrées de tableaux et de gravures, d'objets participant du même esprit de distinction, remettent les choses (ou presque) à leur place. Les salles à manger jouent aussi les intimités, et la cuisine, pour être de race elle aussi, s'amuse un peu trop à choquer par des extravagances qui ressemblent quelquefois à des insolences.

Mais, somme toute, le séjour est de grâce luxueuse. Les hôtes sont parfaitement courtois, mais je leur reproche de garder pour eux l'admirable salon aux lambris XVIIIᵉ du premier étage : sans doute sont-ils chez eux et font-ils ce qu'ils veulent, mais dans une demeure pareille, on aspire à une belle pièce de réception. Pourquoi la réservent-ils à des privilégiés ? Pour les autres restent l'admirable parc et, bien sûr, tout ce qui m'a ravi.

Monsieur et Madame Livry-Level
Ouvert du 1/3 au 30/11
Tél. (31) 80.21.52
Audrieu. 14280 Tilly-sur-Seulles. 19 chambres et 3 appartements. De 370 à 1 000 F. Parc. Piscine. Petit déjeuner à 38 F. Menus à 100, 140, 210 et 250 F. Carte à 280 F environ. Accès par Bayeux et D 158.

MANOIR DU CHÊNE

Nonant. Calvados

Un avenir incertain

Comme c'est tout à côté de Bayeux, vous n'allez pas échapper à un de ces à-peu-près auxquels je ne résiste pas : « Il risque hélas de faire tapisserie cet été. » Je ne m'en réjouis pas, car c'était là un gentil « manoir » — disons plutôt une grosse maison-ferme un peu habillée en « manoir ». La décoration n'était que très banalement rustique et les chambres gentilles, rien de plus. On n'y menait pas particulièrement la vie de château mais plutôt celle de la famille le dimanche. Tout plein de bonne volonté, mais peut-être pas très riche de capacités. Mais au moins avait-il l'avantage d'être très bon marché pour la bonne raison qu'il ne valait pas plus.

Cela à l'imparfait — au propre de la conjugaison comme à celui de la réalité — puisqu'il n'est pas certain qu'il rouvre pour cette saison.

Monsieur Seregacintem
Ouvert du 28/2 au 1/11
Tél. (31) 92.58.81
Nonant. 14400 Bayeux. 19 chambres. De 145 à 254 F.
Parc. Tennis. Petit déjeuner à 25 F. Menus à 80 et 110 F. Carte à 130 F environ. Accès par Bayeux et D 33.

LE CASTEL

Bayeux. Calvados

La pension de famille
aux armes discrètes de la noblesse

Cet hôtel particulier construit avant la Révolution, à Bayeux même, dans un parc de un hectare clôturé, ouvre ses portes à Pâques. Les propriétaires y sont

accueillants, simples, charmants, et sont pleins de bonne
volonté pour recevoir leurs hôtes, même si d'un geste
maladroit ils cassent, en tirant le rideau qui masque une
porte, une assiette représentant un coq d'époque et de
haute lignée à n'en pas douter. Et un coq qui tombe
ainsi de toute sa splendeur sur le sol, ça laisse sinon des
éclats de faïence, du moins quelque rancœur. Mais n'en
croyez rien ! Ici on sait faire face au tour du Malin qui
s'acharne à vous être désagréable dans les recoins
quelquefois mangés par le salpêtre. On chasse la mauvaise
humeur à coup de balai, bien décidé à prouver que l'on
vaut mieux que le coq et ses plumes. L'étage supérieur
est divisé en deux. D'un côté, vous pourrez séjourner
avec votre famille (cinq personnes en tout) dans un
appartement agréable entièrement refait, avec une jolie
cuisine équipée de tout le confort moderne, de l'autre,
deux chambres coquettes, ainsi que deux autres petites et
mansardées, avec poutres apparentes, qui raviront
sûrement les enfants. Les salles de bains, trop petites
bien qu'en bon état de fonctionnement, gardent le côté
sympathique de nos bonnes vieilles familles françaises qui
ont du mal à s'adapter au progrès, ayant peur de faire
m'as-tu-vu. En bas, la salle à manger, entièrement
ouverte sur le parc, peut recevoir les hôtes au petit
déjeuner. Mais les propriétaires qui aiment les enfants, et
auxquels on n'a plus besoin d'expliquer le sens du mot
« famille » se sont rendu compte que le melting-pot
américain ne serait pas fatalement de rigueur : ils ont
donc décidé de troquer leur grande table familiale contre
des petites… un peu à regret, mais sans hargne. Quelques
beaux meubles, du calme et une belle vue, avec dans
l'entrée une jolie marine, trop peu mise en valeur, de
style XVIIIe naïf, résument le charme de cette demeure
poétique, bien que modeste.

Baron et Baronne A. de Ville d'Avray
Ouvert de Pâques au 30/9
Tél. (31) 92.05.86
7, rue de la Combette. 14400 Bayeux. 3 chambres et
1 appartement. De 200 à 300 F. Petit déjeuner inclus.
Pas de restaurant. (Attention, ce château n'est pas un
hôtel mais une demeure recevant des hôtes payants.)
Accès en ville.

CHÂTEAU DU MOLAY

Le Molay-Littry. Calvados

Le goût du bonheur

Quand on sait que ce château, situé dans un parc de dix-huit hectares, a été l'aire de lancement de fusées V2, que le débarquement allié a conduit la Croix-Rouge, puis les FFI à s'y installer, enfin que tout a été saccagé, on se demande comment il peut avoir cet aspect prospère aujourd'hui. C'est sans doute le fantôme d'Edouard, comte Chabrol-Crousol, collectionneur et bibliophile passionné, grand-père du compositeur Vincent d'Indy, sous Napoléon III qui, survivant des décombres, a su conseiller les nouveaux propriétaires. C'est le soir, dans la salle de billard (ancienne bibliothèque, et la seule dont les boiseries d'époque sont restées intactes), que pour la première fois ils sont entrés en communication avec l'au-delà, et ont demandé à Edouard : « Par où commence-t-on ? — Par le début », a répondu ce dernier qui, bien qu'esthète, ne manquait pas de sens pratique. Ce qu'ils firent et firent bien. Car l'ensemble est impeccable et entièrement refait à neuf, cela dans les quarante-trois chambres, du sol au plafond, et jusque dans les cuisines, salles de séminaires, centre d'esthétique... Tout y est franc, clair, gai comme l'accueil et sans façon. Les chambres sont spacieuses, les salles de bains modernes et sans surprise. Les propriétaires ont alors à nouveau interrogé Edouard : « Et maintenant, que fait-on ? » Le vieil Edouard réfléchit : « Redonnez à tout cela un peu de patine et cet air d'antan. C'est du

bon travail, certes, mais le château vaut mieux encore ! »
Les propriétaires essayèrent d'arguer : « Voyons !
Edouard ! Patientez ! Nous ne pouvons pas tout faire
d'un coup. La vie est chère à présent... Bon ! d'accord ;
mais pas plus de sept chambres par an... — Et le passage
en alu sur la droite qui décidément me gêne la vue
quand je vous regarde depuis l'étang, ajouta Edouard,
pointilleux, vous y êtes allés un peu fort sur la modernité,
tout de même ! » Et une fois de plus les propriétaires ont
cédé : « On va le recouvrir de rosiers. Bientôt il n'y
paraîtra plus. » Devant tant de bonne volonté, Edouard,
rassuré, les a laissés. Il se repose dans le parc aux arbres
centenaires, parle aux fleurs et aux oiseaux, aux cygnes,
aux daims, aux chèvres et aux chevaux, bronze à la
piscine, taquine la truite et fait le jardin pour le chef, car
il produit les légumes et les herbes, tandis que
les propriétaires s'acharnent à trouver des horloges
normandes, un beau buffet normand ou une véritable
tapisserie, enfin des objets qui rendront tout le ronflant à
la majestueuse cheminée du salon du XVIe, avec four à
pain, seul vestige n'ayant pas brûlé... avec un goût du
bonheur en plus.

Monsieur et Madame Jouve
Ouvert du 1/3 au 31/12
Tél. (31) 22.90.82
Route d'Isigny. 14330 Le Molay-Littry. 43 chambres.
De 300 à 380 F. Parc. Piscine. Sauna. Spa. Tennis. Petit
déjeuner compris. Menus à 100 et 145 F. Carte à 190 F
environ. Accès par D 5 à la sortie de Bayeux.

MANOIR
DE L'HORMETTE

Aignerville. Calvados

Le désir inachevé

Vous l'avouerais-je, mais ce manoir demeure pour
moi un des rares mystères de ce grand voyage autour de
nos vieilles demeures. Je lui accorderai pourtant le

bénéfice d'une présomption particulièrement favorable. Et pourtant, je n'ai pu que m'en approcher... et cela m'a presque suffi.

La nature autour, plus normande que nature justement (mais la campagne de là-bas peut-elle être autre chose que pittoresque ?), a de ces « suivez-moi jeune homme » qui vous rendraient heureux de brouter cette herbe verte. Et puis, j'aime l'aplomb de cette vieille ferme du XVIIᵉ, restaurée d'une manière à la fois très respectueuse et très parisienne, qui se pare du titre de « manoir », titre que les voisins, bien du cru depuis longtemps, font semblant d'ignorer.

On sent que tout, à l'intérieur, doit être aussi léché qu'à l'extérieur. Les bonnes leçons des meilleures revues de décoration, du style à la ville comme à la campagne, ont dû en faire un petit bijou. C'est ce que suggère la petite maison annexe, un peu maison de poupée. Tout cela pour vous dire que cela vaut sans doute la peine d'aller voir, le temps d'un instant pendant un week-end, d'aller visiter ces propriétaires que je n'ai jamais pu rencontrer mais qui doivent bien exister.

Monsieur et Madame Yves Corpet
Ouvert du 1/6 au 1/11
Tél. (31) 22.51.79
Aignerville. 14710 Trévières. 2 chambres et 1 maison. Parc. De 200 à 500 F. Petit déjeuner inclus. Repas possible sur demande à 120 F environ. (Attention, ce château n'est pas un hôtel mais une demeure recevant des hôtes payants.) Accès par N 13 (Bayeux-Carentan) et D 125.

CHÂTEAU
DE VAULAVILLE

Tour-en-Bessin. Calvados

Le château du vent qui aboie

Cette demeure construite au début du XVIIIᵉ siècle a toujours appartenu à une famille de hobereaux et n'a pas d'histoire particulière. Elle en a gardé l'âme toutefois, puisque, si je me souviens bien, « hobereau » était le nom que l'on donnait aux petits seigneurs qui tyrannisaient leurs paysans. Alors ici, ne comptez pas sur un accueil chaleureux. On m'a fait remarquer que je dérangeais, on m'a soupçonné de n'être pas qui j'étais, et enfin d'être qui je n'étais pas, bref la grogne et la rogne étaient bien là ce matin, et la propriétaire mit plus de temps que son chien à cesser de donner de la voix. Je veux bien croire qu'elle était en pleins travaux ou qu'elle allait partir en vacances, mais avant, elle aurait dû prévoir dans ses frais d'aménagement un petit manuel des bonnes manières. Je veux bien croire aussi que dans quinze jours, date d'ouverture, une fée viendrait d'un coup de baguette magique rendre tout le charme perdu et tombé dans les pots de peinture rose et bleu layette des chambres (neuf en tout). La grâce n'est pas toujours une marque de noblesse, encore moins de petite noblesse. Et le goût des hobereaux n'est pas toujours exquis. La preuve en est le beau salon sur le parc, aux boiseries classées, malheureusement recouvertes de quatre générations de vieilles croûtes de peinture grise donnant un aspect vieillot, triste et très négligé. Les chambres sont souvent assorties, et excepté la chambre de l'Evêque et celle de la propriétaire (que je n'ai pas eu l'honneur de visiter) qui sont spacieuses, celles en étage pèchent par un confort qui laisse à désirer. Les salles de bains sont désuètes et minuscules, les couloirs sombres et recouverts d'horribles tapisseries, les recoins douteux, le perron, l'escalier de pierre de l'entrée et la rampe en piteux état. L'harmonie et la beauté du siècle des lumières semblaient s'être volatilisées dans les brumes normandes.

Madame Corblet de Fallerans
Ouvert de Pâques à la Toussaint
Tél. (31) 92.52.62
Tour-en-Bessin. 14400 Bayeux. 3 chambres et 1 appartement. De 250 à 400 F. Petit déjeuner inclus. Pas de restaurant. (Attention, ce château n'est pas un hôtel mais une demeure recevant des hôtes payants.) Accès par N 13 vers Carentan.

LE VIEUX CHÂTEAU

Bricquebec. Manche

Remis à neuf

Allons, allons, on se calme ! le donjon à droite, ce n'est pas l'hôtel, c'est le musée. Non, mais il y a tout de même une partie de l'enceinte qui a droit à l'appellation d'hôtel. Ça ne doit pas dater d'hier, puisque dans une communication de la Société d'archéologie locale on note qu'au XIXe « la partie habitable (de l'enceinte) a été convertie en un misérable cabaret ». Il y a eu du changement depuis, heureusement.

L'auberge occupe ce qui fut vraisemblablement la salle dite des « Chevaliers », à trois nefs à l'origine, avec deux rangées de piliers à chapiteaux sculptés sur lesquels reposaient les voûtes soutenant la toiture. De tout cet ensemble on retrouve d'énormes piliers dans la salle à manger, et des voûtes dans les chambres éclairées par des fenêtres postérieures néomédiévales.

Le mobilier qui, pendant longtemps, avait été du Dufayel forcené a été enfin changé pour quelque chose de plus joli et de plus personnalisé, les salles de bains étant enfin rénovées : le tout avec un certain art. Le médiéval, lui, joue à plein pour les repas, mais la cuisine reste sage.

Curieux endroit que je n'arrive pas à définir car il m'échappe. Cette auberge au village possède tout de même quelque chose qui accroche : ce n'est pas son luxe (c'est le moins qu'on puisse dire) ni sa décoration, ni sa cuisine. Et pourtant... le donjon peut-être... C'est tellement prenant et inquiétant un donjon !

Monsieur Hardy
Ouvert du 1/2 au 31/12
Tél. (33) 52.24.49
50760 Bricquebec. 24 chambres et 1 appartement. De 100 à 300 F. Parc. Petit déjeuner à 15 F. Menus à 44, 68 et 95 F. Carte à 120 F environ. Accès par A 13 sortie Caen, N 13 et D 902.

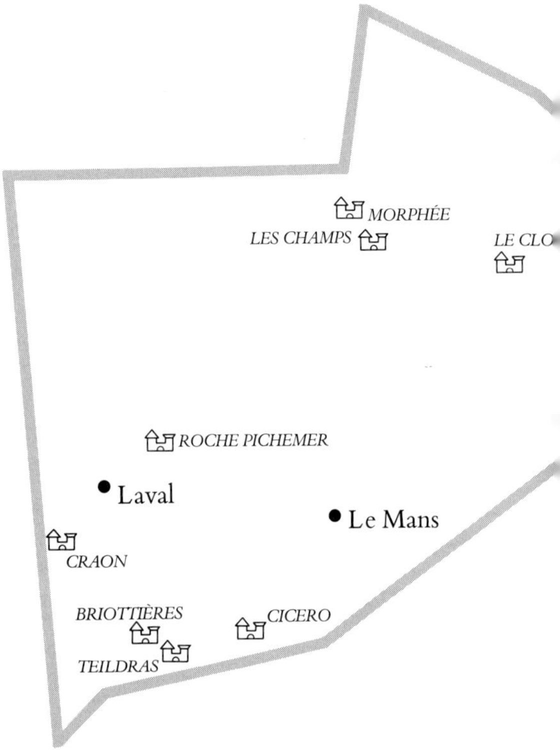

MORPHÉE

LES CHAMPS

LE CLO

ROCHE PICHEMER

● Laval

● Le Mans

CRAON

BRIOTTIÈRES

TEILDRAS

CICERO

BERCHÈRES

Paris

ESCLIMONT

Chartres

III — PERCHE, MAYENNE, SARTHE

LES BRIOTTIÈRES

Champigné. Maine-et-Loire

Les fleurs séchées

Il y a des distinguos subtils qui me ravissent, et lorsqu'un châtelain me remet le tarif de ses chambres sur lequel il est précisé : « lit long » ou bien encore « lit large et court », j'ai tout comme l'impression que cet homme-là se préoccupe de mon confort. Et s'il ajoute : « La laine des matelas vient des moutons qui tondent les pelouses dans le parc », j'ajoute en moi-même qu'il a compris beaucoup de choses à propos des habitués de la vie de château. Mais, sans pour autant m'endormir sur le problème, je vous donne un dernier détail : deux gigantesques lits de 2,20 mètres de long ayant fait partie du mobilier du château de Bokassa ont abouti ici.

Mais François de Valbray semble être de ressources puisqu'il multiplie les activités pour retaper cette demeure de tuffeau et d'ardoise du XVIIIᵉ qui lui échut en héritage.

Et elle en a besoin ! Si l'apparence est flatteuse depuis les lointains de l'entrée du parc, à mesure que l'on s'approche on remarque que les enduits s'écaillent, que certains bouts du toit ont bien besoin de secours et que la centaine de fenêtres (au moins) des façades n'est pas pour toutes de première jeunesse, tandis que les communs (fort beaux) crient grâce. Mais tout cela ne manque pas de panache et conserve une grande allure.

Je sais donc que notre châtelain s'est fait aussi exploitant agricole et, plus rare, qu'il s'est spécialisé en fleurs séchées, fort prisées par les collectionneurs et les décorateurs. Pour lui, être devenu « hôtelier » allait de suite. Il l'est avec un talent certain, celui des gens de bonne compagnie. Ses hôtes ne sont pas étrangers à la vie de la famille, du château : ils partagent son repas dans la grande et noble salle à manger (un repas qu'il cuisine souvent lui-même) et les salons leur proposent leur bien-être.

Car, si pour avoir été vidé de ses meubles il y a quelques années, les Briottières ont perdu beaucoup de leurs souvenirs, Valbray a su redénicher de quoi réaménager en partie la plupart des pièces de réception, avec de bien belles choses souvent. Les chambres n'ont pas toutes encore retrouvé leur splendeur, mais les travaux de plomberie sont passés avant. Cependant, c'est souvent charmant (la « rose » et la « jaune Empire ») ou plus simple (comme la « cloche »), et le parti pris familial est bien le meilleur dans ce cas.

Monsieur F. de Valbray
Ouvert du 1/5 au 30/11
Tél. (41) 42.00.02
Champigné. 49320 Châteauneuf-sur-Sarthe. 4 chambres. De 200 à 275 F. Parc. Petit déjeuner à 25 F. Menu à 150 F (table d'hôte). (Attention, ce château n'est pas un hôtel mais une demeure recevant des hôtes payants.)
Accès par Châteauneuf.

CHÂTEAU
DE BERCHÈRES

Berchères-sur-Vesgre. Eure-et-Loire

Le château au bois dormant

Hors d'ordre du roi, Antoine, architecte de Louis XV, a très peu construit, mais si vous avez quelque mémoire et connaissez déjà son grand œuvre parisien — l'Hôtel des Monnaies —, au-delà d'un classicisme apparemment banal, vous reconnaîtrez sa main dans la façade de Berchères.

Façade... au propre comme au figuré, car hélas je n'ai pas rencontré de château aussi peu soigné que celui-ci. Comme c'est dommage ! Bâti comme un palais, restauré il y a peu d'années, sinon avec grand goût mais du moins avec une efficacité certaine, entouré d'un parc admirable, doté de beaux communs et enrichi d'une splendide pièce d'eau, cela pourrait être un grand hôtel château de France. Hélas, il n'en est rien.

On sent le laisser-aller, dès la réception et dès qu'on ouvre un peu les yeux. Salons, salle à manger, bar, pourtant habillés de fabuleuses boiseries, avouent la négligence générale. Sans doute quelques chambres meublées dans la manière « Levitan-Style » après de fiers débuts ont-elles quelques beaux restes, mais là aussi ça part en catastrophe. A croire que les clients du type séminaires et réunions ne respectent rien, jusqu'à en écœurer le personnel. Quel gâchis ! Pour quelques logements encore dignes et presque intacts, combien devenus sinistres ? Cette maison n'a plus d'âme mais seulement des salles de bains qui fonctionnent. Pour des groupes, cela doit suffire ! (Cuisine inodore, incolore.)

Monsieur et Madame Flouest Lauber
Ouvert du 1/9 au 31/7
Tél. (37) 82.07.21
Berchères-sur-Vesgre. 28560 Houdan. 32 chambres et appartements. De 290 à 430 F. Parc. Etang. Petit déjeuner à 30 F. Menu à 120 F. Carte à 170 F environ. Accès par autoroute de l'Ouest, N 12, sortie Bois-d'Arcy, direction Houdan et Ivry-la-Bataille.

HOSTELLERIE LES CHAMPS

Gacé. Orne

L'Orientale

Lui, bourru, sympathique, le cœur sur la main ; elle, orientale, glissant en silence, aussi discrète que lui est communicatif. A tous les deux, ils ont repris en main une gentilhommière venue du second Empire et vraisemblablement bâtie par des fabricants de beurre ou de fromages qui, comme le célèbre Floirat, avaient trouvé le « gras ». Les chambres sont assez rococo (et quelques salles de bains aussi), mais il flotte là un climat de bonne vie qui ne cherche pas les raffinements mais se trouve plutôt dans une décontraction aussi saine que joviale. A ces prix-là, on s'étonnerait d'un luxe quelconque et on s'en passe très bien ici. Table gaillarde et sans tricherie.

Monsieur C. Tironneau
Ouvert du 16/2 au 15/1
Tél. (33) 35.51.45
Avenue du Maréchal Leclerc. 61230 Gacé. 14 chambres. De 110 à 220 F. Parc. Piscine. Tennis. Petit déjeuner à 23 F. Menus à 88 et 170 F. Carte à 200 F environ. Accès par N 138 (Paris-Alençon).

LE RELAIS CICERO

La Flèche. Sarthe

En flèche

Ces belles maisons que l'on disait « de maîtres », puis « de notables », qui consacraient hier ceux ayant réussi dans leur petite ville, n'ont pas disparu et souvent même, n'ont pas changé de destinée. Pourtant, quelques-unes d'entre elles, échappant à une lignée, se retrouvent transformées en agence d'architectes (ils aiment), en galeries d'art (c'est très bien porté) et parfois heureusement en hôtels.

C'est bien le cas pour le Relais Cicero dont le XVIIe est bien lointain, mais dont le jardin secret est une sorte d'événement au cœur d'une cité. Ce ne serait certes pas suffisant pour choisir d'y dormir en dépit de la promesse d'un calme inattendu ; aussi, l'argument de l'accueil parfaitement souriant, tellement féminin, celui de meubles anciens, de belles boiseries et surtout de prix très raisonnables doivent en faire préférer les chambres intimes et attrayantes. Au tarif de n'importe quelle usine à dormir de banlieue moderne, cela vaut le détour.

Madame Colignon
Ouvert du 1/4 au 5/11
Tél. (43) 94.14.14
18, boulevard d'Alger. 72200 La Flèche. 21 chambres.
De 200 à 240 F. Petit déjeuner à 24 F. Menus à 90 et 120 F. Carte à 160 F environ. Accès en ville.

HOSTELLERIE
DU CLOS

Verneuil-sur-Avre. Eure

Citadins aux champs

Verneuil-sur-Avre... Les Parisiens en mal ou en puissance de résidences secondaires connaissent parfaitement, et ceux qui, pendant leurs week-ends, recherchaient cette campagne léchée et snob, venaient poser souvent leurs valises siglées dans ce manoir qui se croit en Angleterre, ou presque, dont la tour à damiers vous donne envie de jouer aux dames et dont l'horizon de verdure est sérieusement mis à mal depuis peu de temps par une route du genre rocade qui n'est pas du meilleur effet. Heureusement, il reste un bout de campagne et de parc.

Les chambres ont toujours été d'un confort parfait, celui du citadin aux champs, les meubles choisis avec soin chez les antiquaires et les brocanteurs dans le vent qui foisonnent alentour. De quoi satisfaire les plus difficiles des cadres ayant Porsche sur route et Rolex au poignet en compagnie de leur fidèle et élégante épouse. La cuisine a eu longtemps son assise sur la gastronomie normande, mais le retour d'un fils (non prodigue) ayant fait ses classes du côté des fourneaux à la mode risque de changer toute la carte. A goûter en ce champ clos.

Monsieur et Madame Simon
Ouvert du 16/1 au 15/12
Tél. (32) 32.21.81
98, rue de la Ferté-Vidame. 27130 Verneuil-sur-Avre.
9 chambres et 2 appartements. De 250 à 900 F. Parc.
Petit déjeuner à 28 F. Menu à 115 F. Carte à 280 F
environ. Accès par N 12.

CHÂTEAU
DE CRAON

Craon. Mayenne

Le plaisir des Dieux

Pour ces châtelains, j'aimerais écrire leur nom en très, très grosses lettres, car ils sont d'authentiques aristocrates avec tout ce que ce mot entend de race et de distinction. Mais sans doute cela serait-il déplacé, car ils ont, bien sûr, de la discrétion.

Pour ce château-là, j'ai eu envie de demander que l'on me fasse un grand, grand dessin, car il est des sortes de perfection auxquelles je me soumets avec enthousiasme.

Pour ces chambres pensées avec tant de soin et tant de sincérité, où chaque chose est de celles que l'on aime toucher, caresser des yeux et de la main, j'aurais adoré qu'elles donnent leur exemple à tant d'autres châteaux.

Pour cet art de vivre qui se raconte ici depuis bientôt trois siècles, j'aurais voulu inventer des mots nouveaux pour évoquer son plaisir.

Un coup de cœur, cela ne se dit pas... Tout au plus cela se murmure-t-il en quelques phrases. C'est fait.

Comte et Comtesse de Guebriant
Ouvert du 1/7 au 31/8 et du 15/6 au 15/9 sur demande
Tél. (43) 06.11.02
53400 Craon. 6 chambres. De 310 à 590 F. Parc.
Piscine. Tennis. Petit déjeuner inclus. Pas de restaurant.
(Attention, ce château n'est pas un hôtel mais une demeure recevant des hôtes payants.) Accès par Craon.

CHÂTEAU D'ESCLIMONT

Saint-Symphorien. Eure-et-Loir

Les Diane d'antan

Il est beaucoup question dans ce livre d'un personnage appelé René Traversac. Grand sauveur de châteaux en détresse dont il fait des hôtels de rêve et de luxe, déjà possesseur de je ne sais (si, je sais, mais cela change tous les ans) combien de châtellenies établies un peu partout en France, du Val de Loire au grand Est en passant par la Provence, il n'a pas laissé échapper ce château d'Esclimont qui, à deux pas de Paris, a réussi par on ne sait quel miracle à être interdit aux promoteurs qui se seraient fait une joie de le détruire avant de morceler son parc.

C'est plutôt heureux qu'il en soit ainsi : sans doute le seigneur qui vivait encore là, replié sur quelques pièces, n'aurait-il plus pu tenir une aussi énorme bâtisse en état pendant longtemps encore, et il aurait fini par négliger peut-être sa devise inscrite au fronton : « C'est mon plaisir ».

A sa manière, Traversac l'a sauvé, cet Esclimont : on pourra voir encore cette architecture faussement Renaissance, et ses exubérances, et ses excroissances quasiment surréalistes créées sous le second Empire à côté des vestiges de tours, de murs, d'enceintes ayant commencé vers le XVe.

Château phénoménal dont Traversac va tenter de faire un hôtel lui aussi phénoménal. Il a retapissé la salle à manger de cuir de Cordoue, il a rétabli les salons dans leur splendeur première (ah ! ces fabuleux tapis qui avaient été tissés spécialement à Aubusson pour ces pièces !), et puis, il a tout bouleversé dans les étages — hors les chambres nobles — pour installer discrètement le confort superbe que l'on attend chez lui. Pour la décoration il a eu des lueurs fulgurantes et des obscurantismes navrants. Mais tout de même, le résultat est assez fantastique, luxueux, prenant. Aux cuisines, il n'a pas encore trouvé la formule magique, mais il la trouvera, j'en suis sûr.

Et puis il y a le parc : à lui seul, il fait rêver. Rêver à toutes ces générations de jeunes filles bien nées qui y ont joué, apprenant là leur rôle de Diane chasseresse, de cousins à cousines. Pourvu que les « séminaristes » (parfois bien trop nombreux et embarrassants) ne brouillent pas leurs traces et n'effacent pas leur souvenir… Je leur en voudrais.

Monsieur R. *Traversac*
Ouvert du 1/1 au 31/12
Tél. (37) 34.15.15
28700 Saint-Symphorien. 40 chambres et 8 appartements. De 350 à 1 500 F. Parc. Piscine. Tennis. Petit
déjeuner à 34 F. Menus à 155 et 255 F. Carte à 300 F
environ. Accès par N 10 et à Ablis D 18.

LE MORPHÉE

Gacé. Orne

Pour y dormir

Il faut croire que le négoce du beurre était plus prospère que jamais en Normandie dans les années 1880, puisque cet autre hôtel particulier, passé lui aussi (comme *Les Champs* dans cette même ville) à l'hôtellerie de tourisme, a été bâti pour la famille d'un négociant fortuné, B.O.F. avant l'heure.

Colonnes supportant le balcon, colonnades cannelées plaquées sur la façade de briques roses avec des appareillages de pierre, frontons de fenêtres sculptés... Il ne manque rien à tout ce qui était nécessaire sous Napoléon III pour faire état d'une respectabilité acquise.

L'intérieur relève du même esprit, et j'avoue que les boiseries et la cheminée travaillée du salon billard ont quelque chose d'intempestif dans leurs prétentions tout de même limitées par des surfaces modestes. En quittant Paris, les ampleurs de la plaine Monceau prenaient en petite province des dimensions bien plus raisonnables. Mais on n'y oubliait pas pour autant les moulures dorées aux plafonds.

On a donc très proprement restauré cet essai de vanité immobilière pour en tirer un hôtel qui devient presque amusant et à recommander à titre de curiosité, puisque les chambres sont impeccables, propres, gentillet-tes (bonnes salles de bains). Je n'ai pourtant jamais rien vu qui ressemble à cela.

Monsieur et Madame Lecanu
Ouvert du 16/1 au 14/12
Tél. (33) 35.51.01
2, route de Lisieux. 61230 Gacé. 10 chambres. De 160 à
204 F. Parc. Pêche. Petit déjeuner à 21 F. Pas de
restaurant. Accès par N 138.

CHÂTEAU
DE LA ROCHE PICHEMER

Saint-Ouën-des-Vallons. Mayenne

Une belle noblesse...

Madame d'Ozouville manque de sang-froid et elle
se laisse emporter par son mépris, ce qui pour moi est
carence d'authentique noblesse : il est des instants où les
quartiers ne suffisent plus ; « les Français, siffle-t-elle
avec ce qu'elle croit être de la hauteur, sont tous mal
élevés, peu soigneux et nous ne voulons que des
Américains pour clients ». Il est vrai que si tous les
Français s'exprimaient comme elle, ils seraient bien
comme elle les proclame. Je me demande d'ailleurs si son
mépris ne s'applique pas aussi à ses « clients » américains.
Ne disposant dans son splendide château Renaissance
que d'une chambre d'hôtes, chambre d'ailleurs magnifiquement meublée, riche de bois et de peintures à rêver,
elle aurait plutôt tendance à loger ses « étrangers » dans
un petit pavillon rond, jadis alloué à des gardiens, hors
du château et installé avec un mauvais goût qui tendrait
à prouver que le raffinement ayant conduit à la décoration
du château au XVIIᵉ (unique et d'une élégance extrême)
s'est bien perdu avec cette génération. *Sic transit.* Et vive
le dollar !

Dire que c'est aussi cela, les châtelains hôteliers !
(Attention ! Cette demeure n'est pas un hôtel mais
reçoit — façon de parler — des hôtes payants.)

49

Comte et Comtesse d'Ozouville
Ouvert du 1/7 au 30/9 et juin et octobre sur demande
Tél. (43) 01.01.31
Saint-Ouën-des-Vallons. 53150 Montsûrs. 1 chambre.
A 500 F. Petit déjeuner inclus. 1 maison. 1 550 F par
semaine. Parc. Tennis. Pêche. Pas de restaurant. Accès :
est-ce bien nécessaire ?

CHÂTEAU
DE TEILDRAS

Cheffes-sur-Sarthe. Maine-et-Loire

Du grégorien au désenchanté

Je venais d'entendre des chants grégoriens dans
l'église de l'abbaye de Solesmes, toute voisine... alors
peut-être est-ce que j'étais en état de grâce lorsque je
découvris dans le soleil matinal de novembre, le château
de Teildras, tout au bout de ses prés, les dominant
depuis sa terrasse. Equilibré, tout de douceur il se tenait
là, déjà cordial, hospitalier. Sans doute était-il déjà ainsi
il y a quatre siècles lorsqu'il naquit. Sa grandeur, il ne la
trouve pas dans des tours qui n'existent pas, mais dans
des formes aussi simples que déliées ; sa grâce n'a rien de
languissant mais se veut de bon ton et de bonne
éducation.

Au vrai, ce n'était pas une découverte, car je l'ai
connu dans ses débuts d'hôtel château. Alors on y sentait
un enthousiasme qui me semble avoir beaucoup molli
depuis que la réussite s'est affirmée. Bien sûr, le mobilier
des salons, toujours d'extrême recherche et d'un passé
indiscutable, a pris un peu plus de patine, mais cela lui va
encore mieux. La tapisserie « verdure » donne son
élégance à une salle à manger où les chaises sont restées
toujours aussi raides. Et les chambres maintiennent très
ouvertement l'inspiration qui fut la leur, celle des
meilleures revues de décoration mondaine que l'on
trouve dans les salons des meilleurs médecins : cela
n'étonne plus, et si on ne peut discuter leur agrément

toujours réel, non plus que le confort (très belles salles de bains), cela commence à dater, à lasser. La cuisine elle-même ronronne dans une habitude non dénuée de mérite mais qui se conforte plus du décor que de l'assiette et qui a perdu son étincelle. Allons, le séjour peut être encore délicieux, mais j'ai ressenti je ne sais quelle lassitude chez les propriétaires, à moins que ce ne soit une sorte de contentement d'eux-mêmes.

Comte et Comtesse de Bernard du Breil
Ouvert du 4/3 au 15/11
Tél. (41) 42.61.08
Cheffes-sur-Sarthe. 49330 Châteauneuf-sur-Sarthe. 11 chambres. De 360 à 590 F. Parc. Petit déjeuner à 35 F. Menu à 190 F. Carte à 250 F environ. Accès par N 23 à partir d'Angers et D 52 ou D 74.

Brest

MOELLIEN

KERVEOC'H

●Quimpe

STANG

KERNUZ

LE DU

ATLANTIQUE

IV — BRETAGNE

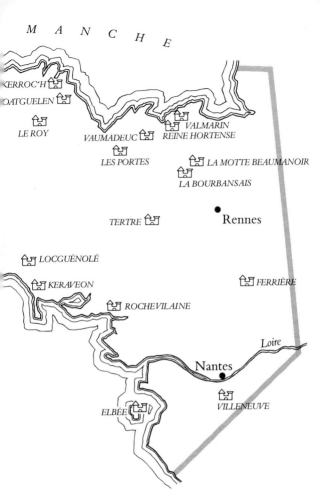

MANCHE

KERROC'H

OATGUELEN

LE ROY

VAUMADEUC

VALMARIN
REINE HORTENSE

LES PORTES

LA MOTTE BEAUMANOIR

LA BOURBANSAIS

TERTRE

● Rennes

LOCGUÉNOLÉ

KERAVEON

FERRIÈRE

ROCHEVILAINE

Loire

Nantes ●

VILLENEUVE

ELBÉE

CHÂTEAU
DE LA BOURBANSAIS

Pleugueneuc. Ille-et-Vilaine

Le plus petit « hôtel » de France

La perspective est la plus belle des demeures nobles de toute la Bretagne ; le château lui-même raconte dans sa pierre l'aventure architecturale de la région entre le XVIe et le XVIIIe siècle, avec ses tours curieusement chapeautées de coupoles surmontées de campaniles, tandis que ses appartements se sont civilisés dès le XVIIIe siècle alors que la forteresse devenait château. Il y a là des boiseries et des tapisseries éblouissantes, des meubles de race (et d'autres moins heureux), des objets rares et une présence, une atmosphère qui sont celles d'un art de vivre selon quelques siècles d'existence.

Classé Monument Historique, il se visite (pour partie seulement), et un parc zoologique installé sur le domaine en fait une curiosité touristique fort importante sans doute pour sa survie. En suivant les curieux on se prend à penser qu'il doit être bon d'y vivre. Or, La Bourbansais est un des rares châteaux de France à accepter des hôtes payants suivant une formule que l'aristocratie britannique a depuis longtemps adoptée.

Il ouvre donc ses portes selon l'expression « bed and breakfast » (chambre et petit déjeuner), ce qui, je le répète, est peu courant chez nous.

Avec beaucoup de prudence et même de sagesse : ici même, un seul appartement est actuellement « hôtelier ». C'est donc un véritable privilège. Ses fenêtres ouvrent sur la fameuse perspective et il est très confortable.

Le lit « à la française » — quasiment carré — est beau, tandis que la décoration est bien élevée avec peut-être un peu moins de panache que le reste de la maison (mobilier disparate avec des beautés, salles de bains honorables, réfrigérateur). On y reste bien chez soi (entrée indépendante), et pour vivre ensuite toute cette

demeure il n'est plus que de séduire les Lorgeril, gens de qualité s'il en est (le premier du nom se « croisa » en 1248) et maîtres charmants de ces lieux.

Comte et Comtesse de Lorgeril
Ouvert du 1/1 au 31/12
Tél. (99) 45.20.42
35720 Pleugueneuc. 1 appartement. De 350 à 600 F selon le nombre de personnes. Parc zoologique. Tennis. Chasse sur le domaine. Petit déjeuner inclus. Pas de restaurant. (Attention, ce château n'est pas un hôtel mais une demeure recevant des hôtes payants.) Accès par Pleugueneuc et la N 137.

CHÂTEAU
DE COATGUELEN

Pléhédel. Côtes-du-Nord

Le romantisme éperdu

A Coatguelen, les Boisgelin sont chez eux depuis huit siècles : une telle constance n'est pas faite pour me déplaire, et je me suis penché sur le grand livre de cette maison des Boisgelin. Croisés ; près des ducs de Bretagne ; un officier de marine ayant donné des mémoires sur ses campagnes du Canada et de Terre-Neuve avant de devenir gouverneur de Saint-Brieuc et président

de la noblesse aux états de Bretagne ; un pair de France et premier chambellan du roi en 1820 ; un cardinal ayant laissé une traduction d'Ovide...

Des origines du château de Coatguelen il ne reste que très peu de vestiges, mais on trouve deux belles demeures sur ce domaine. Un manoir de granit des XVIᵉ et XVIIᵉ, parfaitement restauré, où vit le marquis de Boisgelin actuel, et le château proprement dit, construit en 1850, ancienne résidence d'été des Boisgelin qui, à l'époque, habitaient Paris en l'hôtel de Sully et devenu l'hôtel actuel.

Tout cela ne raconte pas le romantisme profond qui est celui de Coatguelen au milieu de ses forêts, avec un golf qui lui sert de panorama. Evidemment, cela laisse supposer que le grand art de vivre est une tradition de famille : on l'a donc accordé aux visiteurs qui bénéficient au château d'une décoration délicieuse, adorablement féminine, où tout est touche de bon goût et de discrétion élégante. Chambres de charme donc, avec de jolis mariages de papiers peints et de leurs tissus assortis, des boiseries, dont un appartement nuptial, dans une tour. Le grand classicisme courtois des salons et de la salle à manger (cuisine de très haute qualité), la distinction de l'ensemble, la gentillesse de la direction donnent à

Coatguelen une des toutes premières places dans l'hôtellerie châtelaine de Bretagne. Mais puisque ce goût de l'hospitalité a commencé il y a dix siècles bientôt, cela finit par paraître normal et évident.

Marquis de Boisgelin
Ouvert du 1/4 au 5/11
Tél. (96) 22.31.24
22290 Pléhédel. 13 chambres et 3 appartements. De 250 à 450 F. Parc. Piscine. Tennis. Golf. Pêche. Equitation. Petit déjeuner à 32 F. Menu à 125 F. Carte à 200 F environ. Accès par D 7 entre Lanvollon et Paimpol.

HÔTEL D'ELBÉE

Noirmoutier-en-l'Ile. Vendée

Rien à déclarer

Le XVIIIe logeait bien ses services officiels et la Maison des douanes de Noirmoutier-en-l'Ile le prouverait assez. Ce n'est pas présomptueux comme bâtiment, mais enfin les grilles des balcons lui donnent un bel ornement et les encadrements de pierre des hautes fenêtres lui apportent de l'aplomb.

C'est assez joli en tout cas pour que les Monuments Historiques l'inscrivent à l'« inventaire supplémentaire », mais n'interdisent pas pour autant qu'on y ajoute une petite tour carrée, pour faire plus mignon encore. Depuis 1969, voilà bien l'hôtel avec un grand H de Noirmoutier. Ouvrant un peu sur la Cité et un peu sur le port, coquet et élégant, très « parisien au bord de la mer » dans son installation intérieure, très inspiré par les revues consacrées aux résidences secondaires, avec un restaurant ouvrant sur la petite piscine enfermée dans ses murs (toute la maison est d'ailleurs très refermée sur elle-même, et l'accueil aussi pour les nouveaux clients que nous avons été), tout cela est d'un charme convenu et confortable tiré en quadrichromie sur papier glacé. Pas étonnant que les habitués arborent tous les hochets (apparents) de la réussite (apparente) sous forme de montres et babioles signées ou recommandées par les magazines de luxe.

(Cuisine banale et chère.)

Monsieur P. Savry
Ouvert du I/4 au 30/9
Tél. (51) 39.10.29
Place du Château. 85330 Noirmoutier-en-l'Ile. 32 chambres. De 250 à 430 F. Piscine. Petit déjeuner à 27 F. Menu à 90 F. Carte à 200 F environ. Accès par le pont routier à Fromentine.

HOSTELLERIE
CHÂTEAU DE LA FERRIÈRE

Châteaubriant. Loire-Atlantique

L'air d'avoir l'air

Il n'y a qu'en photo où cela ressemble de loin à un château. Il est vrai que des petites tours à poivrière recouvertes de lierre et marquant les coins d'une maison, cela peut faire illusion. Mais dès les premiers pas dans ce gros jardin on sent qu'il manque de ce rien d'âme, ce beaucoup de personnalité qui font que l'on s'attache avant même de savoir.

Cela fait donc un siècle et demi que cette maison joue à l'air d'avoir l'air et, devenue hôtellerie, elle s'apparente à une pension de famille confortable, familière et d'un confort simple. La cuisine elle-même n'a pas d'autre ambition que cette vocation et s'exprime aussi niaisement. C'est encore dans les communs, plus anciens, que l'on finirait par trouver plus de caractère, mais je les crois réservés aux séminaires et autres manifestations de recyclage bien de notre époque.

Monsieur et Madame Duboc
Ouvert du 1/1 au 31/12
Tél. (40) 28.00.28
44110 Châteaubriant. 25 chambres. De 155 à 245 F. Parc. Petit déjeuner à 25 F. Menus à 85 et 120 F. Carte à 150 F environ. Accès par D 178 à partir de Châteaubriant.

CHÂTEAU DE KERNUZ

Pont-l'Abbé. Finistère

Tellement breton

Lorsque l'hiver breton se met au ciel bleu, il n'est pas de plus enivrant pays au monde. Or, il m'a offert cet instant pour découvrir le château de Kernuz. Passés quelques bosquets, longée une enceinte bougrement impressionnante en dépit de son allure ruinée, franchie une tour de garde trapue, traversé un parc aux arbres noueux, aperçu un pigeonnier, merveille et curiosité d'architecture, j'ai fini par déboucher devant cette longue façade flanquée de deux autres tours massives qui le soutiennent d'est et de nord, dont les fenêtres surmontées d'accolades fleuries et allongées confirment que ce château est installé dans les siècles et pour les siècles.

Un homme, calmement, ramassait des feuilles dans une allée : il vint jusqu'à moi, plus calmement encore, et, me voyant admirer la toiture, il me déclara, laconique : « Trente-cinq tonnes d'ardoises... Je les ai montées là-haut. » Et il s'est retourné (ou il a fait semblant), comme s'il voulait retourner à ses branches mortes. C'était le seigneur, dans le sens le plus absolu du terme, des lieux.

Avec prudence, puis un certain orgueil, il me les a d'abord ouverts, présentés, puis fait comprendre. Maison domaniale du bout du monde — on est à une des pointes extrêmes de la Bretagne — Kernuz lui vient de très loin. Certains seigneurs d'ici accompagnèrent déjà Du Guesclin dans ses expéditions en Espagne. Brûlée, cette demeure fut solidement reconstruite au XVᵉ-XVIᵉ, et son aspect n'a plus guère changé depuis.

Dans les salons comme dans la salle à manger, petits et intimes, j'ai vu une collection de commodes, secrétaires, fauteuils, toiles et objets anciens de famille, vivants comme jamais je n'en ai rencontrés. Et le soleil pâle les faisait luire et briller doucement, comme s'ils souriaient. Ils avaient tous une aventure, comme cette sculpture de navire de haut bord travaillée en puissance, récupérée par quelque ancêtre (naufrageur) sur la côte il y a des générations. J'ai visité aussi... mais il faut y aller pour découvrir ce qu'est la familiarité (au sens d'amitié compréhensive) de ce château. Qu'importe alors que les chambres n'aient pas — de loin — la même envergure (belle collection pourtant d'armoires) et que les salles de bains y soient parfois succinctes. Le luxe, ici, est celui d'une très, très longue présence : au fond du parc, la chapelle des ancêtres du châtelain en atteste. Cela me suffit. (Cuisine simple et franche. Tarifs plus que raisonnables.)

Société
Ouvert de Pâques à septembre
Tél. (98) 87.01.59
29120 Pont-l'Abbé. 12 chambres. A 200 F. Parc. Petit déjeuner à 25 F. Menu à 60 F. Carte à 100 F environ. Accès par la route de Pont-l'Abbé à Penmarch.

REPAIRE DE KERROC'H

Paimpol. Côtes-du-Nord

L'hôtel du port

   C'est par bateau qu'il faudrait arriver au Repaire de Kerroc'h qui se trouve sur le quai du port de Paimpol. Cette maison, du XVIIIᵉ, vous rappellera à juste titre les dernières « malouinières » (pardon si cela sent son pléonasme) de Saint-Malo : elle est en effet la seule de ce style, avec sa jumelle qui lui est accolée, à relever de ce genre pourtant propre à la Cité des corsaires. Toute d'une pièce, avec pour seule ornementation de façade des fenêtres hautement étirées et trois lucarnes rondes dans les toits, elle ne fait pas de concessions à la fantaisie. Pourtant, à la découvrir à travers les mâts, on a comme un petit choc et, à la nuit tombée, son reflet illuminé dans les eaux est assez fascinant.

   Haut immeuble, très étroit, il se sert d'un bout de couloir pour la réception, d'un mouchoir de poche pour le bar plutôt très moderne, et d'une surface de « carré » pour la salle à manger plutôt rustique. L'escalier est aussi raide qu'une « coupée » et les chambres ont les espaces d'une cabine de bateau. Pour être un hôtel marin, c'est un hôtel marin. Mobilier contemporain joli, petites lampes bien choisies (salles de sanitaires exiguës mais coquettes) et une gravure représentant l'île qui a donné son nom à chaque logement. C'est jeune, gai et sans prétentions (quoiqu'un peu cher), extrêmement agréable par la coquetterie. Cuisine faisant preuve de bien des élégances et accueil ayant ses hauts et ses bas, comme la marée. Agréable pour poser son sac une nuit.

Depuis les chambres, vue sur le port... et au-delà de l'eau et du quai, un énorme hangar occupant l'autre quai.

Monsieur et Madame Abraham
Ouvert du 1/2 au 21/11 et du 7/12 au 9/1
Tél. (96) 20.50.13
29, quai Morand, port de plaisance. 22500 Paimpol. 6 chambres. De 278 à 388 F. Petit déjeuner à 33 F. Menus à 79 et 165 F. Carte à 200 F environ. Accès par le port de plaisance.

CHÂTEAU
DE KERAVEON

Erdeven. Morbihan

Un donjon et un pigeonnier

Voici bien le plus impressionnant donjon de toute la Bretagne, et je pense aussi que le pigeonnier-colombier est vraisemblablement lui aussi un des plus grands. Cela, pour donner une idée de l'importance qu'une telle construction a pu avoir au cours de l'histoire, son histoire à elle ayant débuté vers le XVIe approximativement. Mais cette pierre bretonne a beau avoir l'air solide, elle n'empêche pas les changements d'architecture comme de régime : ainsi le château actuel date-t-il pour son corps principal du XVIIIe. Un XVIIIe plutôt sévère, mais un XVIIIe quand même.

Une certaine élégance intérieure, des chambres assez réussies (confort et ameublement), agréablement vastes, joliment tapissées, une réception qui se met en quatre, un bel environnement... Tout cela aurait dû me séduire. Il ne s'est rien passé, si ce n'est que j'ai trouvé là une bonne hôtellerie, un service agréable, un château tout de même plein de personnalité... et pourtant... rien. Passé le choc de l'extérieur, je n'ai rien ressenti. N'aurait-il pas eu d'âme ou bien, ce jour-là, avais-je perdu la mienne ?

Monsieur Geraud
Ouvert du 1/5 au 15/10
Tél. (97) 55.34.14
Erdeven. 56410 Etel. 20 chambres. De 420 à 530 F. Parc. Piscine. Petit déjeuner à 34 F. Menus à 146 et 224 F. Carte à 250 F environ. Accès par D 105.

AUBERGE DE KERVEOC'H

Douarnenez. Finistère

La terre bretonne

Voici peut-être le séjour qui ressemble le plus à l'idée que l'on peut se faire d'une bonne vieille maison bretonne, hésitant entre la maison de maître et la ferme déjà opulente. La mer n'est pas devant la porte, mais la Bretagne n'est pas uniquement une côte, on l'oublie trop souvent, et cette campagne-là possède des dons pour attirer et retenir qui aime la nature sans concessions. L'auberge de Kerveoc'h est totalement isolée dans ce monde-là.

Une grande cheminée y est parce qu'on l'y attend, le mobilier rustique aussi, et cela donne un intérieur chaleureux à fréquenter (chambres plutôt agréables dans leur simplicité avec un confort tout de même existant). Les repas sont à l'unisson de ce naturel avec une cuisine roborative, ménagère et à bon compte. Château ? Non, bien sûr, mais, après tout, les maisons sans histoire n'ont-elles pas le droit d'être anciennes et d'avoir gardé le goût du vivre d'antan ?

Monsieur Le Brusq
Ouvert de fin mars à début novembre
Tél. (98) 92.07.58
29100 Douarnenez. 14 chambres. De 160 à 180 F.
Parc. Petit déjeuner à 16 F. Menus à 50, 76 et 125 F.
Carte à 190 F environ. Accès par la route de Quimper
et V.O.

CHÂTEAU
DE LOCGUENOLÉ

Kervignac. Morbihan

La châtelaine irascible

Si Mme de La Sablière, châtelaine de Locguenolé, n'avait pas mis la main sur un chef exceptionnel, il y a beau temps, je crois, que j'aurais renoncé à loger dans son château. Château qui n'est pas en cause car, dans le fond, avec son parc énorme et son aspect très bretonnant, il n'a aucune raison de déplaire. D'autant que le confort est tout de même soigné, le calme absolu et l'installation des chambres plutôt réussie dans le style léché et joli.

Mais le cas est celui de Mme de La Sablière, d'excellente condition, mais affligée d'humeurs parfois imprévisibles tant elle est persuadée que les clients lui doivent tout (même subir ses caprices et ses distances), et qu'elle a déjà bien assez fait pour eux en les nourrissant bien et en les logeant bien. On me dira que ce n'est déjà pas mal, mais le sourire et le sens des relations publiques peuvent aider à faire passer des additions justifiées sans doute, mais tout de même terrifiantes.

Mais autant parler de la très, très bonne cuisine, brillante, et bien le fait d'un virtuose, et ne pas oublier la magnifique campagne alentour. Mme de La Sablière n'a tout de même pas réussi à nous couper l'appétit ni à nous éloigner de sa si jolie maison qui lui doit tant pourtant : **étrange contradiction dans ce personnage étonnant, aussi incompréhensible qu'aimable parfois.**

Madame de La Sablière
Ouvert du 1/3 au 15/11.
Tél. (97) 76.29.04
56700 Kervignac. 35 chambres et 3 appartements. De
390 à 824 F. Parc. Piscine. Tennis. Petit déjeuner à
35 F. Menus à 167, 252 et 341 F. Carte à 360 F
environ. Accès par N 165 et D 170.

CHÂTEAU DE LA MOTTE BEAUMANOIR

Pleugueneuc. Ille-et-Vilaine

Gentilhomme campagnard suis

Pour m'accueillir, le châtelain n'avait rien changé à
sa tenue de gentilhomme campagnard venant de se
promener sous la pluie. Il a simplement ôté ses bottes
avant que nous ne nous réchauffions devant une flambée,
nourrie d'énormes bûches tant la cheminée était vaste. A
bien y regarder, cette salle n'était guère différente, si ce
n'est par sa taille (raisonnable cependant), de celles des
grosses fermes fortifiées du Moyen Âge qui ont pu
parvenir jusqu'à nous. On s'y sentait bien, protégé de
tout ; enfoncé dans des canapés profonds et entouré de
meubles simples, prêt à écouter les murs puissants se
narrer une fois de plus.

Une origine du XVe, une construction sur l'emplacement d'une « motte féodale », des agrandissements au
XVIIIe... un parcours normal pour un habitat noble.
Pour la construction, de la bonne pierre de granit brut,
un bâtiment d'équerre auquel répondent des communs
aussi solides, un corps de logis avec deux tourelles, l'une

en encorbellement et l'autre à pans coupés, et devant, une large douve remplie d'eau vive par un étang tout proche. Maison forte certes, mais qui n'a rien de guerrier. Alentour des prairies, des arbres puissants, une campagne vraiment campagne : on est loin des manières des parcs à la française.

C'est au niveau des quelques chambres et appartements que le XVIIIᵉ apparaît, au plus épuré de lui-même, avec les portes moulurées et ses lambris, tous repris de couleurs claires soulignées de filets de teintes gaies. Hauts plafonds, cheminées prometteuses, beaux tissus fleuris sur les murs, lits capitonnés ou de bois patinés, dessus-de-lits au crochet (salles de bains impeccables), épais rideaux de velours, hautes fenêtres ouvrant sur les douves et les champs boisés... j'ai envie de reprendre mon expression de gentilhommière campagnarde. Il y a ainsi des enchantements qui n'ont pas besoin de fastes et des sincérités d'accueil qui n'ont pas besoin de quartiers de noblesse. Merci !

Monsieur et Madame Bernard
Ouvert du 15/4 au 15/11
Tél. (99) 45.26.37
35720 Pleugueneuc. 4 chambres et 2 appartements. Parc. De 275 à 450 F. Petit déjeuner à 23 F. Repas sur demande entre 80 et 150 F. (Attention, ce château n'est pas un hôtel mais une demeure recevant des hôtes payants.) Accès par N 137 de Rennes à Saint-Malo.

MANOIR
DE MOELLIEN

Locronan. Finistère

En annexe

Evidemment qu'il m'a plu ! Ce manoir qui avoue son XVIIᵉ et sa cuisine servie dans une salle à manger absolument charmante avaient de quoi retenir mon attention. J'ai espéré un instant qu'il y avait aussi des chambres. Elles y étaient mais installées ailleurs, dans une sorte d'annexe bien propre, le tout de bonne venue, mais ce n'était pas la vie de manoir comme je l'entends. Loger dans une vieille demeure et loger en face sont tout de même deux choses bien distinctes. Il y a manoir et manoir !

Madame Le Corre
Ouvert du 16/3 au 14/11 et du 2/12 au 2/1
Tél. (98) 92.50.40
29127 Plomodiern. 10 chambres. De 210 à 250 F. Petit déjeuner à 25 F. Menus à 60, 100, 135 et 150 F. Carte à 180 F environ. Accès par C 10 à partir de Locronan.

LES MOULINS
DU DUC

Moëlan-sur-Mer. Finistère

Ils font la roue

De l'antan de ces moulins-là, il ne reste pas grand-chose si ce ne sont les deux énormes roues, vestiges d'une machinerie fantastique pour leur époque (le XVIe), qui reposent sur leurs axes impressionnants dans une des salles communes. C'est donc un peu par privilège que je les inscris dans ce recueil, car ils représentent quelque chose d'assez unique dans l'hôtellerie sortie du passé.

Sans doute quelques vieux murs subsistent-ils dans ce véritable hameau constitué de ravissantes maisonnettes de granit dispersées dans cette propriété loin de tout, où l'on ne sait plus trop où commence la nature, où finit l'eau, tant s'imbriquent entre eux lacs, étangs, jardin et rivière. Cela ressemble aux désordres heureux et attirants que le Créateur a dû s'amuser à éparpiller en ses jours de fantaisie. Comme cette vallée du Bélon est enjôleuse !

Dans les maisons, des chambres qui prétendent au luxe : certaines absolument admirables ; d'autres absolument grandiloquentes et un peu ridicules (mais toutes avec de belles salles de bains). Quant à la cuisine, elle ne se laisse pas flotter dans l'indécision. En Bretagne, il y a peu de tables qui l'égalent. Pour l'accueil, je serai beaucoup plus nuancé car mes expériences autant que certains échos créent bien des dissonances. A croire que tout ne tourne pas rond en ces luxueux moulins.

Famille Quistrebert
Ouvert du 22/4 au 30/10
Tél. (98) 39.60.73
29116 Moëlan-sur-Mer. 26 chambres. De 265 à 600 F.
Parc. Piscine. Petit déjeuner à 30 F. Menu à 140 F.
Carte à 235 F environ. Accès par N 165 et D 116.

REINE HORTENSE

Dinard. Ille-et-Vilaine

Une passion russe

Le tourisme existerait-il en France si les Anglais ne l'y avaient pas inventé ? C'est qu'on les retrouve partout à l'origine de nos vacances, ou presque. Ils ont imaginé la Côte d'Azur, Chamonix leur doit presque tout et ne voilà-t-il pas que je réalise que l'aristocratie britannique de l'après-Victoria s'était entichée de Dinard au point de la rendre célèbre ? Et aujourd'hui même, alors que nous nous enthousiasmons pour les balades sur nos canaux, nous oublions qu'eux les font depuis vingt ans et que les premiers guides nautiques de la France fluviale ont été édités à Londres. A croire que nous sommes la dernière colonie de leur Empire défunt.

Ceci par parenthèse et pour m'expliquer aussi certaines villas un peu folles remontant à la fin du siècle dernier et qui avouent bien le défi à leurs voisines : comme on rivalisait d'attelages, on le faisait aussi avec ces maisons de bord de mer. Et la Reine Hortense, pourtant assez mesurée d'aspect, ne cachant pas son opulence pour autant, n'est pas tout à fait comme les autres. Elle est née d'une fantaisie, d'une extravagance qui cachait une passion au passé.

68

Vers la fin du siècle précédent, un prince russe, Vlassof, s'éprit du souvenir de la reine Hortense, mère de Napoléon III. Comment des objets ayant appartenu à l'ancienne reine de Hollande ont-ils pu finir en ventes publiques ? Toujours est-il que le prince acheta des toiles la représentant, des serrures ayant orné les portes de son palais, et une baignoire qui avait vraiment été la sienne. Et c'est autour de ces objets qu'il inventa cette grosse maison riche devant la grande plage, la baie et les remparts.

Les objets sont toujours là et la demeure a conservé son sens de la fortune. Les chambres ne se commettent pas dans le modernisme et s'appuient sur le « style » tel qu'on l'a toujours entendu à partir de certains moyens financiers (confort parfait des salles de bains aussi). Ce n'est pas original, mais hautement rassurant. Comme l'atmosphère d'ailleurs, qui est le fait de gens de bonne compagnie.

Monsieur et Madame Benoist
Ouvert du 15/3 au 15/11
Tél. (99) 46.54.31
19, rue de la Malouine, 35800 Dinard. 10 chambres. De 500 à 700 F. Petit déjeuner à 35 F. Pas de restaurant. Accès en ville.

DOMAINE
DE ROCHEVILAINE

Pointe de Pen Lan. Morbihan

Les maisons de la mer

Les Phéniciens venaient-ils chercher ici l'étain dont ils avaient besoin pour fabriquer le bronze qu'ils fournissaient aux pharaons d'Egypte, aux Hébreux et aux pays du Levant ? Sans doute, car il était stocké ici et peut-être même produit alentour. Les Vikings avaient-ils mouillé là leur flotte en attendant l'opportunité de remonter la Vilaine ? C'est évident puisqu'ils suivirent ensuite le cours du fleuve jusqu'à s'installer au lieu-dit

La Roche-Bernard. Sous l'Ancien Régime, des batteries de canons étaient postées là afin de défendre l'estuaire contre les envahisseurs de la mer. C'est dire si les souvenirs ne manquent pas sur cette pointe de Pen Lan, poste de guet historique s'il en fut.

Le portail roman du XIIIe qui ouvre sur le domaine de Rochevilaine donne le ton, dès l'entrée, de cet ensemble de maisons de granit bien dans le style de la Haute Epoque bretonne. Trapues, basses et puissantes ces demeures. On se sent protégé derrière ces murs lourds, de pierre brute ou d'enduit blanc, dont les portes et les fenêtres encadrées de montants de granit ouvrant sur le large ou les cours intérieures rassurent aussi.

Une salle à manger rustique avec des poutres récupérées de chapelles romanes, un salon avec une cheminée contant une légende, de hauts sièges et des fauteuils profonds aux velours désuets, et l'océan tout autour. Des chambres éparpillées dans chaque maisonnette, plutôt cossues avec quelques beaux meubles patinés et bien des maladresses chaleureuses dans la décoration : et toujours la mer derrière les vitres, éclaboussant même parfois d'embruns à marée haute. Un confort soigné (salles de bains impeccables et parfois démodées) et complet : quelquefois un jardinet en terrasse devant la porte.

Et l'accueil délicieux en ce réel bout du monde des Gasnier, passionnés de leurs maisons : ils retiennent même plus encore avec une cuisine marine, recherchée et délicate, largement au-dessus de la moyenne. Leur Bretagne a les dimensions de l'hospitalité de haute tradition.

Monsieur Gasnier
Ouvert du 1/4 au 1/11
Tél. (97) 41.69.27
Pointe de Pen Lan. 56190 Billiers. 33 chambres et appartements. De 250 à 1 000 F. Piscine. Petit déjeuner à 35 F. Menus à 100 et 150 F. Carte à 230 F environ.
Accès par voie express Nantes-Quimper et Muzillac.

RELAIS DU ROY

Guingamp. Côtes-du-Nord

Une porte royale

Elle est bien belle cette place du centre de Guingamp : on sent vite que cela fait un bout de temps qu'elle est le cœur de la ville. Et, conséquence, on découvre vite l'hôtel qui doit régner ici presque sans partage. Las, entre la vitrine du rez-de-chaussée et les stores des fenêtres du premier étage, on ne voit pas grand-chose d'une façade que l'on devine pourtant avoir été intéressante.

Il faut se faufiler sous le porche pour atteindre à une cour minuscule et s'arrêter net devant un splendide porche Renaissance authentique qui signe avec grandeur une maison au demeurant modeste. On passe à la salle à manger qui a résolument adopté le style manoir, Louis XIII et Haute Epoque, comme on les entend aujourd'hui, mais avec assez d'habileté pour être plaisante. C'est bien ici que doivent se passer les « repas » importants de la ville. C'est assez cossu pour ne pas déroger et ce n'est pas assez luxueux pour choquer... malin... malin. Comme j'aurais aimé pourtant une flambée dans cette si vaste cheminée. Mais pour lors, la cuisine axée sur la mer m'a donné bien des satisfactions : bien plus en tout cas que le directeur de la salle jouant les petits chefs.

Mais par ailleurs l'accueil avait été bien engageant, et à ma demande de visiter les chambres on se rendit avec le sourire. Gentilles chambres coquettes, « de style » comme l'on dit (très bien équipées en sanitaires), assez déconcertantes par la débauche de papiers peints à fleurs ou à rayures qui les rapetissent encore, mais leur calme est appréciable et les prix raisonnables plus encore. Autre chose ahurissante, le bar-pub qui se voudrait parisien-british et qui sert de salon : mais il est le « lieu » de rencontre de Guingamp, l'endroit chic.

Monsieur et Madame Mallegol
Ouvert du 3/1 au 23/8 et du 12/9 au 20/12
Tél. (96) 43.76.62
42, place du Centre. 22200 Guingamp. 7 chambres. De
185 à 250 F. Petit déjeuner à 20 F. Menus à 70, 135 et
180 F. Carte à 220 F environ. Accès au centre ville.

AUBERGE
DU MANOIR DES PORTES

Lamballe. Côtes-du-Nord

Une fausse porte

Mais c'est que j'ai failli y croire : tout y était, le crachin qui là-bas me manquerait s'il s'arrêtait pendant longtemps ; le long mur bas qui me donnait l'impression de protéger un grand domaine ; les deux bâtiments d'équerre montés dans cette pierre que seule la Bretagne sait arracher d'elle-même et qui me parlait d'un passé d'au moins trois ou quatre siècles par quelques meneaux, un fronton de porte.

Oui, j'ai bien failli y croire.

Las, la porte poussée il a bien fallu me rendre à l'évidence : le propriétaire avait dû racheter en solde les plans d'une décoration prévue pour un hôtel chalet dans une station de sports d'hiver dite « intégrée », c'est-à-dire moderne (remboursée en douze mensualités de crédit sans frais). Ce n'était pas laid, plutôt confortable et même assez flatteur, et les chambres même avaient le privilège de ne pas être petites. Soit, certes, bon... Mais pas ici en Bretagne, mais pas ici derrière les murs d'un manoir tricentenaire... Pour allier contemporain et classique, il faut presque du génie.

Enfin, le café était bon, la patronne gentille et les « séminaristes » bien contents de se recycler.

Monsieur B. Chauvel
Ouvert du 1/3 au 31/1.
Tél. (96) 31.13.62
La Poterie. 22400 Lamballe. 15 chambres. De 185 à
308 F. Petit déjeuner à 23 F. Menu à 74 F. Carte à
220 F environ. Accès par D 28 à partir de Lamballe.

MANOIR
DU STANG

La Forêt-Fouesnant. Finistère

Charme vieillissant

Le domaine est suffisamment grand pour qu'il ait plusieurs entrées sur je ne sais combien de routes nationales ou départementales. Assez paradoxalement, cela l'assure d'une grande tranquillité. La roseraie est plutôt impressionnante et la façon dont le parc est entretenu (une partie des quarante hectares de la terre) donne à penser que tout est au même diapason.

L'aspect du manoir — pour mieux dire, une gentilhommière —, qui avoue sans les porter quelque six siècles d'existence altière et distinguée, ne contredit pas cette première impression. Et les premiers pas dans la maison affirment plus encore le goût et le soin qui président à l'entretien de ce bel ensemble.

Les propriétaires, civils et affables, aiment à narrer l'épopée de leur manoir — ils le feront avec plaisir pour vous — et s'attachent à satisfaire la moindre de vos demandes. Les beaux meubles du rez-de-chaussée font bien augurer des étages : les chambres n'y sont souvent que d'une banalité consternante, avec parfois la surprise d'une sincérité familiale, le reflet de quelque souvenir de vie heureuse (confort parfois incertain). Oserais-je employer l'adjectif de suranné pour l'atmosphère de cet endroit ? Plutôt vieillottant, peut-être. Et la tristesse de la salle à manger en forme d'auberge châtelaine pour touristes est profondément décevante. Alors, faut-il se contenter de faire le tour de la maison, à l'extérieur bien sûr, en l'exquise compagnie des châtelains ?

Monsieur et Madame G. Hubert
Ouvert du 15/5 au 20/9
Tél. (98) 56.97.37
29133 La Forêt-Fouesnant. 26 chambres. De 250 à 460 F. Parc. Petit déjeuner à 33 F. Menu à 140 F. Carte à 180 F environ. Accès par D 783 (Concarneau-Quimper).

MANOIR
DU TERTRE

Paimpont. Ille-et-Vilaine

Rendez-vous à Brocéliande

Merlin l'Enchanteur, Lancelot, Viviane, les chevaliers de la Table ronde m'attendaient donc au plus profond de la forêt de Brocéliande, d'un massif à l'autre, d'étangs en étangs. Ils m'ont promené de réminiscences en magies, de châteaux romantiques en sombres castels, de la prison d'air de l'enchanteur à la fontaine de Jouvence. Ils auraient pu me garder car je n'avais pas envie de repartir, repris par le fantastique des souvenirs d'une enfance que je n'ai pas oublié.

Mais, reprenant pied sur terre, je trouve parfois ces bois inquiétants aux tombées de la nuit, et je sens bien que les pluies m'y transforment en serpillière. Alors j'y ai eu besoin d'un refuge. C'est au plus haut de la forêt, à deux cent seize mètres d'altitude — tout juste assez pour un tour d'horizon au-dessus des arbres qui, à l'heure grise, semblent pousser plus haut encore leurs têtes — que je l'ai trouvé, bien modeste en dépit de ses quatre siècles d'existence, un peu tassé sur lui-même, débonnaire et favorable au voyageur égaré dans le surnaturel.

Il y avait bien ce que j'y attendais : des vieux meubles, une belle cheminée, une odeur de bois brûlé, et un accueil féminin aussi bienveillant que souriant. Et je soupçonne Mme Alix, l'hôtesse des lieux, d'être aussi un peu magicienne tant elle a, elle aussi, d'histoires à rapporter pendant que l'on se régale d'une cuisine terrienne à qui il ne manque pas bien sûr une pincée de poésie. (Chambres aussi simples que sympathiques.)

Madame Alix
Ouvert du 1/1 au 31/12 mais fermeture quinze jours en février et en octobre
Tél. (99) 06.80.02
Le Tertre, Paimpont. 35380 Plélan-le-Grand. 8 chambres. De 86 à 157 F. Menus à 60, 75 et 110 F. Carte à 200 F environ. Accès à 4 kilomètres par la route de Beignon et V.O.

LE VALMARIN

Saint-Servan-sur-Mer. Ille-et-Vilaine

Ma première Malouinière

Vue comme cela, depuis la rue, au fond de son petit parc, elle ne paie pas particulièrement de mine. Une petite et bonne maison bourgeoise, se dit-on, rien de plus. Bien tenue certes — toit impeccable, murs rasés de près, huisseries des fenêtres absolument impeccables, un vrai bijou de propreté —, mais cela ne suffit pas à donner un coup au cœur.

Pourtant, il est là, sous-jacent, latent. En s'approchant, cette belle simplicité avoue tout de même l'équilibre du XVIIIe, et on n'a plus du tout tendance à la tutoyer. Cela sent la véritable élégance : celle de l'homme qui l'a voulue, celle de l'architecte qui l'a réalisée. Mais cela sans manière ni fortune : il y a des qualités qui n'en ont pas besoin.

Dans l'entrée, le bel escalier de bois aussi rond qu'une proue de galère, un sol de mosaïque de marbre d'un dessin affirmé et pur ; dans le salon, le bleuté tendre et de fraîcheur du Loüis XVI discret, des bergères profondes en velours caressant et des tableaux et gravures en disant long sur le goût élevé des maîtres de maison ; les chambres au même diapason de séduction, avec un rien de dépouillement en plus, mais autant de bonne manière.

Comment les hôtes ne pourraient-il pas être ici très courtois ? Ils trahiraient cette maison qui est bien la leur. Mais à propos, pourquoi la désigne-t-on du nom de « malouinière » ?

La « malouinière » est une demeure d'armateur ou de corsaire de Saint-Malo uniquement du XVIIIe, construite avec une certaine discrétion, qui faisait pendant au château que les mêmes faisaient édifier en pleine campagne, plus loin des jalousies de la cité. Comme je vous l'ai dit, celle-ci ne fait donc pas exception. Cette réserve, il est à croire qu'elle va au-delà puisque le curieux que je suis, à la recherche du passé de « Valmarin », a appris que les archives avaient brûlé. Il n'en restait qu'une vague succession de vingt-cinq propriétaires depuis 1793, et le nom d'un amiral d'Empire, Bouvet, qui n'a pas laissé plus de traces qu'un sillage de bateau un siècle après.

Monsieur et Madame Le Gal
Ouvert du 1/3 au 31/1
Tél. (99) 81.94.76
Saint-Servan-sur-Mer. 35400 Saint-Malo. 10 chambres.
De 280 à 380 F. Parc. Petit déjeuner à 25 F. Pas de restaurant. Accès par Saint-Malo-Sud.

LE MANOIR
DE VAUMADEUC

Pleven. Côtes-du-Nord

Mon coup de cœur breton

Je n'imagine pas un week-end sans coup de cœur (je ne veux pas parler de celle avec qui l'on part, mais d'un endroit de charme), et la Bretagne ne me l'a pas épargné. Pourtant ce chemin, aussi tortueux que cahotant, débouche devant une façade au demeurant modeste, en dépit de son allure bien assise dans la pierre brute. Sept fenêtres fleuronnées, une étrange porte basse surmontée d'une flèche curieuse s'étirant vers le haut d'un mur de granit on ne peut plus austère... une rigueur qui pourrait être sévère, et pourtant...

Dès la porte poussée, c'est la séduction même. Cela commence par une odeur de bois flambé. La grande salle, pourtant meublée d'une façon hétéroclite, est « habitée ». On est passé là sans transition de la vie de famille à la vocation hôtelière sans rien changer, et dans le bureau de réception, parmi des gravures cavalières, un étendard et des décorations militaires en souvenir.

Et depuis le XVe siècle, il n'en manque pas, des souvenirs, dans ce manoir. Il aurait pu s'arrêter à l'austérité militaire du temps, mais il sut se civiliser. On le sent bien dans ces chambres absolument surprenantes par leur manière d'être, par leurs cheminées, par leur mobilier témoin de quelques générations, et, au-dessus de chaque lit, par un Christ. Les plus belles sont celles dites du « Lion » (sublime cheminée), de la « Bibliothèque » (boiseries XVIIIᵉ et quelques milliers de livres reliés), de l'« Ouest » (avec le souvenir de la famille Lorgeril que l'on retrouve aussi au château de la Bourbansais) et la plupart avec des meubles vivants (sanitaires honnêtes). L'accueil de la gouvernante — Mme Leterrier — est bienveillant et souriant, et celui de Mme de Pontbriand, distingué, plein d'humour et de franc-parler. Les grâces de la salle à manger très châtelaines et la cuisine, simple et du terroir, préparée avec les produits de la ferme, très sincère et servie aux chandelles, ajoutent à ce charme rare.

Vicomtesse de Pontbriand
Ouvert du 1/1 au 31/12
Tél. (96) 84.46.17
22130. Pleven Plancoët. 9 chambres. De 200 à 450 F.
Parc. Etang. Pêche. Barque. Petit déjeuner à 25 F.
Menu à 150 F. Accès par Pleven Plancoët et la N 168.

ABBAYE
DE VILLENEUVE

Les Sorinières. Loire-Atlantique

Le paradis gagné

Dans la carte postale du week-end promenade du Parisien en mal de campagne, il y a toujours, entrevu au-delà d'une longue, longue allée d'arbres hauts, hauts, hauts et d'immenses prairies vertes, vertes, vertes parcourues de chevaux en liberté, un château rose ou doré qui lui donne à rêver tant il paraît inaccessible.

L'abbaye de Villeneuve ressemble à cette litho-chromo avec ce petit « plus » d'être vraiment à portée de main, offerte autant qu'ouverte au pèlerin de la vie de château. Il est vrai que l'hospitalité, elle connaît. Fondée en 1201 par la duchesse Constance de Bretagne, consacrée solennellement en 1224, après avoir été bâtie grâce aux dons de quelques seigneurs qui pensaient là s'assurer un repos éternel tranquille et une part de paradis, ayant suivi les hauts et les bas des vocations religieuses et de l'influence des abbayes et des ordres, ayant subi quelques révolutions avec les dommages que cela suppose, elle fut reconstruite et rénovée au XVIIIᵉ, une grande partie devenant hôtellerie.

Il n'en resta pas grand-chose, si l'on s'en réfère aux plans d'antan, mais beaucoup, si l'on veut bien considérer l'importance du bâtiment sauvé de la ruine il y a une dizaine d'années. Restaurée avec un immense talent sinon avec un immense respect, hors les extérieurs d'un XVIIIᵉ très pur et impressionnant de rigueur, nullement écrasant. Ce XVIIIᵉ on le retrouve dans les salons et la salle à manger avec leurs plafonds à la française et leurs cheminées de pierre. La décoration y est très « décoration chic et distinguée », très « antiquaire de beaux quartiers » : mais quel ravissement et pourquoi refuser ces « à la manière de » assez éblouissants, d'autant que quelques beaux meubles anciens les cautionnent.

Les chambres n'ont pas la même grandeur et se veulent plus proches d'un certain provincialisme sur le fond et de sophistiqué dans la forme : tout cela fait très parisien dans sa résidence secondaire de luxe, mais pourquoi bouder le réel plaisir qu'on y a (excellents sanitaires de surcroît) ? Quant à la table, elle cherche un peu trop les complications, encore que le chef se rattrape avec quelques classiques bienvenus et des menus intéressants.

On est là bien loin de l'austérité monacale, mais quel coin de paradis : un paradis qu'il faut arracher car l'accueil, courtois, est parfois distant.

Monsieur Ph. Savry
Ouvert du 1/1 au 31/12
Tél. (40) 04.40.25
Route des Sables-d'Olonne. 44400 Les Sorinières. 17 chambres. De 300 à 500 F. Parc. Petit déjeuner à 33 F. Menus à 100, 115 et 220 F. Carte à 230 F environ. Accès par N 137 et D 937.

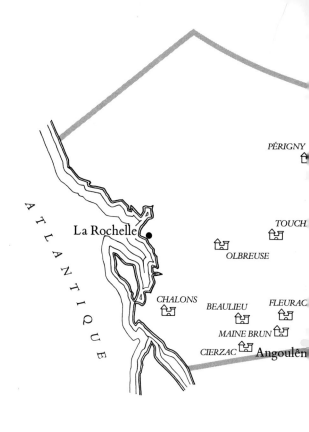

PÉRIGNY

TOUCH

La Rochelle

OLBREUSE

ATLANTIQUE

CHALONS

BEAULIEU

FLEURAC

MAINE BRUN

CIERZAC

Angoulên

Poitiers

NIEUIL

SAINTE CATHERINE

V — POITOU ET CHARENTES

LOGIS DE BEAULIEU

Saint-Laurent-de-Cognac. Charente

Atmosphère, vous avez dit atmosphère ?

Lorsque au détour d'une petite route qui serpente au milieu des vignes vous apercevez cette grande bâtisse, vous pensez irrésistiblement aux grandes villas qui étaient au début du siècle l'orgueil de Royan ou de La Baule. Tout y est, y compris, à l'intérieur, un escalier monumental qui occupe bien le cinquième du volume de la maison. Au rez-de-chaussée, le jeune Biancheri, qui effectue son apprentissage dans tous les secteurs de la maison, me guide avec beaucoup de gentillesse dans les deux pièces qui forment l'ensemble gastronomique baptisé l'Alambic (atmosphère oblige), mais, hélas, je constate encore une fois les méfaits des « gourous du papier peint ». Les couleurs choisies aseptisent totalement le côté follement rétro des deux pièces. C'est dommage, d'autant plus que le linge, l'argenterie et la verrerie sont de qualité. Dans les chambres, tous les styles sont en place, de Louis XV à Napoléon III. C'est confortable et, curieusement, le choix des revêtements muraux est beaucoup plus heureux que dans les autres parties de la maison. Les sanitaires sont conformes et confortables.

Belle collection de cognacs (cent vingt bouteilles) qui contribue à détendre l'atmosphère lorsque les négociants de Cognac reçoivent leurs clients.

Un mot encore : si vous vous dirigez vers l'Océan avec votre bateau en remorque et votre chien, ne vous inquiétez pas... les deux sont admis.

Madame D. Biancheri
Ouvert du 1/1 au 15/12
Tél. (45) 82.30.50
Route de Saintes. 16100 Cognac. 21 chambres. De 92 à 350 F. Petit déjeuner à 25 F. Menus à 90, 116 et 175 F. Carte à 220 F environ. Accès par N 141.

LE MOULIN DE CIERZAC

Saint-Fort-sur-le-Né. Charente

To be or not to be

Lorsqu'on a travaillé pendant des années chez des grands comme *Taillevent, La Marée, La Closerie des Lilas, Le Pavillon Royal* et *Jamin,* il faut un courage certain pour quitter la capitale et exporter son savoir au cœur de la Charente. Un coup de chapeau donc à Patrick Labouly et à sa charmante épouse Marie-José qui se sont installés au mois de janvier dernier dans cette belle maison du XVIIe siècle, un moulin qui fonctionna jusqu'en 1960. Les meules décorent aujourd'hui le jardin qui est entouré par le Né, une petite rivière diablement poissonneuse (avis aux amateurs !).

Côté cuisine, Patrick Labouly fait confiance à Frédéric Genaud qui prépare une nouvelle carte à chaque saison. Il y a dix chambres dont cinq avec salle de bains et les autres avec douche. Je vous recommande celles du deuxième étage dont les sanitaires ont des dimensions impressionnantes. Tout l'ameublement est d'un bon goût raisonnable avec un clin d'œil pour les fanatiques du rétro qui occuperont la chambre à coucher de la grand-mère de Patrick Labouly authentiquement 1925, et qui retrouve ici une nouvelle jeunesse.

Comme le disait le regretté Roger Couderc, je ne peux qu'encourager ce jeune couple : « Allez les petits… »

Monsieur et Madame Labouly
Ouvert du 1/4 au 15/10
Tél. (45) 83.61.32
16660 Saint-Fort-sur-le-Né. 10 chambres. De 180 à 334 F. Parc. Petite rivière. Petit déjeuner à 24 F. Menu à 95 F. Carte à 180 F environ. Accès par D 751.

HÔTEL
DU MOULIN DE CHÂLONS

Châlons. Charente-Maritime

Dupin, du fromage et du bon vin

Au XVIIIe siècle on savait déjà utiliser la force des marées pour produire de l'énergie. Moins spectaculaire, certes, que le barrage sur la Rance, le moulin de Châlons utilisait déjà le flux et le reflux des marées pour faire tourner les meules à blé. Puis le moulin fut scindé en deux parties. L'une conservait sa vocation première et l'autre devint la douane du sel. A cette époque, l'impôt sur le sel, la gabelle, était surtout appliqué aux bateaux canadiens et norvégiens. Pour naviguer sur lest sur la route de France, ils chargeaient les cales de pierre qu'ils déchargeaient à l'arrivée, et c'est pourquoi l'hôtel est construit avec des pierres jaunes ou grisâtres, certaines contenant même des fossiles. Ce bâtiment a été transformé en hôtel restaurant en 1974.

M. Dupin a aménagé toutes les chambres dans un style différent avec une unité de style rustique. Les salles de bains peuvent être d'un rose romantique ou plus typiques avec les poutres d'époque. Des pierres apparentes dans les pièces du rez-de-chaussée et pour revenir aux sources, si j'ose dire, la salle à manger est meublée en Louis XV.

Enfin, si vous aimez les huîtres, il est bon de rappeler que le moulin de Châlons a pratiquement les pieds dans le bassin de Marennes. Alors pourquoi se priver ?

Monsieur C. Dupin
Ouvert du 1/4 au 20/9
Tél. (46) 22.82.72
Châlons. 17600 Le Gua. 14 chambres. De 138 à 228 F. Parc. Pêche. Petit déjeuner à 22 F. Menus à 87 et 210 F. Carte à 230 F environ. Accès par A 10, sortie 25, et D 728.

DOMAINE DE FLEURAC

Fleurac. Charente

Un bon coup de Jarnac

Non ! ne craignez pas un mauvais coup en prenant la route de Jarnac pour vous rendre au domaine de Fleurac ! Vous y découvrirez comme moi une extraordinaire bâtisse construite au XIXe siècle sur les ruines d'un château du XVIe siècle qui fut brûlé pendant les guerres de Religion. Ce n'est pas du Viollet-le-Duc mais ce pourrait être du Walter Scott en Charente. Rien n'y manque. Tours, donjon, mâchicoulis, chapelle privée, fontaines. Curieusement l'entrée principale est condamnée, et pour trouver la réception il faut découvrir une petite poterne ornée d'une minuscule pancarte « entrée » et pénétrer ensuite dans un décor assez époustouflant. Le côté émouvant d'abord avec une collection de coiffes, élégant hommage à une époque où les objets les plus simples étaient de petits chefs-d'œuvre. Ensuite, attendez-vous aux chocs. Un escalier monumental où le bois sculpté surplombe une allégorie de bronze ; des tableaux, des meubles de tous les styles, du Louis XV au 1900, garnissent les chambres. Au restaurant, on joue la simplicité au travers d'une carte raisonnable. L'accueil de M. Michel Guichemerre est jovialement sympathique et vous aidera à surmonter vos étonnements.

Monsieur M. Guichemerre
Ouvert du 2/2 au 19/12
Tél. (45) 81.78.22
Fleurac. 16200 Jarnac. 16 chambres. De 150 à 260 F.
Parc. Petit déjeuner à 24 F. Menu à 100 F. Carte à
150 F environ. Accès par N 141 et D 157.

HOSTELLERIE
DU MAINE BRUN

Asnières-sur-Nouère. Charente

Les arts vus par Ménager

Ce moulin a été construit en 1502, et le jeune
François Ier fréquentait déjà ces lieux, comme tant
d'autres, en galante compagnie. C'est en 1964 que la
famille Ménager a acheté le moulin. Pendant la durée des
travaux de rénovation la famille écumait les antiquaires
et les ventes pour meubler sa maison. La trouvaille la
plus chère au cœur de Mme Ménager est sans aucun
doute le lit du maréchal Lannes qui orne le salon du
premier étage. Mais on apprécie, au hasard des chambres,
de jolis secrétaires Louis XVI, un bel ensemble Charles X
en citronnier (seuls les lits sont modernes mais de style).
Toutes les salles de bains sont sans reproche et on y
trouve toutes les petites attentions.

Au rez-de-chaussée, le bar est typiquement anglo-
saxon. Fauteuils profonds, velours, boiseries et belle
collection des produits de la distillerie maison installée
dans une aile du moulin.

Au hasard des salles, des meubles simples ou
somptueux sont une belle vitrine de tout ce qui se fit au
XVIIIe et au XIXe siècle. Et pourtant, loin de certaines
arrogantes marqueteries, je préfère m'attarder devant un
tout simple vaisselier bourguignon qui incarne la vie de
nos campagnes de jadis.

Il y a toujours un Ménager pour vous recevoir, soit
Mme Ménager et sa petite-fille, soit M. Ménager pour
vous faire les honneurs de sa distillerie, soit enfin le fils

qui est en cuisine et réussit à proposer de bien bons repas. En bavardant avec eux, vous apprendrez l'origine du nom du moulin. C'est, dit-on, la contraction du mot « domaine », et il est courant de rencontrer dans les Charentes des « maines » accolés à des couleurs ou à des prénoms.

Pour ma part, si je devais donner un nouveau nom à ce moulin, je l'appellerais « Maine-Charme ».

Monsieur et Madame Ménager
Ouvert du 1/2 au 31/10
Tél. (45) 96.92.62
Asnières-sur-Nouère. 16290 Hiersac. 20 chambres. A
405 F. Piscine. Petit déjeuner à 30 F. Menus à 90, 125,
195 et 225 F. Carte à 250 F environ. Accès par N 141
(Angoulême-Cognac).

CHÂTEAU
DE NIEUIL

Nieuil. Charente

François Iᵉʳ et Luce

C'est mon coup au cœur de ce voyage en Charente. J'avais, bien entendu, potassé l'histoire du château et j'avais lu que, déjà sous les Capétiens, Nieuil était une vieille terre royale. François Iᵉʳ y avait fait construire un très gracieux rendez-vous de chasse alors qu'il faisait

aussi édifier Chambord. Mais un Anglais, messire Grunn, possédait une enclave dans le domaine royal. Or, cela gênait François Ier qui lui offrit d'échanger l'enclave contre le domaine de Nieuil. L'Anglais n'y perdait point et le marché fut conclu. Plus tard, Louis XV y érigea la terre de Nieuil en marquisat. Les années passèrent. La famille propriétaire fit restaurer une partie du château en 1889 et, en 1937, la page fut tournée puisque M. et Mme Fougerat firent du château de Nieuil un des premiers châteaux de France aménagés en hostellerie.

C'est vous dire qu'avec un tel passé ce château vous réserve des surprises : tout d'abord, un majestueux escalier qui mène aux appartements joliment baptisés la « Vicomtesse » pour le prestige, le « Marquis » pour le pittoresque avec une chambre d'amis perchée dans une tour et à laquelle on accède par un escalier en spirale qu'empruntait peut-être le beau roi François. (Les salles de bains sont surprenantes.) Toutes les époques, tous les styles sont représentés et, même avec leurs outrances, ils trouvent tout naturellement leur place dans ce décor étonnant.

Et puis, il y a l'accueil de Luce Bodinaud, qui est vraiment celui d'une châtelaine. Vive, souriante, elle ne vous quitte que pour aller surveiller la confection de son « farci charentais », une vieille recette du pays qu'elle réussit merveilleusement. Son mari Jean-Michel veille, lui, sur son armoire au trésor, c'est-à-dire une armoire... qui renferme trois cents bouteilles de cognac de propriétaires... avec des verres à dégustation... Jean-Michel me précise aussi que les chiens sont partout les bienvenus.

Si, en d'autres lieux, on vante le « way of life », dites-vous que c'est à Nieuil qu'on pratique le « savoir bien-vivre français ».

88

Monsieur et Madame Bodinaud
Ouvert du 21/3 au 14/11
Tél. (45) 71.36.38
16270 Nieuil. 10 chambres et 3 appartements. De 375 à
980 F. Parc. Piscine. Tennis. Petit déjeuner compris.
Menus à 130 et 165 F. Carte à 230 F environ. Accès par
N 141 et D 951.

CHÂTEAU
D'OLBREUSE

Mauzé-sur-le-Mignon. Deux-Sèvres

L'Ancêtre de la Reine

La France est un pays surprenant. Alors que l'on croit avoir tout vu, on y fait encore des découvertes étonnantes. Ainsi, entre le marais poitevin et la forêt de Chizé, j'ai découvert le château d'Olbreuse. On y est accueilli comme des parents par Félix Maingueneau et son épouse Christiane, dont la famille occupe le domaine depuis la fin du XIIIe siècle ! C'est dans ce château que naquit, en 1639, Eléonore Desmier d'Olbreuse qui épousa Georges Guillaume de Brunswick. Elle fut l'ancêtre de nombreuses dynasties européennes. En effet, sa fille Sophie Dorothée donna le jour à Georges II d'Angleterre dont descend en ligne directe la reine Elisabeth et Sophie Dorothée, mère de Frédéric de

Prusse. Il fallut attendre 1870 pour qu'Olbreuse revienne définitivement à la famille Desmier. Pendant des années, le domaine vécut au ralenti. Transformé en hôpital pour convalescents en 1914-1918, il tomba dans un relatif oubli jusqu'en 1974, année où Félix Maingueneau entreprit un colossal ouvrage de réhabilitation. Tout le village lui apporte sa contribution et, deux ans plus tard, le château et le village d'Olbreuse sont opérationnels.

Tous les objets simples ou riches qui meublent les salons ont une histoire souvent émouvante. Ainsi la harpe de l'aïeule a été peinte en noir à la mort de Louis XVI, le portrait de la grand-tante sort de l'atelier d'Ingres, et les crucifix qui sont présents un peu partout dans la maison n'ont jamais été décrochés...

Les chambres aux noms évocateurs de l'Ouest sont petites mais joliment meublées (les sanitaires sont pratiques et modernes).

Du côté cuisine, M. Maingueneau a fait appel à un jeune cuisinier, M. Arrivée, qui, aidé par sa femme, assure la bonne marche de la partie restauration dans l'ancien chais baptisé « L'Auberge ».

Monsieur et Madame Maingueneau
Ouvert toute l'année
Tél. (49) 75.85.74
79210 Usseau. 11 chambres. De 103 à 206 F. Parc. Petit déjeuner à 24 et 35 F. Menus à 50 et 75 F. Carte à 120 F environ. (Attention, ce château n'est pas un hôtel mais une demeure recevant des hôtes payants.) Accès par A 10, sortie 23, puis N 11 et D 15.

HOSTELLERIE
SAINTE-CATHERINE

Montbron. Charente

Si Joséphine m'était comptée

L'histoire de cette maison du XVIIe siècle ne serait probablement pas parvenue jusqu'à nous si, au début du XIXe, l'impératrice Joséphine ne s'était arrêtée là pour demander au lieutenant de vaisseau, propriétaire des

lieux, et qui se nommait Louis-Benjamin de Rousseau de Ferrières, d'aller chercher sa nièce à la Martinique. Le galant homme accepta et, pour occuper son temps, la charmante et charmeuse impératrice décida de faire construire deux ailes pour encadrer le bâtiment d'origine. Les travaux furent rondement menés, mais Joséphine regagna Paris en oubliant de payer les travaux, bien que Napoléon lui ait fait parvenir des sommes importantes. Joséphine meurt en 1814 et le propriétaire n'a plus que ses yeux pour pleurer. Tout s'arrangea puisqu'il finit ses jours dans cette grande maison devenue château par la grâce de l'Impératrice.

Lorsque M. Qu'Hen acheta le domaine, c'était une ruine, et les travaux de rénovation durèrent presque deux ans. Cet ancien élève des Beaux-Arts a, ici, rassemblé de jolis meubles, choisi quelques lits italiens extravagants, mais, je le déplore, s'est laissé entortiller par les « gourous du papier peint ». Je sais que l'impératrice Joséphine aimait les fleurs, mais je pense qu'elle serait horrifiée par la tapisserie de « sa » chambre. Cela dit, tout est conçu un peu comme des boîtes à couture. C'est mignon, gentil, confortable certes, mais, à mon goût, un peu trop inspiré des revues spécialisées dans la décoration de la résidence secondaire.

Encore un mot : si vous avez envie de connaître l'histoire de la maison, M. Qu'Hen a réuni avec la complicité d'un historien local tous les documents relatifs au château.

Monsieur Qu'Hen
Ouvert du 1/1 au 31/12
Tél. (45) 70.60.03
16220 Montbron. 15 chambres. De 110 à 230 F. Parc.
Piscine. Petit déjeuner à 21 F. Menus à 45, 85, 155 et 165 F. Carte à 190 F environ. Accès par D 16.

CHÂTEAU DE PÉRIGNY

Périgny. Vienne

La sainte et la dentellière...

Clovis est passé par là, on s'en souvient encore et on en retrouve toujours des stigmates bien particuliers. En effet, dans la région de Vouillé, pour peu que l'on retourne la terre un peu profond ou que l'on creuse, on exhume des ossements témoins des furieux combats contre les Visigoths d'Alaric en 507.

Peu d'années après, Radegonde, qui n'est pas encore sainte, fait construire une chapelle, et si l'on a gardé en mémoire le nom de la dame, on a oublié celui du peintre qui rêva et imagina ce château chapelle pour elle. De cette chapelle, la première, n'est parvenu jusqu'à nous que l'autel. Les bâtiments du XVIe ont mieux résisté, que ce soit la ferme fortifiée ou la chapelle suivante.

Mais après tout, le plus authentique témoignage du passé n'est-il pas ces arbres séculaires, où la promenade permet de remonter le cours du temps.

Et puis, Périgny, j'avais aussi l'impression de l'avoir connu avant même que d'y être allé car, un jour, place Gaillon... chez Drouant... invité pour rencontrer un jeune homme qui avait écrit un livre à propos de la « pomme »..., c'est un très beau sujet pour un chroniqueur gastronomique, il fut surtout question d'une « dentellière » qui venait de lui valoir le prix Goncourt et de Périgny où il avait en grande partie écrit ce livre chez sa sœur. Et comme il en parlait bien... Pascal Lainé.

Il fallait donc aller voir ce château. Il ressemble plus à l'une de ces fermes fortifiées, à grande cour carrée, embourgeoisée à travers les siècles pour aboutir à cette hôtellerie aussi bien équilibrée qu'une phrase bien bâtie, ponctuée de tours sans trop, dont les chambres (petites parfois) ne sont pas un exercice de style vaniteux et les points d'exclamation luxueux sont toujours bien placés ou presque. (Beau mobilier et salles de bains impeccables.) Pas de point d'interrogation pour l'accueil, c'est une accolade (de bienvenue). Point final.

Monsieur G. Brossard
Ouvert du 1/1 au 31/12
Tél. (49) 51.80.43
Périgny. 86190 Vouillé. 38 chambres et 3 appartements.
De 250 à 780 F. Parc. Piscine. Sauna. Tennis. Chasse.
Pêche. Petit déjeuner à 37 F. Menu à 150 F. Carte à
300 F environ. Accès par N 149 de Poitiers vers Vouillé.

CHÂTEAU
DE TOUCHES

Gournay. Deux-Sèvres

Une drôle de touche

Il existe des maisons qui, pour avoir une allure plaisante, n'arrivent pas à sortir de la banalité sympathique. Sans doute cela tient-il au fait qu'elles ne sont pas bavardes. Or, le château de Touches ne m'a pas parlé. Posé dans une prairie devant le bosquet auquel on s'attend, un peu satisfait de lui-même et de sa propre modestie, il avoue pourtant ne pas avoir d'histoire. Exister depuis un siècle lui suffit. A sa manière, il a dû vivre tranquille comme aujourd'hui ses clients dans ce décor néo-bourgeois et néo-Louis XVI aussi passe-partout qu'inintéressant en dépit du soin apporté à son entretien (belles salles de bains).

On a tout fait pour donner une âme aux chambres pour le moins variées, avec un mobilier de toutes époques : on a déjà réussi à ce qu'elles soient confortables. Pour l'âme on attendra. Et la cuisine est dans le même esprit que le reste de la maison.

Monsieur et Madame Ronchin
Ouvert du 1/4 au 14/9
Tél. (49) 29.11.23
Chef-Boutonne. 79110 Gournay. 15 chambres. De 190
à 300 F. Parc. Petit déjeuner à 25 F. Menus à 90 et
130 F. Carte à 150 F environ. Accès par la route de
Melle à Confolens.

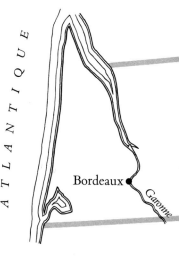

VI — LIMOUSIN, PERIGORD, QUERCY

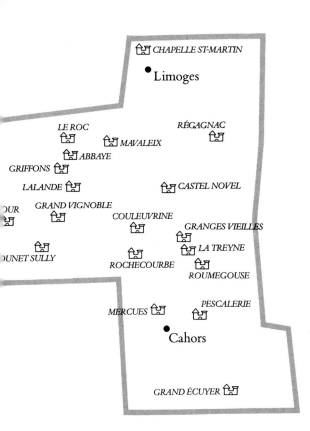

CHAPELLE ST-MARTIN

●Limoges

LE ROC

RÉGAGNAC

MAVALEIX

ABBAYE

GRIFFONS

LALANDE

CASTEL NOVEL

GRAND VIGNOBLE

OUR

COULEUVRINE

GRANGES VIEILLES

LA TREYNE

OUNET SULLY

ROCHECOURBE

ROUMEGOUSE

PESCALERIE

MERCUES

●Cahors

GRAND ÉCUYER

MOULIN DE L'ABBAYE

Brantôme. Dordogne

Il file un bon coton

Ayant laissé passer le Moulin du Roc, je ne pouvais faire moins que de citer au moins celui de l'Abbaye à Brantôme. D'autant que, par une de ces fantaisies de vagabonds qui sont les miennes, je l'ai découvert en partie alors que je me trouvais dans la neige, à Courchevel, c'est-à-dire bien loin du Périgord.

En effet, les Bulot, propriétaires de ce moulin, tiennent aussi l'hôtel des Neiges dans ma station de ski favorite et, autant pour éviter les cambriolages que les inondations de la Dronne, ils emportent avec eux ce qu'il y a de plus précieux parmi les meubles et les objets habillant le Moulin. C'est d'une très saine prudence, et cela m'a donné un avant-goût des délicatesses de cette maison des bords de l'eau.

Délicatesses qui vont jusqu'aux raffinements luxueux, peut-être un peu parfois chichiteux, que l'on trouve dans ces quelques chambres (belles salles de bains). Du moulin proprement dit, peu de choses (comme d'habitude à propos des moulins), si ce n'est qu'il a dû passer un bon siècle et demi de son existence à filer et à faire l'électricité. Mais son environnement de fleurs et de petites maisons anciennes, le vis-à-vis sur l'Abbaye et le vieux pont ancien « tordu », et les contes de Brantôme compensent largement. (Cuisine élaborée et de belle tenue.)

Monsieur et Madame R. Bulot
Ouvert du 15/5 au 15/10
Tél. (53) 05.80.22
1, route de Bourdeilles. 24130 Brantôme. 8 chambres et 2 appartements. De 370 à 500 F. Parc. Pêche. Rivière. Canoë. Petit déjeuner à 40 F. Menus à 120 et 220 F. Carte à 250 F environ. Accès à Brantôme.

CASTEL NOVEL

Varetz. Corrèze

Anciens et modernes

Il y aurait comme une querelle des anciens et des modernes au château de Castel Novel que cela ne m'étonnerait pas. La famille Parveaux, père et fils, est on ne peut plus unie, mais c'est le papa qui s'est entiché un jour de ce château qui appartient aux Jouvenel (ce qui suppose donc quelques séjours de Colette) pour en faire un château selon son cœur de brave homme, ayant ses idées sur ce que devait être un hôtel château.

Pour le principal, il a parfaitement réussi à restaurer la pierre rougeâtre de la région qui en formait l'ossature, à redonner aux tours et pignons leur maintien d'antan ; pour les aménagements intérieurs il a créé une sorte d'« à la manière de » assez curieux, mélangeant les styles, se laissant aller parfois à quelques lourdeurs, abusant parfois de l'hétéroclite, réussissant de toutes ces pièces à constituer un puzzle finalement unifié. Cela a été cependant une des époques héroïques de l'hôtellerie de château, qui a fait un beau succès, reconnaissons-le.

Aujourd'hui, Parveaux fils, qui s'occupe pendant l'hiver d'un bon hôtel de Courchevel, le Pra Lon 2000, s'essaie, sans trop fâcher son papa, à refaire petit à petit les chambres en les portant plus au goût du jour, sans pour autant renoncer au néoclassicisme de rigueur. Mais il cherche à réchauffer par des tissus sur les murs, à rendre moins sévère, à apporter une certaine « décoration » selon les critères de son époque à lui. Cela se sent et aboutit à des contrastes assez réjouissants et sympathiques. D'autant que le papa Parveaux profite de l'hiver et de la saison morte pour transformer parfois, repousser quelques murs ou reposer de vieilles poutres avec la complicité d'un vieux maçon du cru absolument extraordinaire. Ceci à la grande surprise de son fils lorsqu'il revient de la montagne.

C'est bien la preuve que tous les deux sont amoureux fous de ce château commencé au XIXe, continué depuis et pas encore terminé, qui aux illuminations de sa nuit prend des allures de castel fantastique, pas très loin des fantasmes de Walt Disney.

Mais la grande affaire de cette maison aux chambres et aux appartements superbement confortables, luxueux même, est la cuisine. Il y a un consensus du père et du fils pour redonner à la gastronomie périgourdine une nouvelle jeunesse. Bravo, c'est une immense réussite et on tient là une des meilleures, sinon la meilleure, cuisines du Périgord. De quoi les réconcilier tous les deux pour autant qu'ils aient jamais été fâchés.

Monsieur A. R. Parveaux
Ouvert du 5/5 au 20/10
Tél. (55) 85.00.01 et 85.03.69
19240 Varetz. 23 chambres et 5 appartements. De 380 à 900 F. Parc. Piscine. Tennis. Petit déjeuner à 38 F. Menus à 200 et 250 F. Carte à 250-300 F environ. Accès par N 89 et D 152.

CHAPELLE SAINT-MARTIN

La Chapelle-Saint-Martin. Haute-Vienne

Priez pour elle

L'hôtelier que cela ennuie de recevoir de nouvelles têtes est gaffeur ; l'hôtelier qui refuse de faire visiter une de ses chambres alors qu'il est en train de lire son journal est un maladroit ; l'hôtelier qui prend le frais sur le pas de sa porte et prétend se désintéresser de l'histoire de sa propre maison ancienne est bien peu intéressant lui-même.

Cet hôtelier-là, il existe : je l'ai trouvé à deux pas de Limoges. Il possède une charmante demeure d'à peu près un siècle, avec un très beau parc ouvrant sur un panoramique admirable. Les salles à manger sont très joliment décorées et les salons plus encore. Il n'était pas si simple qu'il y paraît de faire d'une sorte de demeure de notaire un petit hôtel de charme. Or c'est réussi. Alors pourquoi cette attitude ?

D'autant qu'elle déteint sur le personnel du restaurant qui a tendance à traiter de haut certains clients. Mais peut-être est-il conscient que la cuisine, assez bonne mais pédante à l'impossible et hors de prix, va finir sur une grimace au vu de l'addition.

Par une sorte de miracle, j'ai obtenu que l'on consente à me montrer un appartement dans une annexe ; c'est un des plus séduisants que j'aie trouvé dans la région : élégant, intelligent dans son mariage de styles, raffiné dans ses détails et son confort. Une réussite absolue de ce côté-là. Mais pourquoi faut-il que cette maison manque non seulement d'âme, mais aussi de cœur ?

Monsieur J. Dudognon
Ouvert du 1/4 au 31/12
Tél. (55) 75.80.17
La Chapelle-Saint-Martin. 87510 Nieul. 9 chambres et 1 appartement. De 270 à 750 F. Parc. Tennis. Petit déjeuner à 34 F. Menus à 160 et 260 F. Carte à 280 F environ. Accès par N 147 et D 35.

HÔTEL
DE LA COULEUVRINE

Sarlat. Dordogne

Sans coup de fusil

C'est à l'entrée du Sarlat que j'aime, un petit hôtel bien embusqué dans les murs épais d'une des tours de défense (du XVe-XVIe) de la vieille ville, avec des fenêtres ouvrant vers la préfecture. Les chambres y sont minuscules mais benoîtement et douillettement modernes (minidouches), avec des petits détails qui prouvent que si l'on n'a pas voulu se ruiner, au moins a-t-on installé toute la maison avec un petit bon goût sûr. Comme quoi la coquetterie est à tous les prix !

L'ambiance est jeune, et si le restaurant a des qualités bien de la région, j'ai beaucoup aimé le petit bistrot-bar annexe où l'on peut grignoter de véridiques spécialités locales avec des grands vins de Bordeaux vraiment donnés. Ce qui tendrait à prouver que les enseignes sont parfois trompeuses : ici l'addition ne se tire pas au canon.

Madame Lebon
Ouvert du 1/2 au 14/1
Tél. (53) 59.27.80
1, place de la Banquerie. 24200 Sarlat. 20 chambres. De 125 F à 185 F. Petit déjeuner à 20 F. Menu à 63 F. Carte à 140 F environ. Accès par le centre ville.

LE GRAND ÉCUYER

Cordes. Tarn

A cheval sur l'histoire

Qu'est-ce que je fais ? Je vous raconte la longue épopée de Cordes, un de nos plus beaux villages médiévaux pour vous parler du Grand Ecuyer ? Cordes qui a été bâtie en 1222 pendant la guerre des Albigeois par le comte de Toulouse Raymond VII, pour lui servir de bastide forte après la destruction de celle de Saint-Marcel par Simon de Montfort. Or, Raymond VII a vraiment quelque chose à voir de plus avec ce Grand Ecuyer, puisque ce fut sa demeure de chasse.

Dans cette petite cité que l'on dit des « cent ogives », cette maison y a sa part et représente parfaitement l'architecture médiévale dans sa pureté civile et dans sa délicatesse. Sa façade est assez délicatement travaillée, décorée de sujets variés.

Je m'attendais un peu à une sorte de mise en scène intérieure d'un goût cinéma qui n'aurait fait que basculer dans le grotesque néogothique en usage dans ces cités sauvées de l'oubli. Or, c'est un goût très mesuré qui a présidé à la décoration. Et pour les chambres, je peux bien reconnaître la réussite : elles sont vastes, bien meublées d'éléments anciens (et les salles de bains sont splendides).

Mais le plus important ici reste la cuisine : très belle, très bonne, très riche et parfois, soudain, aérienne. Une des grandes tables du département.

Enfin, je vous le dis, dormez ici si vous avez quelque curiosité d'une ville en son passé absolu : il n'est que la nuit, après le reflux des visiteurs, après la fermeture des boutiques à leur usage, qu'elle se parcourt à petits pas, d'un coin d'ombre à une tache de lune. C'est plus prenant encore que dans le vieux Pérouges ou dans Saint-Paul-de-Vence, incomparable avec la cité de Carcassonne, tous vieux villages s'il en est.

Monsieur Y. Thuries
Ouvert de Pâques au 15/10
Tél. (63) 56.01.03
Rue Voltaire. 81170 Cordes. 16 chambres. De 200 à 360 F. Petit déjeuner à 35 F. Menus à 100, 150, 200 et 250 F. Carte à 280 F environ. Accès en ville.

MANOIR
LE GRAND VIGNOBLE

Villamblard. Dordogne

Le propriétaire invisible

Enfin, une revanche sur les Anglais ! Ce bon gros manoir tout carré, bien calé sous ses toits qui le chapeautent en se souvenant de monsieur Mansart, a été reconstruit sous Louis XIV sur les ruines d'une bastide anglaise.

J'aime que dans ce paysage vert, de gras pâturages et de forêts puissantes, les manoirs ressemblent aux fermes et les fermes aux manoirs. D'ailleurs, je pense cela normal puisque leurs rôles se confondent. Pour qu'il y ait de si belles prairies je soupçonne qu'il existe un élevage de chevaux, et les quelques-uns qui trottent en liberté ajoutent au bucolique du tableau.

Dans sa pierre dorée et un peu rustaude, sous ses tuiles rustiques elles aussi, le Grand Vignoble ne vise pas à paraître château : sa bonhomie et sans doute son histoire lui suffisent. Mais pour son histoire, c'est bien en vain que je cours après le propriétaire depuis des mois : introuvable sur place, disparaissant au moment où j'allais lui mettre la main dessus. A croire que cette histoire est secret d'Etat !

Peu importe après tout, puisque c'est l'attrait de l'endroit qui compte. Il compte même beaucoup. Plus encore à l'intérieur de cette toute petite maison dont le salon si joliment composé sous un haut plafond à poutres, autour d'une très haute cheminée de pierre à colonnades plates et moulures d'une beauté brute et parfaite, est astucieusement meublé « ancien » et « moderne », sans que cela soit ridicule un instant : un bel exemple d'équilibre. Et les rares chambres sont de la même veine (superbement confortables), cossues et distinguées dans le genre décontracté.

Mais à propos de chambres, il est bon de s'informer : celles qui sont situées dans l'annexe — fort belle elle aussi de l'extérieur — pour être bien équipées ne sortent pas de la banale série moderno-rustique habituelle, et c'est bien triste : voilà bien le seul reproche à faire ici. (Cuisine simple et sans complications servie dans une admirable salle à manger à boiseries anciennes.)

Monsieur X. de Labrusse
Ouvert du 16/2 au 4/1
Tél. (53) 57.92.44
Saint-Julien-de-Crempse, Villamblard. 24140 Bergerac.
20 chambres. De 320 à 355 F. Parc. Piscine. Tennis.
Equitation. Petit déjeuner à 25 F. Menus à 100 et 130 F. Carte à 170 F environ. Accès par N 21 et D 107.

LES GRANGES VIEILLES

Souillac. Lot

Ni granges, ni vieilles

A l'entrée de Souillac, cette maison de notable bien dans la façon provinciale du début de ce siècle avec ses murs à appareillage de briques rouges et de pierres, et ses toits imposants, n'a tout de même pas de prétention à la châtellenie. Cela n'aspire pas non plus à être un hôtel de luxe, mais cela veut simplement être un logis propre, soigné et impeccable, dont le plus grand avantage est d'être isolé dans un parc, véritable forêt dont les arbres ont largement vu naître la maison.

Les chambres ne relèvent sans doute pas d'une immense imagination, puisqu'elles se partagent entre le rustique bon genre et le néostyle bien sage, ce que l'on trouve en prêt à meubler dans tous les bons magasins à succursales multiples.

Pour une nuit tranquille et sans mauvaise surprise, que demander de plus, d'autant que les jeunes propriétaires sont attentionnés et mériteraient même un établissement de classe supérieure.

Monsieur Cayre
Ouvert du 1/12 au 30/10
Tél. (65) 37.80.92
Route de Sarlat. 46200 Souillac. 11 chambres. De 153 à 290 F. Parc. Golf miniature. Petit déjeuner à 18 F. Menu à 65 F. Carte à 160 F environ. Accès par la route de Souillac à Sarlat.

HÔTEL DES GRIFFONS

Bourdeilles. Dordogne

Vu du pont

Je ne déteste pas cette fausse simplicité villageoise, cette belle tranquillité dont il serait sot de ne pas profiter pour le temps d'une étape. Le château est là, dominant les quelques maisons, altier, mi-forteresse mi-prison. Qu'on se rassure ! On ne va pas être enfermé puisqu'il est là pour le décor, pour l'Histoire et comme toile de fond. C'est aussi rassurant que pittoresque.

L'hostellerie des Griffons semble lui faire allégeance à l'abri de sa tour. C'est une robuste maison du XVIe, pas trop grosse,qui a les pieds dans l'eau et dont je me suis demandé si elle n'avait pas été moulin dans son passé. Et pour mettre le point final à cette carte postale, il ne faut pas oublier le très beau pont du XIIIe qui enjambe la Dronne et qui semble vous prendre par la main pour vous conduire à l'hôtellerie, hôtellerie dont les gros murs de pierre de taille grattée et les énormes poutres ont bien (les unes et les autres très authentiques) de quoi satisfaire les Parisiens en mal de dépaysement.

Si la salle à manger est franchement rustique (on y mange très honnêtement pour pas cher), les chambres hésitent entre ce même rustique et le style manoir, si j'en juge par la très belle collection de cheminées sculptées anciennes meublant solidement tant elles sont imposantes. (Salles de bains correctes.)

Madame Deborde aime à recevoir et ne déteste pas bavarder avec ses clients.

Madame D. Deborde
Ouvert du 15/3 au 15/10
Tél. (53) 05.75.61
Bourdeilles. 24310 Brantôme. 10 chambres. De 195 à 280 F. Petit déjeuner à 21 F. Menu à 85 F. Carte à 160 F environ. Accès par D 78 à partir de Brantôme.

CHÂTEAU
DE LALANDE

Beaulieu. Dordogne

La simplicité

Le petit parc est un peu poussiéreux, les pelouses peut-être pas passées au peigne fin, mais il a une bonne tête ce petit château avec sa tour crénelée qui elle-même refuse de se prendre au sérieux. Cette grosse maison de

famille, apparemment du XIXe, a des allures de pension de famille, justement.

Dès l'entrée même on le sent à l'accueil réjoui et sans façons. C'est tout propre, avec des habillages de murs sans doute achetés par correspondance et des chambres gentillettes, impeccables, meublées comme cela se fait dans les familles sages d'un mobilier que l'on se transmet de père en fils (salles de bains très correctes). A tel point qu'après une ou deux nuits passées là on doit se sentir aussi de la maisonnée.

Et ce n'est pas la cuisine qui vous éloignera de cette impression : c'est tout vrai, tout sincère et pas cher. J'y crois aussi à cette vie-de-château-là, car elle a d'autres choses à raconter, toutes simples.

Famille Bertojo-Sicard
Ouvert du 15/3 au 15/11
Tél. (53) 54.52.30
24430 Razac-sur-l'Isle. 21 chambres. De 145 à 230 F.
Parc. Petit déjeuner à 17 F. Menu à 160 F. Carte à
150 F environ. Accès par N 89.

CHÂTEAU
DE MAVALEIX

Thiviers. Dordogne

L'apprentissage de la cuisine

C'est qu'il n'a pas dû faire bon se frotter à ce château fortifié, trapu et bas sur pattes, au temps de sa pleine force. Château de défense il se définit, château de défense il se montre. Et sept siècles d'existence, de guerres, de révolutions, et sans doute de règlements de compte lui ont largement laissé de quoi résister encore. Même ses impressionnants toits pentus d'ardoise semblent défier le ciel. Et pourtant il n'a pas l'air méchant.

Il aurait même l'air aujourd'hui un peu « bohème », comme l'on disait il y a peu encore, si j'en juge par le parc un peu dépeigné et par le désordre terriblement sympathique de la réception dont les meubles et les objets pour le moins hétéroclites annoncent honnêtement les chambres. Chambres campagnardes, mobilier vieux et émouvant, mais rarement de valeur autre que sentimentale, atmosphère vieillotte mais tellement débonnaire, peintures parfois passées ou s'écaillant, bibelots touchants et gravures édifiantes, confort approximatif et inégal... ainsi étaient autrefois les maisons de famille sans prétentions.

Les salles du bas ont plus d'ampleur mais la même familiarité bonhomme, sont plus jolies aussi et se veulent bien sûr campagnardes, avec cette noblesse qui fait la gentilhommie et son charme.

La cuisine, sur nappes de dentelle, ne veut être rien d'autre que locale et elle est délicieusement bien préparée « comme à la maison » (et même mieux) ; on y apprend même à la faire, lors de stages très bien organisés tournant autour du foie gras. Dans l'annexe, des chambres plus modernes avec leurs salles de bains complètes et une décoration « à l'ancienne » de série : je préfère le confort irrégulier de celles du château à cette indigence d'imagination.

Monsieur et Madame Bercau
Ouvert du 1/2 au 31/12
Tél. (53) 52.82.01
24800 Thiviers. 30 chambres. De 260 à 290 F. Parc. Tennis. Pêche. Equitation. Petit déjeuner à 26 F. Menus à 75, 105 et 150 F. Carte à 180 F environ. Accès par N 21 entre La Coquille et Thiviers.

CHÂTEAU DE MERCUÈS

Cahors. Lot

Tel le Phénix

La vallée du Lot en bas, puis une forêt apparemment impénétrable qui s'essaie à escalader une butte abrupte, et sur le haut, le château de Mercuès, aussi imposant que grandiose. Un instant, j'ai fait un parallèle avec le château de La Treyne qui, lui, domine les méandres de la Dordogne. On ne se trompait pas, alors, sur les lieux privilégiés où il fallait bâtir ses tranquillités.

Encore que pour Mercuès, domaine des comtes évêques de Cahors, l'Histoire ne leur ait pas toujours été favorable pendant leurs douze siècles de présence à éclipses. D'occupations en destructions, de pillages en occupations, de reconstructions en abandons, on se demande comment il est parvenu à nous dans cet état. Le moindre des documents anciens (la plupart ayant été vendus par un préfet anticlérical aux commerçants de Cahors pour envelopper leurs poissons à l'étal et leurs pièces de viandes sur le tranchoir) ne représente pas moins d'une vingtaine de pages imprimées en petits caractères avec plus encore de références à consulter. Notons seulement que sa silhouette actuelle de tours, de toits et de hauts murs est celle qu'on lui a rendu au XIXᵉ et plus encore il y a une décennie.

Alors, Georges Héreil, président de Simca Automobiles, quercynois d'origine et de cœur, entreprit de le restaurer totalement pour en faire un des plus fastes parmi les hôtels châteaux de France. Il y réussit, remeublant à merveille, creusant une piscine dans les jardins suspendus redessinés, attirant tout ce que la France comptait alors. De Gaulle (ciel ! encore lui dans ma vie de château, écrivant : « Du château de Mercuès, on voit monter vers soi l'Histoire », cela en toute modestie) et bien d'autres de moindre envergure y passèrent.

La disparition d'Héreil, à sa manière, dernier « comte évêque » de Cahors, replongea Mercuès dans l'obscurité. Or, voici un autre homme, de sérieuse dimension, réinventeur à sa façon du vin de Cahors, qui m'annonce avoir racheté Mercuès et sa terre, pour en refaire le vignoble qu'elle avait été, mais aussi pour lui rendre sa vocation d'hospitalité. A l'heure de cette impression (selon la formule journalistique consacrée), on retape, on repeint, on rénove une fois de plus. Il ouvrira pour l'été, sans doute aussi beau qu'il fut, ce château qui n'est décidément pas fait pour mourir, habitué qu'il est à renaître de ses cendres. Tenez-vous au courant, car vous y serez sans doute les témoins d'une renaissance qui ne pourra être que glorieuse.

Monsieur G. Vigouroux
Ouverture prévue courant 1984
Comme nous vous l'avons dit ci-dessus, le château de Mercuès est en cours de restauration, mais si vous désirez des précisions supplémentaires vous pouvez téléphoner au propriétaire, M. Georges Vigouroux, aux numéros suivants (65) 35.22.55 ou 38.70.30.

CHÂTEAU
MOUNET-SULLY

Bergerac. Dordogne

Un Chantecler enroué

Par ailleurs, je crois que c'était du côté du Languedoc-Roussillon, évoquant le château de Riell, je le comparais à un décor de théâtre. Je ne pensais pas trouver plus spectaculaire en la matière : or, je me trompais. C'était sans compter avec le château de Mounet-Sully à Bergerac. Car ce château-là, c'est vraiment du théâtre, pour la bonne raison qu'il fut construit par ce monstre sacré de la scène qu'était Mounet-Sully. Pris d'une extravagance grandiose, d'une divagation poétique et d'une inspiration grandiloquente, il se commanda un château on ne peut plus original : médiéval, gothique, florentin, roman... On aurait du mal à le définir si on s'attelait à la tâche. D'ailleurs, cela serait bien inutile : le seul qui aurait pu détenir la clef devait être le chef décorateur de la Comédie-Française ou celui de l'Odéon qui auraient peut-être retrouvé là une part de l'inspiration de leurs toiles de fond de scène pour *Cyrano de Bergerac* (comme par hasard) ou *Ruy Blas*.

Archères, échauguettes, hourds montés, chemins de rondes, pans de bois, et j'en passe, on y trouve de tout dans ce puzzle de construction avec des influences venues de partout et d'ailleurs. Au petit soir, lorsqu'il commence à être illuminé, c'est prodigieux. L'intérieur ne le cède en rien, car on bascule là dans le gothique furioso, avec des fresques à la gloire du génial créateur, un cloître pour ses dévotions à on ne sait quel dieu, et surtout avec une grande salle-salon, dont la pièce première est une scène sur laquelle il s'est plu à jouer, en privé avec Sarah Bernhardt, pour quelques intimes. J'aime ces délires.

Même si aujourd'hui cela est un peu à l'abandon, aux limites du laisser-aller, avec des vitraux remplacés par des panneaux de contre-plaqué, avec des plantes envahissantes sous les arcades, il faut lui reconnaître une terrible présence.

Au diable les chambres un peu glaciales, les éclairages froids (les salles de bains indécises) et un joli mobilier pas du tout mis en valeur. Pour une fois on peut s'offrir le luxe de vivre un passé en voie de décomposition. Le propriétaire, un promoteur, le sent bien, mais il baisse un peu les bras : la discothèque des communs lui rapporte plus que le logement des touristes. Il faut tout de même y aller, ne serait-ce que pour avoir frôlé la fin d'une époque. Et puis quelque mécène se révélera peut-être ? Pourquoi pas un fervent de Cyrano, de vins de Bergerac et un de ceux qui savent encore qui était Mounet-Sully ?

Monsieur Lonvaud
Ouvert du 14/12 au 14/11
Tél. (53) 57.04.21
Route de Mussidan. 24100 Bergerac. 10 chambres. De 110 à 250 F. Parc. Discothèque. Petit déjeuner à 22 F. Menus à 85 et 190 F. Carte à 180 F environ. Accès par la ville et la route de Mussidan.

CHÂTEAU
LA PESCALERIE

Cabrerets. Lot

Le cuisinier malgré lui

« La Pescalerrrie à Cabrrrerrrets dans le Lot » : on a envie de prononcer ces noms-là en roulant les r pour faire « campagne ». On me dira que c'est une idée de Parisien ou de citadin. Oui, mais remarquez bien que la fortune qui a dû être engloutie pour restaurer en beauté cette grosse maison du XVIIIe qui, remise à neuf, se donne des airs d'opérette avec ses tours-pigeonniers se multipliant, cela doit être aussi une idée de gens de la ville.

Une demeure comme ça, qui aurait pu être un lieu de séjour pour abbés et chanoinesses tant le lieu est calme et d'une nature rudement fascinante, doit s'étonner de ses pierres grattées, de ses toits à neuf et de son installation intérieure en forme de rêve de retour à la

maison première. Alors, sous les voûtes décrépies on a posé des meubles très modernes, et sous les admirables poutraisons de quelques chambres il y a du Knoll et du tapis abstrait mariés avec du rustique revu et joliment corrigé. C'est une réussite dans le genre (jusqu'aux salles de bains particulièrement bien pensées).

Du côté de la cuisine, on fait dans la fausse simplicité, hors de prix. C'est honnête, mais ne va pas au-delà d'un bon amateurisme éclairé. A ce propos, au-delà d'expériences diverses à cette table, je me suis laissé dire par un ami qu'il s'était fait très mal recevoir un jour où le propriétaire, médecin de son état, pense-t-il, se trouvait aux fourneaux pour des amis : le client arrivait mal à point. Ce cuisinier malgré lui le considérait comme un intrus. Dommage, car ce séjour a tant de charme. Mais peut-être le Médecin a-t-il depuis guéri en lui le Cuisinier.

Madame H. Combette
Ouvert du 1/4 au 1/11
Tél. (65) 31.22.55
46330 Cabrerets. 10 chambres. De 280 à 400 F. Parc. Rivière. Petit déjeuner à 28 F. Menu à 160 F. Carte à 220 F environ. Accès par la D 41 entre Figeac et Cahors.

CHÂTEAU
DE REGAIGNAC

Beaumont. Dordogne

Un Breton en Périgord

« Pardoux ! » La voix était autoritaire, l'homme était en treillis militaire, ceinturon de cuir autour de la taille, et avait machinalement relevé le menton. Il n'y a que les officiers de tradition pour se présenter ainsi même devant l'enceinte aux murs un peu décrépis d'un manoir perdu au fin fond du Périgord.

Je ne m'attendais pas, après avoir cahoté sur des chemins forestiers dont je me demandais s'ils arriveraient jamais quelque part, à rencontrer un tel personnage, d'autant que Pardoux, pour qu'il m'en souvienne, c'est un nom de l'aristocratie bretonne. Je ne dirai pas que ce sont les hasards de la guerre (il l'a bien connue) qui l'ont mené là, mais c'est un hasard tout de même qui l'a mis en face du château de Regaignac qu'il décida d'acheter séance tenante.

Regaignac. L'endroit avait de quoi lui plaire. Une butte dominant la forêt de la Bessèdes, position forte en matière militaire, situation admirable pour peu que l'on soit un peu romantique ; et puis, il y a l'histoire aussi, l'histoire de cet ancien « repaire » du XIIIe, bastide forte, rasée pendant la guerre de Cent Ans, détruite encore pendant les guerres de Religion, passée entre les mains des Gontaud-Biron, puis jusqu'il y a cinquante ans des Davout d'Auerstedt.

De cette aventure il reste la très belle tour centrale XIVe et un corps de bâtiment massif tout simple et très civilisé dont des fenêtres à meneaux sont le seul ornement.

Pardoux a apporté avec lui les meubles du passé breton de sa famille, ses souvenirs de campagne, en a trouvé d'autres magnifiques, n'hésite pas à y mêler des fantaisies plus discutables et donne vite vie à ce château qui est devenu vraiment le sien. Celui de sa femme aussi, délicieusement orientale, et cuisinière hors pair lorsqu'elle se décide à se mettre aux fourneaux. Gentilhomme de

campagne, il a voulu recevoir des hôtes. Les rares chambres dans le château sont stupéfiantes d'originalité, d'authenticité (ah ! l'étonnant lit de milieu de la plus belle !), et peu importe que les salles de bains soient parfois « différentes ».

Dans un des communs, d'autres sont installées, plus petites, meublées elles aussi à l'ancienne (un peu moins), mais peut-être plus confortables au sens où nous l'entendons (sanitaires tout neufs). Mais à propos de confort, je souligne que jamais dans aucun hôtel du monde je n'ai vu autant d'attentions dans les salles de bains. On peut y arriver sans valise !

Revenons aux Pardoux quand même. Ils aiment parler avec leurs hôtes devant la monumentale cheminée de la salle des gardes et leur faire vivre leur domaine en vrais seigneurs.

Monsieur et Madame S. Pardoux
Ouvert du 1/3 au 31/1
Tél. (53) 22.42.98
24440 Beaumont. 5 chambres. A 250 F. Petit déjeuner inclus. Parc. Chasse. Pêche. Baignade. Souper sur commande à 250 F tout compris. (Attention, ce château n'est pas un hôtel mais une demeure recevant des hôtes payants.) Accès par D 2.

LE MOULIN DU ROC

Champagnac-de-Belair. Dordogne

Le romantisme y flotte

J'étais bien décidé pourtant à laisser de côté dans ce guide les moulins qui, pour être souvent très vieux, n'ont rien de châteaux, de manoirs ou de gentilhommières, d'autant que leur histoire étant celle des gens simples et, dit-on, heureux, n'en est jamais une.

Pourtant, avec le Roc, je me suis laissé aller à faire une entorse à cette règle. On me comprendra lorsque je vous dirai que voici le plus romantique des bords de rivière, et qu'il ne m'en faut vraiment pas plus (mais c'est déjà énorme) pour fondre de plaisir.

Lorsque les chambres répondent à cette délicatesse de la nature par une autre joliesse (meubles, rideaux, objets, salles de bains), je ne me sens plus aucune raison de mauvaise foi : je profite, autant que faire se peut, avec la femme que je crois aimer et qui commet elle aussi la même erreur.

Cela me met même en appétit lorsque la table se pare elle aussi de grâces par une cuisine de femme qui brode et fait de la dentelle à partir de recettes du Périgord merveilleusement interprétées. Et la carte des grands vins (pas chers) ne vous laisse pas sur votre soif.

J'allais oublier ma filière historique bien mise à mal ici : le moulin fut d'huile et à eau dès le XVIIe. A titre de preuve et de témoignage, on a conservé les roues du moulin et sa machinerie qui brillent toutes comme des sous neufs (ceux que les clients laissent, car les prix de cette petite merveille ne sont pas donnés). Je pense aussi que le jardin extraordinaire ne peut pas être oublié. Dire que j'ai failli bouder ce moulin !

Solange et Lucien Gardillon
Ouvert du 15/3 au 15/11 et du 15/12 au 15/1
Tél. (53) 54.80.36 et 54.87.87
24530 Champagnac-de-Belair. 7 chambres et 1 appartement. De 280 à 360 F. Parc. Pêche. Chasse. Rivière.
Petit déjeuner à 35 F. Menus à 90, 160 et 220 F. Carte à 320 F environ. Accès par Brantôme et D 675.

CHÂTEAU
DE ROUMÉGOUSE

Rignac. Lot

Chez la grande Lulu

Cela a été un grand moment de la vie des noctambules parisiens lorsqu'ils débarquèrent un soir de l'année dernière au château de Roumégouse. Ils étaient là toute une bande de soiffards de chez Castel invités à se mettre au vert dans ce bon vieux château, érigé sur le causse de Gramat depuis sept ou huit siècles, et auquel ses tours à créneaux, mâchicoulis et barbacanes ne furent d'aucune utilité pour résister à cette invasion.

Tout ce petit monde de copains et de gens à la mode était convié là par la propriétaire, parisienne retirée aux champs avec son mari et que l'on baptisa, on ne sait trop pourquoi, la grande Lulu. Le week-end fut épique, et pour s'être mis au vert comme je le disais plus haut on ne s'était pas mis pour autant à l'eau.

Je les soupçonne donc de ne pas avoir apprécié à sa juste valeur la belle allure de ce château médiéval, bien sûr, mais largement revu, bien sûr encore, au XIXe si j'en crois les intérieurs bien dans la manière du néogothico Haute Epoque alors en faveur. Ont-ils apprécié ces belles chambres vastes, cossues et pas toujours du meilleur goût, comme la chambre à l'extravagant lit gothique-Henri II à baldaquin, ou ont-ils préféré celle qui se vautre dans le rose et le mauve (les salles de bains sont impeccables), je n'en suis pas sûr non plus. Ces gens-là vivant la nuit, je doute qu'ils aient jamais ouvert les yeux au petit matin pour admirer depuis leurs fenêtres les petites brumes au-dessus de la forêt, encore que ce soit l'heure à laquelle ils se couchent d'habitude.

Pour la cuisine ils n'ont pas dû se priver de cette bonne gastronomie terrienne qui règne ici, presque luxueuse par sa richesse assez à l'image du château.

P.-S. : De ces nuiteux égarés en province... j'en étais !

Monsieur et Madame Laine
Ouvert du 31/3 au 30/11
Tél. (65) 33.63.81
Rignac. 46500 Gramat. 11 chambres. De 230 à 380 F.
Parc. Petit déjeuner à 33 F. Menu à 105 F. Carte à
220 F environ. Accès par N 140 entre Brive et Gramat.

MANOIR
DE ROCHECOURBE

Vézac. Dordogne

Le double cadeau

Il y a des instants où l'on se demande si c'est une tour ou un pigeonnier qui flanque le corps d'un logis noble, tant les fermes fortifiées ont pris parfois des accents altiers, tandis que les châteaux s'essayaient à sauver ce qu'il restait de leurs apparences après les passages des gens de guerre ou des affidés de Richelieu.

Il semblerait que celle de Rochecourbe, un manoir de campagne bien pris dans les natures du pays sarladais, soit un vestige fier d'une histoire qui commence comme un roman d'amour. On m'a conté qu'au XVe un seigneur de Beynac l'avait bâti pour sa cousine en même temps que pour surveiller les routes venant de Sarlat. Il y a ainsi des cadeaux qui ressemblent à des placements : cela me fait penser aux bijoux de famille qu'on se dispute en héritage.

Cette tour a vu ensuite un des seigneurs du lieu devenir écuyer de Louis XIV, tandis qu'un peu plus tard son successeur se trouvait en charge de conseiller du roi Louis XV, puis du roi Louis XVI. Ce qui suppose une belle continuité dans le changement.

De ces temps, semble-t-il, favorables, il reste des vestiges de fortifications, servant de base aux bâtiments actuels, et toujours cette tour noble et le petit château dont les murs de deux mètres d'épaisseur possèdent cette particularité bien méfiante de fenêtres dont les embrasures vont s'évasant vers l'intérieur.

N'en déduisez pas que les châtelains d'aujourd'hui ne sont pas accueillants : leur gentillesse aurait plutôt tendance à vous retenir dans cette maison aux chambres pures et simples.

Monsieur et Madame A. Roger
Ouvert du 15/4 au 1/2
Tél. (53) 29.50.79
24220 Vézac. 7 chambres. De 120 à 310 F. Parc. Petit déjeuner à 23 F. Possibilité de dîners simples sur demande. Accès par la route Sarlat-Cahors et D 57.

CHÂTEAU
DE LA TREYNE

Lacave. Lot

Le château des passions

C'est vrai que, perché sur le haut d'une falaise en à-pic au-dessus de la Dordogne, il a une folle allure romantique et que l'on s'imagine très bien escaladant une échelle de soie pour grimper à la fenêtre d'une bien-aimée enfermée par des parents indignes dans une de ces hautes tours... Mais le temps n'est plus à ces passions-là, et si le château en fait naître, c'est avant tout celle de ses propriétaires successifs qui ont été positivement envoûtés. Je veux dire par là qu'ils y engloutissent des fortunes à seule fin de le restaurer. C'est ainsi que cela se passe depuis le début du siècle, et la propriétaire d'aujourd'hui, Mme Gombert, a dépensé beaucoup pour en faire une véritable petite merveille de confort et de goût raffiné, de luxe discret, d'élégance rare.

Cela dure même je crois depuis que le château, bâti au XIVᵉ (il reste dans le parc un donjon de cette époque), a été incendié pendant les guerres de Religion puis rebâti sous Louis XIII. Toujours est-il que ces passions coûteuses en font naître aujourd'hui d'autres, bien moins onéreuses, chez les visiteurs. Car voici bien un des mes coups de cœur de la vie de château. Du grand salon Louis XIII dont les fenêtres ouvrent sur un « cingle » (une boucle de la Dordogne) aux chambres dont les intimités savent aussi bien être hautaines (si elles sont vastes) ou complices (si elles sont petites), dont les mobiliers anciens (pas trop d'ailleurs) ont bien vécu, dont les souvenances du XIXᵉ sont émouvantes, dont les salles de bains sont parfois fantaisistes (étranges bruits de tuyauteries), on a bien du mal à le quitter. D'autant que Mme Gombert est une hôtesse parfaite, pleine d'humour, châtelaine jusqu'au bout des ongles, et que son personnel, châtelain lui aussi, a des égards que l'hôtellerie n'apprend pas et des maladresses que l'hôtellerie peut apprendre. Mais qu'importe, on sait allumer une flambée dans une cheminée si vous en avez envie.

Madame Gombert-Devals
Ouvert de Pâques au 11/11
Tél. (65) 32.66.66
Lacave. 46200 Souillac. 12 chambres. De 250 à 350 F. Parc. Piscine. Tennis. Petit déjeuner à 35 F. Dîner à la carte à 120 F environ. (Attention, ce château n'est pas un hôtel mais une demeure recevant des hôtes payants.) Accès par N 20 et D 43.

MANOIR DE LA TOUR

Montpon-Ménestérol, Dordogne

Le charme en plus

L'époque du Directoire n'a certainement pas duré assez longtemps pour qu'elle ait eu beaucoup le temps d'inventer un style de construction. Et puis, on avait tout de même récupéré assez de châteaux pour avoir de quoi se loger à la campagne pendant que les propriétaires étaient absents. C'est pourquoi j'ai été ravi de découvrir en plein Périgord vert, aux portes mêmes de la forêt de la Double, ce tout mignon manoir de la Tour qui se réclame, lui, de l'époque Directoire. Je n'en suis peut-être pas aussi sûr que la propriétaire, mais elle le sait sans doute mieux que moi ; d'ailleurs, qu'importe, puisqu'il a sa personnalité bien à lui. Il est gai et j'en veux pour preuve cette très curieuse toiture en forme de chapeau pointu qui donne à cette grosse maison par ailleurs très périgourdine l'air de s'amuser vraiment de cette fantaisie. Il est bien évident que l'on n'en est plus au temps des mâchicoulis et des créneaux, on s'y contente de portes-fenêtres grandes ouvertes sur la campagne, affirmant ainsi que l'on ne se méfie pas des visiteurs. On chercherait plutôt à les attirer. Et je pense qu'il y a de quoi se laisser prendre.

J'ai trouvé là en effet des attentions auxquelles on ne m'avait pas toujours habitué dans les châteaux accueillant des hôtes. J'apprécie ainsi qu'on m'ouvre la bibliothèque appelée délicieusement salon-livres. J'aime qu'à mon petit réveil on m'apporte une tasse de thé pour m'ouvrir les yeux et qu'un peu plus tard on me propose un grand petit déjeuner. Je suis sensible au fait que la propriétaire n'oublie pas d'avertir que les enfants sont joyeusement accueillis. Vous voyez l'esprit. Je n'ose pas dire que l'on se sent en famille, car je suis discret par nature, mais on est à l'aise dans cette petite demeure qui, elle, est familiale.

C'est sans doute pour cela qu'on a gardé dans les chambres les bibelots précieux et les jolis objets montrant ainsi que la confiance règne. J'ai adoré la chambre aux éventails avec son beau secrétaire à cylindre, son lit de cuivre et sa collection d'éventails. Si les autres chambres sont plus simples, elles ont la même fraîcheur et, je le répète, la même gaieté fleurie. (Salles de bains amusantes.)

Aimable clin d'œil aussi que ces deux petites maisons près de la piscine, l'une rustique, l'autre un peu guinguette, qui ne sont autres que deux petites cuisines où l'on peut jouer à la dînette. A propos de dînette, et bien que je ne me sois pas beaucoup attaché à la cuisine dans ces châteaux, je ne peux pas me priver de vous donner le menu « très simple » (car on peut dîner sur commande) que l'on m'a proposé pour la somme ridicule de 60 F : crème de cresson, omelette aux truffes, côte d'agneau, fromage de chèvre chaud et fraises au sucre ! et servi dans une salle à manger particulièrement jolie et meublée en ravissement. Comment ne pas remercier la châtelaine, Mme Jacqueline Isnard, de m'avoir mis de si bonne humeur dans son château jouet.

Madame J. Isnard
Ouvert du 1/10 au 31/8
Tél. (53) 80.33.72
24700 Montpon-Ménestérol. 1 chambre et 1 appartement. De 200 à 330 F. Parc. Piscine. Etang. Pêche. Petit déjeuner à 25 F. Menu à 60 F (sur commande pour les résidents). Pas de carte. (Attention, ce château n'est pas un hôtel mais une demeure recevant des hôtes payants). Accès par la N 89. N.B. : on peut aussi louer de petites maisons de 880 à 1 100 F pour la semaine.

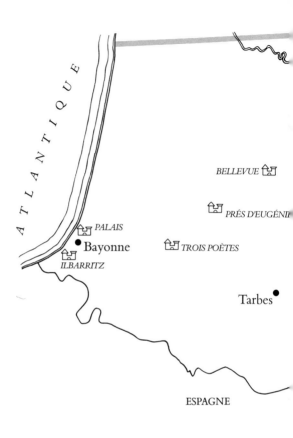

ATLANTIQUE

BELLEVUE

PRÉS D'EUGÉNIE

PALAIS

● Bayonne

TROIS POÈTES

ILBARRITZ

Tarbes ●

ESPAGNE

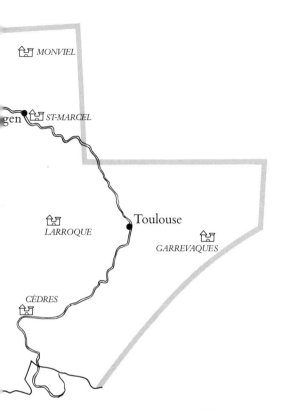

MONVIEL

ST-MARCEL

gen

Toulouse

LARROQUE

GARREVAQUES

CÈDRES

VII — GASCOGNE, PYRENEES, COTE BASQUE

CHÂTEAU BELLEVUE

Barbotan-les-Thermes. Gers

Comme chez eux

Lorsque je suis entré dans cette maison sans style défini que l'on peut restituer approximativement à la fin du XIXe, le patron était installé dans son petit salon et regardait un match de rugby à la télévision (allez donc le lui reprocher, dans ce pays du ballon ovale !), la patronne tricotait dans la véranda plus ou moins salon (il faut bien passer le temps), le garçon étudiait un journal de courses derrière le bar (la fortune sourit aux audacieux) ; et je ne leur en veux ni aux uns ni aux autres. J'ai pu ainsi tranquillement visiter le parc pentu et un peu à l'abandon (ça, j'adore) et faire le tour du propriétaire. Pour obtenir de jeter un œil sur les chambres, cela a été dur de les réveiller, mais ils ont plutôt le réveil aimable. Les chambres sont gentiment confortables (salles de bains honnêtes) mais terriblement tristounettes. Enfin, je suppose qu'on doit venir de génération en génération, puisque cela a des airs de pension de famille un peu cossue. La bonne surprise pourrait bientôt venir de la table que j'ai sentie en progrès dans sa manière bien de là-bas.

Monsieur A. Clausse
Ouvert du 1/1 au 31/12
Tél. (61) 89.36.00
Villeneuve-de-Rivière. 31800 Saint-Gaudens. 20 chambres. De 160 à 250 F. Parc. Pêche. Tennis. Vidéo. Petit déjeuner à 25 F. Menus à 80, 130 et 180 F. Carte à 150 F environ. Accès par N 117.

HOSTELLERIE DES CÈDRES

Villeneuve-de-Rivière. Haute-Garonne

Chez la Montespan

C'est tout ce qui reste du cadeau de mariage du marquis de Montespan à sa femme née Athénaïs de Rochechouart, favorite à venir de Louis XIV. Oui, une aile dans ce bâtiment d'équerre agréable à regarder derrière ses grands cèdres, mais assez banal somme toute. C'est l'hostellerie rustique dans l'esprit des années cinquante avec quelques chambres meublées à l'ancienne et de bric et de broc. Le tout propret, vieillottant mais sympathique. Il m'a semblé que la chambre de la Montespan, petite, était meublée genre Louis XVI ! A moins que je n'aie perdu la tête. (Les sanitaires sont plus récents et fonctionnent.)

Rien de follement historique, mais la cuisine est la bonne raison pour s'arrêter ici dans la vaste salle à manger glorieusement rustique. Table solide et sincère (splendides foies gras) avec des velléités modernistes vite maîtrisées. Une brave et bonne cuisine, mais ce sont de bons et braves gens : ils se sentent si bien que le roi n'est pas leur cousin.

Madame M. Consolaro
Ouvert du 1/2 au 31/12
Tél. (62) 09.51.95
32150 Cazaubon. 27 chambres. De 140 à 305 F. Parc.
Piscine. Petit déjeuner à 27 F. Menu à 100 F. Carte à
195 F environ. Accès par N 626 et D 32.

CHÂTEAU
DE GARREVAQUES

Puylaurens. Tarn

Pied à terre

A quoi peut donc rêver un couple de navigants d'Air France, lui pilote, elle hôtesse (chef de cabine, bien sûr) lorsqu'ils sont en vol à travers les ciels du monde ? A un pied à terre. Or, en voici un qu'il vient de trouver, dans le Tarn, sous la forme d'un château baptisé « Garrevaques ». Quoi de plus normal, dans le fond, si l'on veut bien se souvenir ? Il y a quelques années, les avions d'Air France, comme de tous temps les paquebots, portaient chacun le nom d'un château de France. Jolie coutume qui s'est perdue, assassinée sans doute par un fonctionnaire bilieux.

Toujours est-il que c'est avec l'aide de leur maman qu'ils ont entrepris de faire de Garrevaques un hôtel château. Ce n'est pas grand, très XIXe avec tout de même des souvenirs du premier château qui aurait été bâti vers la fin du XVe (voir l'escalier d'origine). Un parc honorable, une taille très raisonnable et une installation sans fautes d'appréciation décorative. A noter justement le salon Empire, avec ses papiers peints XIXe, d'inspiration romantico-romaine, et les beaux meubles. Les chambres sont assez sympathiquement arrangées, très famille bon chic, bon genre depuis longtemps (sanitaires bien pensés). Pour ce qui est de l'accueil, il n'y a rien à craindre : « Nous sommes heureux de vous accueillir à bord de ce château de Garrevaques. Le vol durera... O temps, suspends le tien ! »

Madame Barande
Monsieur et Madame Claude Combes
Ouvert du 1/1 au 31/12
Tél. (63) 75.04.54
81700 Puylaurens. 10 chambres et 1 appartement. De 150 à 700 F. Petit déjeuner inclus. Parc. Piscine. Tennis. Pas de restaurant mais possibilité de repas sur demande. (Attention, ce château n'est pas un hôtel mais une demeure recevant des hôtes payants.) Accès par D 45 à 5 kilomètres de Revel.

CHÂTEAU
D'ILBARRITZ

Bidart. Pyrénées-Atlantiques

L'étrange demeure

Cela n'a pas de style et pourtant on le reconnaîtrait entre mille, ce château d'Ilbarritz. Très haut sur une colline, dominant la mer, il impose sa forme qui n'en est pas une ; assez lourd, presque carré, curieusement souligné par des passerelles courant autour des façades, il ne ressemble à aucune autre maison.

Né des extravagances du baron de l'Espée, un des hommes les plus riches du monde vers la fin du siècle dernier, le château d'Ilbarritz actuel n'est que le vestige d'un ensemble alors totalement fou. N'avait-il pas fait construire des galeries couvertes pour descendre jusqu'à la côte, ponctuées de petits salons chauffés ? Pour donner une idée du personnage, il avait fait creuser un puits d'une dizaine de mètres pour maintenir son beurre au frais et, pendant l'été, des barres de glace posées sous les fenêtres rafraîchissaient l'air ambiant. On n'arrêterait pas de citer tous les détails aussi imprévus que fastueux qui furent ceux de cette demeure, et si l'on a des curiosités de ce que pouvait être l'imagination fabuleuse de cet homme il faut lire un petit livre, *Le Château d'Ilbarritz* par Christophe Luraschi (Editions Pyrénéennes à Bagnères-de-Bigorre), aussi passionnant que le baron lui-même.

Pour l'heure, l'hôtel installé dans cet endroit n'a pas les mêmes étrangetés mais il ne manque pas de caractère, même si ses installations sont relativement modestes et un peu désuètes. Mobilier un peu incertain, décoration parfois un peu 1900, boiseries partout, confort approximatif, mais tout cela a une allure indéfinissable. Les propriétaires sont très gentils et on sent bien qu'ils ont une passion pour ce lieu absolument unique.

On a conservé l'immense chapelle : des concerts de musique de chambre ou religieuse y sont donnés et le dimanche une messe traditionnelle y est dite. C'est dire que cet hôtel n'est pas comme les autres. J'y ai dormi et j'ai bien cru entendre, au milieu de la nuit, un piano jouant en mer : peut-être était-ce le baron... Il avait en effet installé un piano sur un îlot rocheux près de la côte et il y composait, jadis, au milieu des flots.

Société
Ouvert de Pâques au 1/10
Tél. (59) 23.00.27
64210 Bidart. 11 chambres. De 230 à 350 F. Parc.
Demi-pension à 250 F. Pension à 320 F. Accès par
N 10 et 10 B.

CHÂTEAU
DE LARROQUE

Gimont. Gers

Méfiants

Je n'aime pas la méfiance et l'œil soupçonneux
lorsque je pénètre dans un hôtel château : j'y préfère un
sourire. Je n'apprécie pas que le fait d'arriver seul dans
une maison fasse de moi un client négligeable parce qu'il
y a devant la porte des salles de restaurant trois autocars
qui supposent donc plus de couverts en puissance que
mon unique repas ; je m'irrite si l'on me considère
comme un cambrioleur potentiel, si je relève à haute
voix la beauté d'un objet.

Dans ces conditions, je remarque alors le laisser-aller
d'un parc qui pourrait être splendide, la lèpre des murs
en voie de décrépitude, et j'oublie un joli salon tout bleu
avec une belle cheminée et une petite salle à manger-salon
à boiseries absolument ravissantes pour ne plus retenir
que des meubles atrocement boutiquiers.

A l'année prochaine... si je le veux bien.

Monsieur Fagedet
Ouvert du 1/2 au 31/12
Tél. (62) 67.77.44
Route de Toulouse. 32200 Gimont. 12 chambres et 2
appartements. De 209 à 380 F. Parc. Petit déjeuner à
28 F. Menus à 60, 100 et 190 F. Carte à 300 F environ.
Accès par Gimont, N 124.

CHÂTEAU
DE MONVIEL

Monviel. Lot-et-Garonne

Dans l'escalier

Aurais-je l'esprit de l'escalier ? Je vais finir par me le demander puisque par ailleurs j'évoque celui que les belles pénitentes gravissaient pour se confesser aux chanoines de Saint-Augustin dans l'abbaye de Beaugency. Celui du château de Monviel ne mène qu'aux très luxueuses et très pures chambres (salles de bains très soignées), mais quelle majestueuse entrée en matière : cette volée et surtout cette rampe du XVIIe sont d'une épure parfaite qui prouve l'immense maîtrise des tailleurs de pierre et des ferronniers d'alors.

L'association entre un mobilier contemporain de très haute qualité et quelques fauteuils ou pièces anciennes (aussi bien Louis XIII que d'autres) est une véritable réussite d'harmonie et de goût sûr. Mais, une fois de plus, je me demande si l'on n'a pas abusé du grattage des pierres et des briques : cela finit par devenir caricatural de l'idée que l'on se fait des intérieurs du XVIe et du XVIIe, et si c'est un parti de modernisme il commence à s'user.

Que l'on se rassure, cela n'enlève rien à un certain sortilège qui règne ici ! Ce château totalement remis à neuf n'en a pas pour autant perdu son reflet du passé. Maison carrée taillée au couteau, bien posée haut afin de mieux voir la campagne environnante, il date donc du XVIIe, d'un XVIIe rigoureux et sans aucune ornementation extérieure. Sur l'emplacement on suppose que vécurent des tribus troglodytes. On retrouve ensuite des traces d'une fondation du Xe, puis d'autres vestiges du XIIIe alors que le château servait d'appui militaire et de refuge pendant la guerre de Cent Ans (relié semble-t-il par un souterrain jusqu'à la chapelle de Monviel à quelques centaines de mètres). C'est un certain Jean Louis de Vassal qui fit élever en 1577 le bâtiment actuel (pour mémoire, ce cher homme était compagnon de débauche du duc d'Épernon, gouverneur de Guyenne). De quoi donner à rêver en s'installant ici ! (Cuisine de femme. Cela signifie sincérité, beaux produits et terroir proche.)

Monsieur G. Leroy
Ouvert du 1/4 au 6/1
Tél. (53) 01.71.64
Monviel. 47290 Cancon. 8 chambres. De 270 à 294 F. Parc. Piscine. Lac. Pêche. Petit déjeuner à 25 F. Menus à 85, 115 et 175 F. Carte à 200 F environ. Accès par N 21, D 124 et D 241 et V.O.

LES PRÉS
D'EUGÉNIE

Eugénie-les-Bains. Landes

Du grand Guérard

Si je sais tout sur ce que l'on peut trouver dans l'hôtel du célébrissime Michel Guérard et si je suis reparti avec un dossier d'un kilo au moins entre les bras, personne n'a été capable de me dire si l'ancien hôtel cher à l'impératrice Eugénie aux eaux avait été auparavant une maison privée.

Je lui accorde donc le bénéfice du doute, mais j'ai l'impression de tricher un peu en le glissant dans ce

guide des vieilles demeures ayant fait transfuge dans l'hôtellerie. Je l'aurais regretté car l'épouse de Michel Guérard est la plus ravissante, la plus attentive et la plus lointaine des hôtesses ; car Michel Guérard est un immense cuisinier, quasiment génial et enfin revenu de certaines vanités de gloire qui lui avaient un peu tourné la tête sous la toque ; car la décoration de cette maison est une des plus belles de France, sophistiquée, habile, gracieuse, maligne, intelligente, racoleuse, belle enfin ; car le confort est admirable (oh ! ah ! ces salles de bains !) ; car le luxe y paraît une seconde nature ; car il y a là un merveilleux spectacle dont on devient acteur aussi, puisque tout est mis en scène, même le plaisir de votre présence.

Monsieur et Madame M. Guérard
Ouvert de fin mars au 5/11
Tél. (58) 58.19.01
40300 Eugénie-les-Bains. 28 chambres et 2 apparte-ments. De 545 à 785 F (+15%). Petit déjeuner à 45 F (+15%). Menus à 250 et 280 F (+15%). Carte à 400 F environ. Accès en ville.

HÔTEL DU PALAIS

Biarritz. Pyrénées-Atlantique

Un vrai palais

Je ne vais pas vous assener toute l'histoire de Biarritz, petit port de pêche devenu station mondaine grâce au bon plaisir de l'impératrice Eugénie. Je ne vais pas non plus vous raconter l'aventure de cet hôtel du Palais, à l'origine « petit » rendez-vous de bord de mer pour le couple impérial, devenu par la suite véritable palais pour la cour, puis hôtel pour toute la haute société du monde pendant plus d'un siècle.

Non, je vais vous éviter cela que vous avez lu mille fois. Allez plutôt directement à l'hôtel du Palais, un des derniers grands beaux hôtels du monde, un des rares qui puissent encore se parer en toute honnêteté de l'appellation de « palace ». Ce faste fou et extraordinaire, cette décoration témoin d'un temps riche et brillant, ces appartements de rêve, cette salle à manger panoramique ne donnent pas seulement à fantasmer sur le plaisir de la fortune : ils existent.

Certes, y vivre coûte cette fortune, mais, pour moi, la fête telle que celle-ci n'a pas de prix. Surtout lorsqu'elle est irréprochable. Je le répète, elle ne se raconte pas, elle se vit. A vous, donc !

Monsieur Olivier Mollin
Ouvert du 1/5 au 31/10
Tél. (59) 24.09.40
64200 Biarritz. 140 chambres et 20 appartements. De 740 à 2 100 F. Parc. Piscine. Cabañas. Petit déjeuner à 52 F. Menu à 180 F (déjeuner piscine). Carte à 350 F environ. Accès en ville.

CHÂTEAU
SAINT-MARCEL

Bon Encontre. Lot-et-Garonne

Considérations sur...

Vu côté rivière, avec les pelouses en premier plan et ses tours pointues, ce château de l'Agenais joue les châteaux du bord de Loire. A s'y tromper. Heureusement, du côté grille du parc il sait se souvenir qu'ici le soleil brille tout de même un peu plus et que l'on parle aussi avec l'accent. C'est déjà plus chaleureux, même si les tours de cette façade-là sont plus carrées et le fronton plus simple.

Ancien rendez-vous de chasse, me dit-on, mais on ignore pour qui et par qui, ni quand. L'important, c'est pour plus tard, lorsque M. de Montesquieu l'agrandit pour l'utiliser comme résidence d'été. Apparemment, non content d'avoir des idées il avait aussi le sens de la bonne vie. Hélas ! c'est bien en vain que j'ai cherché à savoir s'il avait écrit ici ses *Lettres persanes* ou s'il y avait relu les *Considérations sur les causes de la grandeur des Romains et de leur décadence.* Etait-ce bien raisonnable de chercher à le savoir ? Le lieu se prêterait plutôt à la rêverie dans ce jardin à tendance romantique.

Le raffinement et une certaine perfection dans l'installation (belles salles de bains très complètes) et dans le service sont signés par de véritables hôteliers. Le château a en effet été transformé en hôtel par l'ancien directeur d'un des plus beaux palaces parisiens. Il avait derrière lui trente ans de grande expérience et cela se sent. Il vient de disparaître et son fils lui succède, formé par lui, fort bien.

Tout est donc soigné ici, entretenu à merveille, et les chambres très classiquement « de style », d'une unité extrême, manquent peut-être d'un brin de fantaisie : tout y concorde parfaitement, presque trop. On en viendrait à demander à ce que ces jolis meubles passent d'une chambre à l'autre, en se mélangeant. Cela pourrait venir, car j'ai senti que la jeune épouse du propriétaire a compris que le luxe pouvait se permettre des fantaisies. (Table classique, bien tournée et pas chère au menu.)

Monsieur P. Penche
Ouvert du 1/1 au 31/12
Tél. (53) 96.61.30
Bon Encontre. 47240 Agen. 11 chambres et 1 appartement. De 180 à 335 F. Parc. Petit déjeuner à 25 F. Menus à 85 et 100 F. Carte à 120 F environ. Accès par N 113 à 5 kilomètres d'Agen.

CHÂTEAU
DES TROIS POÈTES

Castétis. Pyrénées-Atlantiques

Ils sont trois

Un peu théâtral mais bien avenant ce château qui ne se hausse pas trop de la tour. Cet « à la manière » d'une forteresse est bien trop policé, bien trop embourgeoisé pour avoir l'air agressif. Et l'accueil, s'il en était besoin, prouverait encore plus que le voyageur est toujours le bienvenu. Cette impression-là n'est pas aussi courante qu'on pourrait le croire, et j'aime à le souligner.

Il apparaîtrait d'évidence, lorsqu'on regarde le livre d'or de cette maison, ou plutôt ses antécédents, car depuis le XVIIe qu'elle existe, elle n'a pas toujours été hôtel, qu'on a toujours aimé y séjourner et que son ambiance porte à une certaine idée du bien-être, puisque

Vigny, Lamartine et Francis Jammes y demeurèrent. Quand bien même les châtelains successifs auraient été protecteurs des artistes, cela en dit plus long encore sur une atmosphère.

Il en reste beaucoup et l'on ne fait pas trop attention alors à la décoration banale des grandes chambres souriantes (confort sanitaire correct) dans cet intérieur qui a tout de même des élégances. Allons, les poètes vous y attendent dans le parc.

Monsieur Simonet
Ouvert du 1/3 au 31/12
Tél. (59) 69.16.20
Castétis. 64300 Orthez. 10 chambres. De 115 à 230 F.
Parc. Petit déjeuner à 23 F. Menus à 70, 80 et 95 F.
Carte à 180 F environ. Accès par N 117 (Orthez-Pau).

VIII — CEVENNES, LANGUEDOC, ROUSSILLON

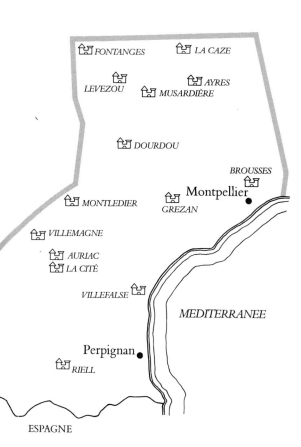

FONTANGES

LA CAZE

LEVEZOU

AYRES

MUSARDIÈRE

DOURDOU

BROUSSES

GREZAN

Montpellier

MONTLEDIER

VILLEMAGNE

AURIAC

LA CITÉ

VILLEFALSE

MEDITERRANEE

Perpignan

RIELL

ESPAGNE

DOMAINE D'AURIAC

Carcassonne. Aude

Des épines dans le jardin

S'il existait un prix du parc sauvage le mieux entretenu, il irait sans le moindre doute à celui du domaine d'Auriac, aux portes de Carcassonne. Un rêve de jardinier, un songe de résidence secondaire idéale et la magie de la nature enfin domestiquée. C'est un pur petit chef-d'œuvre, même s'il n'a rien à voir avec les jardins à la française que j'aime.

La verdure est ici si bien traitée que la maison elle-même disparaît sous ce que je suppose être du lierre, car je n'y connais strictement rien. C'est vraiment la maison de l'enchanteur « Pouce Vert ».

Hélas ! le sortilège s'arrête là !

J'étais venu là avec l'intention première d'y déjeuner. J'ai réussi à le faire malgré un maître d'hôtel particulièrement excédé d'avoir deux clients de plus à traiter, alors qu'il n'y en avait qu'une dizaine à une seule table dans toute la salle à manger. Mais sans doute était-ce déjà trop pour lui. A croire que le magnifique parc (oui, j'y reviens) que l'on peut admirer depuis les tables n'adoucit pas les mœurs. D'ailleurs, même si on le voit de la cuisine, cela n'arrange pas les choses. J'ai mangé là le cassoulet le plus médiocre de ma vie, baptisé Dieu le Fils ! C'est sans doute le diable qui l'avait fait !

La conscience professionnelle aidant, il ne m'est pas resté sur l'estomac et je n'avais pas d'aigreurs en allant visiter les chambres. Si le dépliant de l'hôtel les dit superbes, c'est sans doute parce qu'elles sont grandes. Les salles de bains sont complètes et le mobilier d'un ennui bourgeoisement décadent. A chacun son goût...

Ne voyant plus rien à dire de désagréable sur cette maison, ni d'agréable d'ailleurs, je signale à toutes fins historiques utiles que le bâtiment est du XIXe, malheureusement décoré à notre époque, et que l'on aurait mieux fait de laisser l'abbaye qui était à sa place auparavant. Cela m'aurait évité ce péché de mauvaise humeur.

Monsieur et Madame B. Rigaudis
Ouvert du 16/1 au 31/12
Tél. (68) 25.72.22
Route de Saint-Hilaire. 11012 Carcassonne. 23 chambres. De 210 à 345 F. Parc. Piscine. Tennis. Petit déjeuner à 30 F. Menus à 120 et 150 F. Carte de 150 à 250 F environ. Accès par A 61, sortie Carcassonne-Ouest et direction Saint-Hilaire.

CHÂTEAU D'AYRES

Meyrueis. Lozère

L'oasis du Causse

Les Causses, je crois les connaître depuis les années 1400, lorsque ma famille s'est enfin décidée à tenir sinon un journal du moins un registre de nos faits et méfaits, jusques et y compris nos naissances. Alors le causse Noir comme le causse Méjean qui servent d'environnement, avec les gorges du Tarn, au château d'Ayres ne me sont pas inconnus. Dans ces régions où l'eau est plutôt rare, un parc de six hectares comme celui d'Ayres, cela suppose un lieu privilégié avec ce qu'il faut de sources pour survivre et faire pousser de quoi se mettre à l'ombre. Cela explique donc que des bénédictins aient choisi cette oasis pour une abbaye qui devait devenir plus tard résidence seigneuriale.

Il faudrait un manuscrit entier pour conter les avatars du lieu, puisqu'on retient au moins trois destructions successives dont la première par les Musulmans de passage et la seconde durant la guerre d'Aquitaine. Les guerres de Religion ne lui réussirent pas non plus, car passant de mains en mains — les protestants en firent une base de coups de main militaires — il finit par être brûlé par les Camisards. Reconstruit au XVIIIe mais sans esprit de panache, il a conservé jusqu'à nos jours cette allure débonnaire de grosse maison à laquelle ses tours arasées plusieurs fois donnent des formes on ne peut plus tranquilles. C'est en toute quiétude que le bassin arrondi peut enfin refléter une façade qui ne donne pas l'impression d'avoir vécu tout cela, tant elle est calme sous son vieux lierre.

On croirait un instant avoir franchi les limites d'une propriété privée et on s'attend à voir surgir une ribambelle de gamins en vacances de famille. C'est dire manifestement l'esprit qui règne ici. Une vingtaine de chambres assez simples, avec de belles armoires rustiques en général, dotées parfois d'un petit salon (et d'honnêtes salles de bains) assurent des nuits calmes, après des repas venus du terroir avec un petit rien de hardiesse. J'aime cette ancienne cuisine voûtée ! Et comme les Montjou adorent leur région : ils se mettent en quatre pour vous la faire apprécier, comme leur logis affable.

Monsieur et Madame de Montjou
Ouvert du 30/3 au 15/10
Tél. (66) 45.60.10
48150 Meyrueis. 23 chambres. De 240 à 390 F. Parc.
Petit déjeuner à 28 F. Menu à 95 F. Carte à 150 F
environ. Accès par D 57 à partir de Meyrueis.

LA DEMEURE
DES BROUSSES

Montpellier. Hérault

Un Midi chaleureux

Mais qu'est-ce donc qui leur donne cette noblesse à ces mas carrés plantés au milieu de leurs vignes, avec un parc patriarche (pour leur donner de l'ombre), un toit de tuiles romaines roses et une façade crépie d'un enduit fait pour le soleil ? On devine leur XVIIIe par des fenêtres à petits carreaux, par quelques ornements travaillés... des riens, et pourtant elles sont quasiment seigneuriales.

On sait qu'à l'ombre fraîche de l'intérieur cela sentira bon la cire, que les meubles de bois sombres seront patinés, que les parquets craqueront et que les draps sentiront la lavande, tandis que le soleil jouera de ses rayons à travers les lattes des volets.

Vous êtes donc fixés sur ce qu'est cette demeure des Brousses, car elle est bien à l'image de cette description. Résidence d'été de bourgeois marchands de Montpellier au XVIIIe, agrandie jusqu'à devenir ce que l'on appelait une « maison de maîtres » au milieu de communs voués à l'exploitation du domaine viticole alentour, bouquetée d'un parc si riche en arbres exotiques qu'ils finirent par lui donner son nom, elle est hôtel de charme (très confortable).

A noter un restaurant indépendant attenant, *Le Mas,* entre deux jardins, un peu banalement moderne (papier japonais sur les murs) mais de bonne tenue, avec une gastronomie locale évolutive et assez réussie.

Madame Gasc
Ouvert du 1/4 au 15/10
Tél. (67) 65.77.66
Route de Vauguières. 34000 Montpellier. 20 chambres. De 200 à 300 F. Parc. Petit déjeuner à 25 F. Au restaurant annexe *Le Mas,* menu à 130 F. Carte à 180 F environ. Accès par autoroute A9, sortie Montpellier-Est.

CHÂTEAU DE LA CAZE

La Malène. Lozère

Les pieds dans l'eau

Si j'avais dû dédier ce livre à un château, cela aurait été bien sûr à La Caze. Parce qu'il est le premier à avoir été transformé en hôtel entre les deux guerres, parce qu'il est le premier que j'ai pratiqué en tant que tel, enfin, parce qu'il est magnifiquement romantique. A tel point que je possède dans mon bureau-bibliothèque, une ancienne affiche des Chemins de fer du P.O. Midi, totalement en ruine, qui présente déjà La Caze, sur les bords mêmes du Tarn, surplombé par des falaises impressionnantes : il me paraît là sortir d'un de ces récits qui habitaient mes enfances.

Il est beaucoup plus qu'un château du XVe qui aurait une silhouette bien carrée, et je ne sais combien de tours qui paraissent vouloir le défendre encore. Château de guerre s'il en est, château dur et passionnant, certes pas facile : ses légendes mêmes — celle des Nymphes du Tarn, dont l'histoire est peinte à fresques au plafond d'un petit salon et qui conte comment on jeta du haut des chemins de ronde leurs soupirants après les avoir ficelés dans des sacs. J'aime parfois les beautés inquiétantes et sévères, or La Caze en est une. Et je ne me cache pas d'avoir cherché le fantôme de ces huit beautés, en espérant que leur terrible papa, Soubeyrane Alamand, ne traîne pas lui aussi cette même nuit de pleine lune sur les remparts.

On peut cependant passer un très heureux séjour dans les chambres (au confort très irrégulier) dont les fenêtres ouvrent sur les Gorges, afin de vous offrir un réveil panoramique inégalable à cent lieues à la ronde. Les chambres de l'annexe sont gentillettes. Mais va-t-on à La Caze pour coucher à l'annexe ?

La salle à manger qui occupe l'ancienne chapelle n'est pas mieux meublée que le reste (mauvais goût et médiéval « faubourg du meuble »), et les repas, fort moyens, sont facturés à des prix insensés. Mais ils n'ont tout de même pas réussi à me gâcher mon château de La Caze, ces propriétaires qui y semblent égarés comme des marchands dans un temple.

Monsieur Roux
Ouvert du 1/5 au 15/10
Tél. (66) 48.51.01
La Malène. 48210 Sainte-Enimie. 14 chambres et 6 appartements. De 340 à 490 F. Parc. Petit déjeuner à 35 F. Carte à 300 F environ. Accès par D 107 bis et 907 bis.

HÔTEL
DE LA CITÉ

Carcassonne. Aude

Les Mânes de Viollet-le-Duc

A chaque région de France son mont Saint-Michel : au Languedoc cette fabuleuse cité médiévale qui visiblement a rendu fou le cher Viollet-le-Duc. Les cinquante-deux tours et les deux enceintes concentriques qui ne mesurent pas moins de trois kilomètres de circonférence lui ont permis de donner libre cours à son goût et à sa passion de la restauration (c'est bien le moins que l'on puisse dire). Il ne s'est donc pas privé de broder depuis la tour de la Marquière (elle date du IVe siècle) jusqu'à l'église Saint-Nazaire (tellement plus jeune puisqu'elle est du XIVe). Manque pas un créneau, une barbacane, une poivrière, un chemin de ronde : une véritable leçon d'architecture militaire médiévale. Manque pas non plus un autocar de touristes venus du monde entier.

Mais dès le soir, la foule ayant reflué hors des remparts, on peut faire semblant de vivre au passé dans cet hôtel de la Cité, au cœur de la ville ceinte, véritable et extravagant pastiche de la vie du Moyen Âge, telle qu'on l'entendait il y a un siècle. C'est fou, délirant et émouvant, séduisant pourtant si l'on est attiré par l'époque. Le néogothique mobilier exacerbé a ses charmes. Et tant pis si le confort n'est pas du dernier cri, si la cuisine n'est que banale : on est si bien sous les baldaquins et dans les jardins donnant sur les remparts.

Société anonyme
Ouvert du 20/4 au 15/10
Tél. (68) 25.03.34
Place de l'Eglise. 11000 Carcassonne. 51 chambres. De 395 à 620 F. Jardin. Petit déjeuner à 30 F. Menu à 100 F. Carte à 250 F environ. Accès par la cité.

LA DEMEURE DU DOURDOU

Camarès. Aveyron

Perdu et pas cher

Faut-il se perdre pour venir ici ? Je commence à le croire, parce que pour trouver cet endroit il faut faire preuve d'une immense patience. Le sud de l'Aveyron, c'est aussi un de nos bouts du monde.

Je vois là une étape imprévue, ou bien alors des vacances furieusement économiques, puisque j'ai trouvé des pensions à des prix imbattables, incluant des chambres mignonnes (pas toutes avec salles de bains) et des repas gaillards et copieux qui n'ont pas oublié que dans ce pays on aime « bien » se tenir à table. Le tout dans une maison plutôt rustaude qui donne l'impression d'avoir été achetée par correspondance dans les pages luxe du catalogue de la Manufacture de Saint-Etienne au début du siècle (mignon petit parc compris). Je suis sûr que si les grands espaces aveyronnais vous tentent en même temps que vos moyens sont limités, c'est une bonne petite adresse. Et ce décor campagnard va jusqu'au bout de sa vérité, puisqu'on vous sert à table sous les tilleuls, avec le plus grand plaisir.

Colette et Michel Guironnet
Ouvert de Pâques au 30/9
Tél. (65) 99.54.08
Route de Saint-Affrique. 12360 Camarès. 11 chambres.
De 100 à 200 F. Parc. Rivière. Pêche. Petit déjeuner à 20 F. Menus à 45 et 85 F. Carte à 110 F environ. Accès par N 9, Lodève et D 902.

HOSTELLERIE
DE FONTANGES

Onet-le-Château. Aveyron

Château et série

J'ai rarement vu la banlieue d'une ville aussi allégrement massacrée par d'ignobles immeubles modernes ! Je veux parler de Rodez. Non pas que je sois hostile à l'architecture contemporaine, mais je ne tolère pas que sous prétexte de faire à bon marché on bâtisse laid : c'est une mauvaise excuse car on peut aussi construire beau à bon compte, il est des preuves. Rodez, sur sa colline, se voit donc cernée de pustules de béton qui lui grimpent au corps comme des morpions, et ils finiront sans doute par engloutir l'admirable cathédrale.

J'ai donc préféré détourner les yeux et découvrir au sortir d'un vallon de verdure l'Hostellerie de Fontanges, énorme édifice, impressionnant ensemble du XVIe, qui donne à croire qu'il doit pouvoir accueillir et défendre toute la population des villages avoisinants, ce qui a dû se passer bien souvent depuis qu'il a été édifié au XVIe. Il tombait quasiment en ruine il y a quelques années, devenu plus ou moins ferme et entrepôt de matériel agricole.

Ceux qui l'ont restauré méritent d'être remarqués par les défenseurs des « monuments en péril », même s'ils le sauvèrent pour le transformer en hôtel. Pour vous donner une idée de cette demeure fortifiée, de pierres jointées brutes, je ne résiste pas à la description qu'on en donnait jadis : « Edifice composé de trois grands corps de bâtiments, dont deux disposés en potence aux extrémités de la façade arrière du troisième, lui-même destiné à l'habitation. Ce corps principal, exposé au midi, est flanqué sur sa gauche d'une tour cylindrique coiffée en poivrière ; une autre tour de même style est installée à la jonction de l'aile droite avec la façade arrière du corps de logis. »

Mais peut-être auriez-vous mieux compris si j'avais écrit que cela ressemblait à une longue maison haute avec des tours à chapeaux pointus et des cours intérieures en quantité, le tout admirablement, je le répète, remis en état. Cela donne, à l'intérieur, et vous vous en doutez, un dédale qui à chaque pas, d'escaliers en recoins, vous fait croire que le Moyen Age est au prochain couloir.

Cette grandeur a peut-être fait un peu son malheur. Je m'explique : toutes ces chambres à préparer, à habiller, à décorer, à meubler ont dû effrayer les jeunes gens pleins de courage qui se sont lancés dans l'aventure. Résultat : les mêmes meubles rustico de série de je ne sais quel industriel. Cela sent son motel, en rustique je le répète (petit confort compris). Heureusement, admirable salle à manger à plafonds peints, délicieux petit salon à cheminée, jolie terrasse, vue splendide, remarquable petite cuisine régionale et réception adorable. A petits prix... pourquoi pas !

Monsieur B. Charrie
Ouvert du 1/2 au 31/12
Tél. (65) 42.20.28
Route de Marcillac, Onet-le-Château. 12850 Rodez.
42 chambres et 4 appartements. De 180 à 300 F. Parc.
Piscine. Deux tennis. Petit déjeuner à 20 F. Menus à 50 et 120 F. Carte à 150 F environ. Accès par D 601 à partir de Rodez.

CHÂTEAU DE GREZAN

Laurens. Hérault

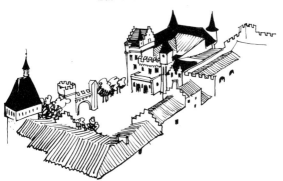

Mirage dans les vignes

Ainsi donc, Viollet-le-Duc aurait eu un enfant prodige qui, pendant que son architecte de papa restaurait la cité de Carcassonne, en construisait une autre, à sa taille de gamin, à quelques lieues de là, au milieu des vignes. C'est tout du moins l'impression que j'ai eue lorsque Grezan m'est apparu, sorte de mirage médiéval sous le ciel du Languedoc.

D'ailleurs, je ne me trompais peut-être pas beaucoup, puisque les propriétaires, s'ils soulignent que cette enceinte fortifiée est une ancienne commanderie de Templiers, ajoutent avec une pudeur pleine d'humour, qu'elle a été « remaniée » au XIXᵉ. Ah ! qu'en de jolis termes ces choses-là sont dites !

Il n'en demeure pas moins que c'est une ébouriffante découverte que celle-là, où les créneaux des remparts cachent des toits de tuiles romaines, où les tours n'ont jamais été guerrières mais plutôt destinées aux coins et recoins des jeux d'enfants gâtés, où les poternes sont toujours accueillantes aux visiteurs.

Le plus remarquable est tout de même que ces murs de fantaisie enserrent toute la vie du domaine voué à la viticulture, tout à fait comme au Moyen Age où tous se serraient à l'ombre du donjon. Avec tant et tant de multiples bâtiments, il a été facile de prévoir deux appartements indépendants aux fins de recevoir des hôtes, histoire de leur révéler comment vit une exploitation viticole dans ce Midi mal connu. C'est réussi, car ils sont bien dans la manière du reste, et on serait mal venu de s'en plaindre, car le dépaysement est bien là. (Honorable confort.)

A souligner cependant que la grande affaire y est un très aimable vin, d'une appellation contrôlée peu répandue (le Faugères), assez riche et ensoleillé, qui porte le nom, vous vous en doutez, de château-de-grezan : il y a, comme on dit aujourd'hui, un « créneau » pour lui sur le marché.

Monsieur et Madame Lubac-Lanson
Ouvert du 1/1 au 31/12
Tél. (67) 90.28.03
Laurens. 34480 Magalas. 2 appartements. De 600 à 800 F pour le week-end et 1 400 à 2 400 F pour la semaine. Parc. Petit déjeuner inclus. Pas de restaurant. (Attention, ce château n'est pas un hôtel mais une demeure recevant des hôtes payants). Accès par la route Béziers-Bédarieux.

HOSTELLERIE DU LEVEZOU

Salles-Curan. Aveyron

Les étés des évêques

A côté de la lourde porte ancienne aux vantaux de bois à décor mouluré clouté, surmontée d'une herse de bois toujours levée, une plaque indique : « Résidence d'été des évêques au XIVᵉ siècle ». La haute tour d'angle et les murs sévères de ce petit château au milieu du village prouvent que les évêques — ceux de Rodez en l'occurrence — se tenaient un peu en méfiance de leurs ouailles. Encore qu'il ne s'agisse là que d'une grosse maison fortifiée, plutôt bonasse qu'altière. Et sans prétentions : mais l'Aveyron, même pour des prélats, n'a jamais été terre très riche.

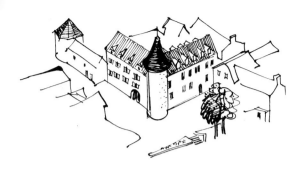

Sans doute est-ce ce qui explique la modestie de cette hostellerie vouée aux vacances simples et bon marché, aux repas d'inspiration régionale, pas chers eux non plus. Au rez-de-chaussée, le salon et la salle à manger aux belles voûtes décrépies, meublées rustiques (hors une fabuleuse pendule homme debout d'époque Empire) sont elles aussi au diapason de la familiarité. Il ne faut pas alors s'étonner que les chambres soient simples (sanitaires complets dans certains cas, mais modestes).

Tout est plutôt ici dans la bonne manière de l'accueil qui met à l'aise par le sourire et la gentillesse. Alors on vient ici avec toute sa petite famille entassée dans la voiture plutôt qu'en Rolls Royce. D'ailleurs, une Rolls dans le Causse...

Monsieur D. Bouviala
Ouvert du 1/4 au 15/10
Tél. (65) 46.34.16.
12410 Salles-Curan. 25 chambres. De 100 à 180 F.
Petit déjeuner à 20 F. Menus à 65, 83, 110 et 140 F.
Carte à 170 F environ. Accès par la route Rodez-Millau.

LA MUSARDIÈRE

Millau. Aveyron

Le gant relevé

Pendant longtemps, gantiers et banquiers, et fabricants de Roquefort aussi, se sont livrés à une sorte de petite guerre des hôtels particuliers dans cette petite sous-préfecture un peu endormie qu'est hélas devenue Millau, dans l'Aveyron. C'est vrai que les gantiers y étaient plus que prospères, les gens du fromage aussi, et cela nécessitait bien sûr quelques banquiers avisés. A ce propos, il me semble bien que l'ancêtre plus ou moins éloigné d'un de nos présidents de la République y a entraîné dans sa débâcle une bonne partie de l'industrie locale : mais la chose est à vérifier, chiffres en main.

Toujours est-il que sur la noble artère de la ville, l'avenue de la République, il y avait, entre autres, une somptueuse demeure largement copiée sur celles de la plaine Monceau, alors exemples parfaits de la réussite financière. Il fallut l'après-dernière guerre pour qu'elle devienne impossible à maintenir. Une famille d'hôteliers du cru, les Canac, décidèrent de la sauver en y créant le plus bel hôtel de la région.

La demeure, du XIXe donc, était belle, ils avaient du goût — la décoration très classique des chambres le prouve (et leur grand confort sanitaire aussi) — et du métier. Ce fut un minuscule palace, mais un palace quand même, vu bien sûr selon la province, c'est-à-dire avec des familiarités de bon ton, comme ce service par les femmes dans la salle à manger. Salle à manger où l'on fait de véritables festins de plats du pays, avec quelques trouvailles, venues d'ailleurs et surtout de la mode, qui ont bien du talent. Sans doute les petits appétits doivent-ils s'abstenir, mais ceux qui ont le coup de fourchette aussi solide que délicat seront comblés.

Mais M. Canac disparut. Sa femme aurait pu abandonner l'affaire, mais, à Millau, on a toujours relevé le gant. Elle est devenue la plus charmante, la plus diserte et la plus courageuse des hôtesses. Cela vaut bien de s'incliner, d'autant que la maison est restée au meilleur d'elle-même.

Madame G. Canac
Ouvert du 1/4 au 5/11
Tél. (65) 60.20.63
34, avenue de la République. 12100 Millau. 12 chambres. De 220 à 370 F. Parc. Petit déjeuner à 30 F. Menu à 70 F. Carte à 260 F environ. Accès en ville.

CHÂTEAU
DE MONTLEDIER

Mazamet. Tarn

En suspens

Avais-je l'air d'un gueux ce jour-là ? C'était hors saison ; le propriétaire me croisa dans la cour d'un air supérieurement dédaigneux, et lorsque je lui demandai la réception, il eut un geste lointain et distant. A la réception, je me présentai comme un client désirant louer un appartement dans les semaines qui suivaient, ce qui me fut d'ailleurs accordé d'un ton rogue. Mais lorsque je demandai à voir quelques-uns de ces appartements, on me refusa tout net. « Vous verrez bien ce qu'on vous donnera quand vous arriverez. » Je n'ai pas insisté, j'ai tout de même jeté un œil sur la très belle salle à manger voûtée, mais on me suivait d'un air soupçonneux : le soi-disant préposé à la réception devait avoir fait ses classes d'accueil dans la police montée à l'époque du Grand Nord.

Je suis donc parti un peu déçu et même beaucoup, d'une part, de la « joie » que l'on avait eue à m'accueillir et, d'autre part, parce que ce château du XIIᵉ est très beau, perché en balcon au-dessus de l'Arn, et a décidément une allure folle. Et j'aimais encore plus la très belle forêt qui l'entourait. J'étais d'autant plus marri

151

qu'en sortant de cette maison je vis d'autres clients reçus à bras ouverts, mais à les écouter je compris qu'ils avaient leurs habitudes. Il est bien connu que le petit monde de Mazamet est très secret. De retour à Paris, j'ai écrit pour avoir des renseignements sur cet établissement : on m'a répondu très courtoisement — mais on savait qui j'étais —, m'expliquant que l'atmosphère était chaleureuse et qu'il y avait une âme.

Je ne cacherai pas que j'ai eu encore un regret supplémentaire en regardant les photos — peut-être trompeuses, allez donc savoir — de ce qui m'apparut comme de très belles chambres et fort luxueuses.

Alors... Je n'ai pas d'opinion sur cette maison, si ce n'est que je déteste la muflerie, et plus encore lorsqu'elle vient d'un hôtelier châtelain.

Monsieur Sidobre
Ouvert du 1/2 au 31/12
Tél. (63) 61.20.54
Pont de l'Arn. 81660 Mazamet. 9 chambres. De 300 à 400 F. Parc. Petit déjeuner à 30 F. Menu à 130 F. Carte à 150 F environ. Accès par D 51 à partir de Mazamet.

CHÂTEAU
DE RIELL

Molitg-les-Bains. Pyrénées-Orientales

N'a pas molli

Certains délires me fascinent et celui-ci en est un ! Lorsque après une longue route de nuit, alors que vous vous croyez perdu dans une forêt qui n'en finit pas de vous enfermer dans une obscurité plus noire encore, vous découvrez, au détour du chemin, illuminé *a giorno,* ce qui vous apparaît comme l'immense portant d'un décor de théâtre qui serait censé représenter un manoir gothico-Haute Epoque semblant sortir de l'esprit agité d'un architecte fantasque, vous commencez à avoir des doutes sur votre équilibre.

Et pourtant, ce château-là est tout vrai. Un peu fou peut-être, mais tout vrai, né justement des rêves d'un médecin du siècle dernier qui était peut-être allé soigner Louis II de Bavière dans ses châteaux stupéfiants. Alors, que l'on en ait fait un hôtel aurait plutôt tendance à exciter mon imagination. Que l'entrée et le bar soient tapissés de tissus zébrés, pourquoi pas ? Il y a des instants où je suis prêt à tout, si les autres, justement, vont au bout de leur idée. Et la belle Biche Barthélémy, qui est à la tête de ce château, n'a pas eu peur. Quelle fantastique réussite de décoration originale : elle a été plus loin que le médecin. Elle a joué dans certaines chambres à s'emporter plus loin que lui, et j'ai souvenir d'un appartement dans un donjon, éblouissant de charme et de beauté insolite. A commencer par cette constante presque hypnotique de la chouette : statufiée, dessinée, peinte, gravée, brodée que j'ai retrouvée partout. Au-delà du kitsch, une forme de décor qui me ravit. Quant au confort des salles de bains, il est fabuleux, passant lui aussi à une autre dimension. Mais si j'adore cela, c'est peut-être que je suis moi-même un peu fou d'irréel.

Le restaurant, bâti un peu en contrebas, joue les haciendas mexicaines revues par un pâle imitateur de ce fameux architecte qu'est Couelle : pas tout à fait un ratage, puisque cela étonne les Américains. Mais après la haute voltige du château, c'est d'une platitude ! Et ces petits meubles régionaux posés au milieu de cette guimauve... c'est d'un laborieux ! Comme la cuisine d'ailleurs qui, pour être bonne, s'acharne à courir après le génie de Michel Guérard (il est de la famille), au lieu

153

de se cantonner dans une raison qui ne ferait pas de mal du tout... juste pour laisser le temps de reprendre son souffle avant de remonter se coucher dans ce luxe délirant et fascinant.

Madame B. Barthélémy
Ouvert du 1/4 au 1/11
Tél. (68) 96.20.56
Molitg-les-Bains. 66500 Prades. 20 chambres. De 270 à 480 F. Parc. Piscine. Deux tennis. Lac. Petit déjeuner à 38 F. Menus à 170 et 230 F (+ 15%). Carte à 250 F environ. Accès par B 9, sortie Prades, et N 116.

CHÂTEAU
DE VILLEFALSE

Sigean. Aude

Pas faux

De Gaulle aurait-il été comme Napoléon : dans ce tour de France, cela fait au moins le six ou septième château dans lequel il aurait passé quelque temps de repos. Je vous ai épargné cet itinéraire au complet, mais je le souligne ici, car cette maison du XIXe a été la première que j'aie visitée pour réaliser ce guide. Alors, je lui dois bien un brin de reconnaissance pour m'avoir porté bonheur.

La nature n'étant pas très exaltante entre Perpignan, Sigean, les étangs, j'avais apprécié ce petit coin de verdure, ce gros bouquet d'arbres qui accrochait enfin l'ombre au milieu des vignes. Le petit parc était plutôt poussiéreux, les chambres beaucoup bricolées, mais certaines avaient un vieil air de famille plutôt sympathique (comme les salles de bains, d'ailleurs), la salle à manger rustico de série se contentait de la référence du terroir (avec un petit succès d'estime) et les jeunes gens qui m'avaient ouvert cette porte étaient pleins de bonne volonté. Je leur souhaite sincèrement de remettre tout cela en un véritable état, encore que je suis persuadé qu'il

y a des habitués qui viennent là tous les étés, histoire de retrouver, à la même place et dans la même position, le tableau qu'ils avaient vu de travers l'année précédente.

Monsieur et Madame Agoguet
Ouvert du 23/3 au 31/11
Tél. (68) 48.21.53
11130 Sigean. 19 chambres. De 140 à 280 F. Parc.
Piscine. Petit déjeuner à 25 F. Menus à 108 et 172 F.
Carte à 220 F environ. Accès par B 9, sortie Sigean.

CASTEL
DE VILLEMAGNE

Villemagne. Aude

La séduction inattendue

Vous m'autorisez un coup de cœur, un vrai de vrai, dans cette région ? J'en prends le droit, car vous ne le regretterez pas. Pas plus que je n'ai eu de regret d'avoir été obligé de parcourir des routes aussi belles qu'impossibles pour aboutir devant ce manoir un peu décrépi, joli comme un cœur derrière son jardinet un peu désordonné, et qui semble s'appuyer un peu en détresse sur une grosse tour carrée du XIVᵉ soutenant avec vaillance ce petit corps de logis un peu plus jeune, mais tellement fragile, tant il a de charme. Je crois me souvenir qu'il était un peu rose ou même un peu ocre : enfin, il avait l'air de rosir de plaisir d'être encore là, malgré le temps, malgré le loin de tout. A croire que ses fenêtres me faisaient les yeux doux. Comme j'étais loin de mes châteaux altiers du Périgord ou de mes palais du Val de Loire.

J'avais bien le droit d'avoir quelque inquiétude en pénétrant dans la petite entrée : et si j'avais été déçu ? Mais non, il y flottait un je-ne-sais-quoi de familièrement amical et cordial. Point de meubles exceptionnels comme je les aime ni de perspective sur une galerie royale comme je les adore : mais, au plus simple, quelques jolies choses et l'odeur d'une vie réelle. D'un côté, une salle à manger avec quelques tables sous des suspensions à contrepoids, de l'autre, un salon hétéroclite avec pourtant un meuble d'appui merveilleux.

Et puis, madame de Reganhac est arrivée, ou plutôt, je pense qu'elle préfère, Colette de Reganhac. Directe, gaie et folle de sa maison. Tour des chambres meublées, comme on les aimait vers la fin du siècle dernier, avec des meubles parfois lourds, parfois maladroits, mais que l'on a achetés pour plusieurs générations. Devant un grand lit à la tête tarabiscotée, j'ai pensé qu'il était de ceux où l'on naissait et où l'on voulait sans doute mourir, en toute quiétude, si on y avait vécu. Mais il y avait une coquetterie dans tout cela, un bon goût aussi sincère, simple que prenant (on n'a pas oublié de bonnes salles de bains si vous tenez à ce détail). J'étais conquis par tout ce qui n'est pas vraiment moi. Mais en descendant le petit escalier je me suis demandé combien d'enfants avaient usé leur fond de culotte sur sa rampe.

Avant de quitter la maison après un repas tellement vrai lui aussi, puisqu'il croyait aux valeurs de cet Occitan, je suis parti avec déjà des nostalgies.

Colette et Jean Hugues de Reganhac
Ouvert du 1/4 au 30/9
Tél. (68) 60.22.95
Villemagne. 11310 Saissac. 5 chambres. De 120 à 250 F.
Parc. Petit déjeuner à 22 F. Menu à 68 F. Carte à 170 F environ. Accès par la route de Castelnaudary à Saissac.

IX — VALLEE DU RHONE, PROVENCE, COTE D'AZUR

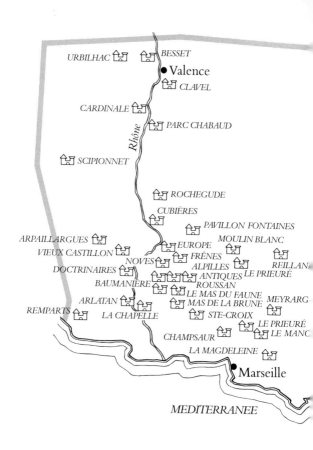

ITALIE

CHÈVRE D'OR

TRIGANCE

ST-MARTIN

LE CAGNARD

Nice

LE GOLF

LE CAP

LA MAISON
BLANCHE

CASTELAS

LES ALPILLES

Fortune faite...

Ainsi donc, au début du XIXe siècle il y avait des Provençaux qui, sans doute lassés du plaisir de ne pas faire grand-chose sous leur beau ciel bleu, se décidaient à aller tenter on ne sait quelle fortune au-delà des océans ? Probablement, puisque cette grosse bâtisse, assez lourde, accolée à des bâtiments de ferme (la terre, il n'y avait alors que cela qui pouvait vraiment rassurer une fois fortune faite) mais entourée d'assez de platanes somptueux et d'un peu de pelouses-prairies pour se croire château dans un parc, a été bâtie en 1825 par un de ces « aventuriers » à son retour d'Amérique du Sud. De quoi impressionner toute la ville !

Mais le temps et les fortunes passent. Il y a une quinzaine d'années, sans rien changer du décor un peu pompier de l'intérieur ni même enlever ces bons gros meubles cossus de la famille, cela devint un hôtel, touchant et charmant.

Quelque nouveau propriétaire, à moins que ce ne soit un héritier lui aussi ambitieux, a tout bouleversé. Salles de bains superbes, papiers peints à la mode, épuration du côté du mobilier et apport d'une touche « décoration », installation d'une piscine (avec un grill), transformation de la chapelle en appartement, vidéo et tout le reste. Ah ! oui, c'est plus confortable ! Bien sûr, il y a maintenant de quoi satisfaire l'homme en mal de consécration à sa réussite. C'est même particulièrement bien tenu. Mais le charme, lui, est parti, il a disparu. Quand donc reviendra-t-il ?

Monsieur F. Bon
Ouvert du 1/4 au 15/11
Tél. (90) 92.03.33
13210 Saint-Rémy-de-Provence. 15 chambres et 2 appartements. De 300 à 700 F. Parc. Piscine. Tennis. Petit déjeuner à 30 F. Pas de restaurant. Accès par D 31.

ABBAYE
DE SAINTE-CROIX

Val de Cuech, Salon-de-Provence. Bouches-du-Rhône

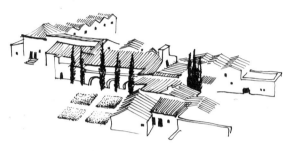

De Séminaire en séminaires

Les jargons du français moderne me ravissent tant les mots changent parfois de sens avec le temps. Mais il y a des rencontres heureuses malgré elles, et lorsque j'apprends qu'un homme d'affaires très contemporain, ne sachant plus où tenir les « séminaires » nécessaires à son petit monde, décide d'acheter une ancienne abbaye en ruine, qui fut jadis noviciat et Séminaire — mais pour d'autres croyances —, je craque vraiment.

D'autant que ces séminaires ne lui étant plus en odeur de sainteté au bout de quelques années, il s'est décidé à faire de son abbaye un hôtel, dernière péripétie dans l'aventure de ce lieu monastique plus ou moins créé par saint Hilaire au IVe siècle à son retour de Terre sainte, les bâtiments les plus anciens datant des XIe et XIIe. Lieu de pèlerinage célèbre grâce à un frère Nicolas, gentilhomme de la maison de Rambouillet, fatigué de la vie à la cour de Louis XIV et venu vivre là en ermite, l'abbaye décline après la Révolution jusqu'à une certaine renaissance au XIXe, avant son abandon vers 1900.

La situation est fabuleuse, haut placée au-dessus de Salon-de-Provence, avec une vue s'étendant jusqu'à l'étang de Berre : on comprend la méditation, d'ici. Mais notre homme d'affaires, ayant les pieds sur terre, en a fait un hôtel pas tout à fait comme les autres. Si l'ancien déambulatoire à cinq travées de plein cintre est beau, si le style roman provençal est respecté, il a joué d'une certaine rigueur dans les chambres, dépouillées, crépies à blanc, meublées à peine en rustique, avec des dessus-de-lit au crochet et une peau de mouton sur le sol de tommettes cirées. Si les séminaristes d'hier auraient trouvé la chose bien riche, ceux d'aujourd'hui (ou les clients qui leur succèdent) doivent la sentir étrangement surprenante. Mais c'est très plaisant à vivre (frais l'été, ouvrant souvent sur un jardinet) et confortable (salles de bains impeccables). La table, conseillée par le fameux Denis jusqu'à sa disparition, est sage, un peu provençale et soignée. Le jeûne n'est plus ici de rigueur.

Monsieur C. Bossard
Ouvert du 1/3 au 31/10
Tél. (90) 56.24.55
Route du Val de Cuech. 13300 Salon-de-Provence. 22 chambres. De 420 à 815 F. Piscine. Petit déjeuner à 38 F. Menus à 190 et 255 F. Carte à 280 F environ. Accès par N 113 et N 569.

LES ANTIQUES

Saint-Rémy-de-Provence. Bouches-du-Rhône

Le passé décomposé

Les marchands fortunés qui ont élevé ce bel hôtel particulier au cœur de Saint-Rémy aux alentours des plus belles années du second Empire (à ce qu'il me paraît) défiaient sans doute par la même occasion les fastes dorés et redondants des salons du château des Alpilles. Ils firent même plus ampoulé si j'en juge par les corniches, les bois sculptés, les lambris qui demeurent encore dans les salons et dans l'ancienne salle à manger. Et des vérandas comme celle-ci, il n'en existe plus beaucoup !

Mais, hélas ! le cossu a disparu pour laisser place à une hôtellerie besogneuse qui ne met pas en valeur ce patrimoine qu'un rien rendrait kitsch ! Cette fin de siècle sent sa fin de splendeur. Le parc est pourtant toujours là, avec des restes impressionnants, mais on l'a gâché en construisant des bâtiments qui ont failli être dans le ton. C'est cela, tout sonne maintenant un peu faux. A commencer par l'accueil on ne peut plus déconcertant. Alors, que certaines chambres rococo soient drôles, que d'autres soient vraiment presque confortables importe peu. Il y a quelque chose de cassé : le passé sans doute.

Monsieur G. Mistral-Bernard
Ouvert du 1/4 au 31/10
Tél. (90) 92.03.02
15, avenue Pasteur. 13210 Saint-Rémy-de-Provence. 27 chambres. A 260 F. Parc. Piscine. Club hippique. Petit déjeuner à 32 F. Pas de restaurant. Accès en ville.

HÔTEL D'ARLATAN

Arles. Bouches-du-Rhône

La passion de l'Histoire

C'est au tréfonds d'un coin de rue, une arche, discrète depuis plusieurs siècles. Un passage couvert, et c'est un patio qui est là pour rappeler depuis le Moyen Age que l'on a toujours su bien vivre en Arles. Les pierres continuent à faire de l'histoire, et d'un linteau de fenêtre à un meneau voisin on réalise que les architectes d'il y a cinq ou six siècles savaient poser des sourires sur les façades des maisons nobles et sévères.

Ainsi commence l'hôtel d'Arlatan. La porte d'entrée poussée, devant une belle volée d'escalier, on est accueilli par un monsieur visiblement ravi de rencontrer des têtes nouvelles, et le chien familier de la maison ne se prive pas de faire fête lui aussi. L'histoire de son hôtel ? Pour lui, c'est toute l'histoire d'Arles. Et de s'asseoir et de tout raconter : la Tarasque, Barberousse, les d'Arlatan… car tout se tient dans la ville, et la maison a toujours participé de cette aventure. Et le temps passe, passe, passe. L'homme est passionnant, sa femme parfois s'irrite un peu de ce qu'il soit si bavard. Alors plutôt que d'écrire ce qu'il conte si bien, autant vous conseiller d'aller le voir.

D'autant que les chambres, riches de meubles provençaux du XVIIIe pour partie, ouvrent souvent sur le jardin ou le patio et sont bien attirantes. Elles n'ont pas de prétentions au luxe mais se contentent d'un confort suffisant et parfaitement maintenu. Voici bien un des plus attachants hôtels châteaux en centre ville que je connaisse. Quoique, pour le connaître vraiment, encore faut-il savoir cette longue, longue histoire d'Arles et de l'Arlatan. Alors, ne tardez pas !

Monsieur et Madame Desjardins
Ouvert du 1/1 au 31/12
Tél. (90) 93.56.66
26, rue du Sauvage. 13631 Arles. 46 chambres. De 215 à 358 F. Très beau jardin. Petit déjeuner à 28 F. Pas de restaurant. Accès au centre ville.

HÔTEL D'AGOULT, CHÂTEAU D'ARPAILLARGUES

Uzès. Gard

Le roi n'est pas son cousin

Allons, je commence par mon pain blanc : ce petit château est un des plus radieux que j'aie pu visiter depuis le début de la réalisation de ce guide. On ne lui résiste pas, dès l'abord, pourtant presque discret. Il existe ainsi des pierres qui n'ont même pas à parler : alors, l'origine du XVIIe, la longue présence de Marie d'Agoult, douce amie de Liszt... cela n'a plus grande importance.

Et les intérieurs répondent parfaitement à ce que l'on ressent devant les murs. On ne se lasse pas d'admirer l'équilibre des volumes, la grâce de l'escalier, et l'on comprend qu'il a fallu un goût parfait et habile pour allier ainsi un ameublement très contemporain à de si beaux meubles anciens. Cela n'a pas, bien sûr, l'envergure du château du Besset, mais le ravissement est là (et le confort aussi par des salles de bains assez bien faites), très sophistiqué mais sincère pourtant. Ces chambres m'ont toujours beaucoup fait rêver (celles du château, celles des communs, plus banales, mais fraîches aux yeux). Reste mon pain noir, l'accueil. Si je ne doute pas un instant que les habitués et les fidèles soient des inconditionnels, le nouvel arrivant que j'étais a été traité de haut, snobé même, regardé avec une condescendance débile et grotesque, qui ne plaide certes pas pour le propriétaire, même s'il a fait fortune dans je ne sais quel métier à la mode. Cela m'a été positivement odieux : pourtant, quel château !

Monsieur et Madame Savry
Ouvert du 15/3 au 16/10
Tél. (66) 22.14.48
Arpaillargues. 30700 Uzès. 25 chambres. De 265 à 400 F. Parc. Piscine. Tennis. Petit déjeuner à 28 F. Menu à 90 F. Carte à 145 F environ. Accès par D 982 à partir d'Uzès.

OUSTAU
DE BAUMANIÈRE

Doyen et patriarche

Raymond Thuilier des Baux... cela sonne comme un nom féodal. Comment cela ne serait-il pas, car Raymond Thuilier est un authentique grand seigneur. Et si le titre de marquis des Baux est acquis à la famille des Grimaldi (de Monaco), les Baux même doivent à Thuilier plus qu'à tout autre pour leur survie d'aujourd'hui. Lorsqu'il y est arrivé dans les années quarante-cinq/cinquante, le village était presque désert, ruiné dans son passé, revivant surtout au temps de la Noël pour une messe provençale admirable. Fortune faite dans l'assurance, Thuilier se cherchait une autre bonne raison de continuer à exister. La cuisine le tentait : il tenait cela de sa mère. Une bergerie creusée dans le roc depuis plusieurs siècles était abandonnée. Il eut l'idée d'en dégager les voûtes et d'y créer une salle de restaurant aussi peu banale qu'élégante en lui donnant une noblesse qu'on ne lui aurait jamais supposée. Et d'y ajouter quelques chambres pour compléter ce qu'il voulait être une « hostellerie » de luxe, différente. Sans les connaître, il retrouvait l'idée maîtresse des Tilloy qui inventaient à peu près à la même époque La Cardinale à Baix.

Parce qu'il était aussi grand cuisinier qu'homme de qualité, il hissa très vite sa table au plus haut, et il est aujourd'hui le doyen des Trois Etoiles du Michelin (aidé par son petit-fils M. Charrial) depuis trente ans ! Et doyen pour doyen, ce patriarche très vert, d'une drôlerie inénarrable et toujours plein de projets, l'est aussi des maires de France. Car non seulement en attirant dans son restaurant (pour lequel d'ailleurs, Georges Pompidou, alors secrétaire d'Etat au Tourisme, l'avait aidé officiellement) les plus grands du monde entier, il avait donné un nouveau souffle aux Baux, mais, élu maire, il allait en précipiter la résurrection.

Voici pour la petite histoire. Reste le charme immense de cet endroit magique que sont les Baux : pas étonnant que les noms des rochers ruiniformes y portent des noms de fées, que Cocteau y ait tourné dans les fantastiques carrières souterraines creusées comme par des géants. Le soir, tout y bascule dans l'étrange tant la nuit y est aussi profonde que le ciel de jour.

Alors, en profiter depuis l'Oustau devient un privilège, que l'on soit installé à l'hostellerie même ou dans le manoir annexe du XVIIIe dont chambres et appartements possèdent les grâces et les élégances un peu désuètes et combien séduisantes des années d'il y a deux ou trois décennies (confort total et cossu). Et parce que c'est une maison du cœur, Mme Moscoloni, complice et alliée de Thuilier depuis toujours, a fait construire le plus beau des refuges pour chiens abandonnés : ils y mènent aussi la vie de château.

Monsieur R. Thuilier
Ouvert du 1/3 au 14/1
Tél. (90) 97.33.07
13520 Les Baux-de-Provence. 15 chambres, 11 appartements. De 600 à 750 F. Tennis. Piscine. Club hippique.
Petit déjeuner à 50 F. Carte de 220 à 300 F environ.
Accès par N 96 et N 113.

LE CAGNARD

Cagnes-sur-Mer. Alpes-Maritimes

Une certaine douceur

Perchés comme ils l'étaient sur des pitons imprenables (comme la vue d'ailleurs), comme ils savaient bien résister aux envahisseurs, ces villages fortifiés de l'arrière-côte de la Méditerranée. On savait s'y protéger de tout, des ennemis comme du soleil, des intrus aussi. Ils ont même résisté au béton qui, pourtant, les assiège, et les foules de promeneurs refluent bien vite dès la nuit tombée. Certains ont pris un air d'opérette comme Saint-Paul ou Éze, d'autres sont restés un peu plus vrais comme Cagnes (le Haut, bien sûr, car celui du bord de mer...) Sur la forme, ils ont peu changé depuis plusieurs siècles : maisons hautes, ruelles souvent voûtées de passages couverts, volets mi-clos sur leurs secrets et leur plaisir de vivre.

Le Cagnard, c'est tout cela : plusieurs petites maisons jouant à saute-rue, fraîches et gaies, aimant à surprendre par des fenêtres qui s'ouvrent sur des jardins suspendus et des lointains imprévus et splendides. Des chambres amoureusement décorées avec les simplicités des gens de goût : bois cirés, un peu de Haute Époque civilisée, un peu de Louis XIII assoupli, des objets choisis, des raffinements partout et qui ne veulent pas en avoir l'air (confort des salles de bains très élaboré). La salle à manger n'est autre que l'ancienne salle des gardes (XIIIᵉ siècle) du château, voûtée à merveille, peinte à fresques modernes très douces, s'éclairant d'une terrasse au soleil qui se sert des remparts comme jardinières de fleurs. Cuisine pour le moins attachante elle aussi, grâce à des idées qui donnent une nouvelle jeunesse à la table provençale sans la renier.

Me permettra-t-on d'utiliser l'adjectif « ravissant » et l'expression « doux à vivre » ? Et l'attention de Mme Barel, aussi prévenante qu'attentive, dont les cheveux blancs et le regard étincelant et plein d'humour savent parler à merveille de la joie d'être, cette joie qu'elle fait si bien partager à ses hôtes.

Monsieur L. Barel
Ouvert du 16/12 au 30/10
Tél. (93) 20.73.22
Rue Pontis-Long, Haut de Cagnes. 06800 Cagnes. 10 chambres et 9 appartements. De 240 à 900 F. Parc. Petit déjeuner compris. Menu à 230 F. Carte à 350 F environ. Accès par le Haut de Cagnes.

CHÂTEAU DU BESSET

Saint-Romain-de-Lerps. Ardèche

Plus beau que lui, tu meurs !

Dix ans, c'est un peu court, tout de même, pour que des pierres se patinent. Pourtant, celles-là ont cinq siècles : mais voilà, en 1974 on les a bichonnées, pomponnées, grattées, poncées. Et lorsqu'on arrive après mille détours par des chemins impossibles qui semblent défendre les lieux, on hésite devant cette maison forte, de belle assise et puissante, faite de neuf. Des Parisiens seraient-ils passés par là ?

Oui, et fort heureusement, car en sauvant ce château ils ont fait là un des plus jolis hôtels du monde. Alors, pour les pierres toutes propres, je fais confiance au temps. Pour le reste, c'est aux Gozlan que je crois, car leur sens de la décoration, du luxe confortable et de bon goût aboutit à une réussite presque incomparable.

A tel point que l'on finirait par aimer trouver un défaut (je l'ai avec ces murs trop clairs) tant l'ensemble peut charmer, séduire et mettre en manque d'esprit critique. C'est vrai que toutes les chambres sont de petites merveilles ; leurs noms en disent long sur ce

169

qu'elles veulent être et sont réellement — Louis XIII pour Diane, Empire pour Cambacérès, Régence pour Voltaire, etc. —, et pour une fois je supporte cette habileté diabolique de l'interprétation de l'environnement « décoration » autour de meubles et d'objets anciens. Je vous épargne mes compliments sur les salles de bains, elles aussi remarquables, et j'évite l'énumération des attentions comme les veilleuses sous les lits et quelques autres. Mais, tout simplement, si vous croyez au luxe pour le luxe, au luxe intelligent, cet endroit est pour vous.

La cuisine, servie dans une salle à manger un peu pompeuse dans ses fausses simplicités, se pare d'audaces parfois exagérées, sauvées par un talent certain, et les plats classiques ne sont pas trop modernisés. Mais cette sophistication-là aurait étonné Mme Terras, maîtresse de la maison au XVIIIᵉ, femme bonne et autoritaire, fumant la pipe, installée souvent sur une sorte d'estrade dans la cuisine où bouillait toujours une marmite de soupe pour les mendiants ou les paysans voyageurs qui apportaient en échange des nouvelles qui la ravissaient. Mais que dis-je là, dans ces murs, des pauvres ? Aujourd'hui, il faut être riche pour venir ici et même un peu snob... Tout cela est, n'est-ce pas, fôôôllement... fôôôôllement beau.

Monsieur R. Gozlan
Ouvert du 16/4 au 14/10
Tél. (75) 44.41.63
07130 Saint-Péray. 10 appartements. De 1 000 à 1 800 F. Piscine. Parc. Tennis. Equitation. Petit déjeuner compris. Carte de 250 à 300 F environ. Accès par N 533 de Valence à Saint-Péray et D 287.

HÔTEL
DU CAP D'ANTIBES

Antibes. Alpes-Maritimes

Pauvres intellectuels

Imagine-t-on aujourd'hui un grand patron de presse construisant pour ses journalistes surmenés une somptueuse villa en bord de mer, dans un parc immense ? Certes non, et on a du mal à croire à ce qui n'est peut-être qu'une légende, mais tout de même on se prend à rêver : dans les années 1860, M. de Villemessant, fondateur du *Figaro*, eut, dit-on, l'idée généreuse d'une « maison de repos pour intellectuels fatigués » où ils seraient, bien sûr, traités à ses frais. L'emplacement était à la pointe du cap d'Antibes et le projet positivement fastueux.

Mais il faut croire que M. de Villemessant avait les pieds sur terre, et la villa, baptisée « Soleil », devint sur son achèvement le Grand Hôtel du Cap, encore que, si l'on en croit *L'Illustration* de l'époque, ce fut après l'inauguration en forme de fête mémorable. Las, une ouverture d'hôtel en 1870... ce n'était peut-être pas la bonne année. Et ce véritable palais survécut mal, jusqu'à la faillite et l'abandon. En 1887, un Italien doué arriva, restaura, embellit et réussit. Un palace existait enfin à Antibes. Avec un flair incroyable, Antoine Sella, cet hôtelier de génie, crut à l'été sur la Côte d'Azur : alors, elle ne vivait que l'hiver. En 1914 (décidément on y aime les années de guerre), il crée dans le parc, au-dessus de la mer, le salon de thé d'Eden Roc et une piscine. C'est une nouvelle ruée des snobs. Une autre guerre brisa cet élan et l'hôtel du Cap vieillissant, survivant beaucoup d'Eden Roc, arrive dans les années soixante en piteux état. Racheté pour une bouchée de pain par un groupe hôtelier allemand, il redevient en quelques années, grâce à M. Irondelle, autre directeur exceptionnel, un des hôtels les plus beaux du monde.

L'ancienne Villa Soleil a retrouvé ses fastes XIXe, haut perchée devant une perspective qui la conduit aux rochers d'Eden Roc, au travers d'un parc si merveilleux, si protégé qu'il fait dire, en plein août : « Il y aurait, dit-on, du monde sur la Côte ? Bizarre, c'est si tranquille ici ! »

Chambres et appartements admirablement redécorés (salles de bains richissimes), le tout traité dans un style grand bourgeois élégant. Un service au plus-que-parfait, une table très soignée et raffinée, une salle à manger de rêve au-dessus de la Méditerranée, une vue unique au monde et des prix qui font dire aux plus privilégiés qui fréquentent cet endroit, et tous sont là : « C'est bien, mais un peu cher ! » Encore qu'Eden Roc, sorte de petit paradis du bord de l'eau, soit plus accessible qu'on ne le pense. Evidemment, si l'on veut y louer de surcroît une « cabane » pour se bronzer en paix... (Attention, les chambres de l'annexe, dans le parc, très réussies pourtant, n'ont pas le panache de celles de l'hôtel.)

Monsieur Irondelle
Ouvert de Pâques au 15/10
Tél. (93) 61.39.01
Boulevard Kennedy. 06600 Antibes. 100 chambres et 10 appartements. De 760 à 1 500 F (+ 15%). Parc. Piscine. Tennis. Cabañas. Petit déjeuner à 60 F. Carte à 350 F environ. Accès par le bord de mer.

LA CARDINALE

Baix. Ardèche

Le point de départ

Monsieur le Cardinal de Richelieu aimait, comme il disait si bien, « raser les tours à hauteur d'infamie », en signe d'allégeance au roi : il faisait ainsi la France. Et tant pis pour les amateurs de créneaux, encore que Viollet-le-Duc sut compenser plus tard. Toujours est-il que celles de l'enceinte fortifiée de Baix perdirent donc la tête. Il en reste pourtant le fût d'une, partie du salon de cette auberge de La Cardinale. Elle fait un peu un pied de nez au Cardinal, puisqu'il fut l'hôte de cette maison, après avoir fait amarrer sa gabare sur la rive et monter un plan incliné afin que l'on puisse hisser son lit jusqu'au salon actuel. Et s'il avait fait décapiter la tour quelques mois plus tôt, cette fois-ci il n'eut pas à faire agrandir portes ou fenêtres pour passer son équipage de malade. Cela donc pour l'histoire ancienne.

Aussi importante est la découverte de ce qui restait de La Cardinale dans les années cinquante par M. et Mme Tilloy, lui chansonnier, elle actrice. Ce bord du Rhône les arrêta, les vestiges de la maison — une porte Louis XIII, l'escalier à vis, la salle voûtée des gens d'armes et les quelques pièces avec leurs cheminées anciennes — les persuadèrent de s'installer là pour vivre leur idée, celle d'une hostellerie comme ils n'en avaient jamais rencontré dans leurs tournées de spectacle. Ils voulaient le plaisir d'une maison vraie, son hospitalité sans les froideurs d'un hôtel, le service d'un hôtel sans les conforts hasardeux d'une maison, avec le « plus » de la chaleur humaine. En même temps que l'idée, le premier Relais de campagne venait de naître. On sait le succès qui a suivi, qui continue en dépit de la disparition de M. Tilloy.

La Cardinale aussi a suivi une belle route et elle reste une des plus ravissantes maisons de l'hôtellerie de château. Décoration racée, accueil distingué, cuisine délicatement simple... et ce passé partout, et le Rhône toujours. Si les chambres de La Cardinale même sont coquettement petites et mignonnes, il existe dans une annexe, à quelques minutes de là, d'autres appartements plus vastes, soignés aussi, mais très rustiques et classiques selon le parisianisme, particulièrement confortables (ah, l'événement il y a une quinzaine d'années que cette baignoire à deux places !) dans un beau jardin. Mais cette « résidence » ne vaut pas la maison mère, car il lui manque un passé, et quel passé !

Famille Motte
Ouvert du 1/2 au 3/1
Tél. (75) 85.80.40
Baix. 07210 Chomérac. 10 chambres et 5 appartements.
De 450 à 900 F. Parc. Piscine. Petit déjeuner inclus.
Menu à 150 F. Carte à 250 F environ. Accès par A 7 et sortie Loriol.

MAS DE CHAMPSAUR

L'adorable timidité

Deux siècles et demi l'ont patiné et le soleil s'est plu à le dorer. Il n'a jamais été château mais sa noblesse ne se discute pas car elle se sent, elle se devine plus qu'elle ne se voit : il y a des signes qui ne trompent pas. Il a traversé toutes les révolutions sans trop en souffrir, et même les tremblements de terre l'ont épargné. Et depuis ces deux siècles et demi, il est resté dans la même famille. Pour moi, cela vaut toutes les grandes, fières histoires guerrières de tous les châteaux de France. « Mais non, ce n'est rien », m'a dit la propriétaire, aussi douce que réservée. Elle a peine à le croire, mais je pense que c'est timidité de sa part. Pour dire les histoires de sa maison, je crois qu'elle compte sur le charme qui s'en dégage de partout, et je suis certain que les vignes vierges sont bien bavardes certains soirs.

Et les trois chambres (honnêtes sanitaires), peuplées de meubles venus là de génération en génération, vécus là par ces mêmes générations, ont failli me retenir longtemps. Et puis je ne me suis pas senti un instant étranger. Mais après tout, depuis deux siècles et demi, on a dû beaucoup recevoir. Certainement pas n'importe qui : à vous de ne pas vous tromper. Il y a ainsi des intimités à aborder avec précaution.

Madame Tousche
Ouvert du 1/4 au 30/11 et l'hiver sur demande
Tél. (42) 20.17.44 et 59.52.04
Route de Berre, Champsaur. 13090 Aix-en-Provence. 1 chambre et 1 appartement. De 350 à 500 F. Parc. Petit déjeuner inclus. Dîner possible sur demande. (Attention, ce château n'est pas un hôtel mais une demeure recevant des hôtes payants). Accès par la route de Berre à partir d'Aix-en-Provence (1 kilomètre).

MAS DE CHASTELAS

Saint-Tropez. Var

Une ferme à Saint-Tropez

Les hauts murs qui protègent l'usine de torpilles de la Marine nationale du golfe de Saint-Tropez cachent-ils une vie de château ? On soutient en effet qu'un castel déjà ancien y existe toujours et qu'un heureux fonctionnaire de la Marine y coule une activité heureuse. Mais la Défense nationale interdisant le lieu aux civils, ils peuvent toujours se rabattre sur l'ancienne ferme du château, une bonne vieille demeure provençale rustique, devenue le Mas de Chastelas. Elle date du XVIIe, un XVIIe sans façons, bien située dans les pins. Un temps, ferme donc, puis magnanerie (on y élevait des vers à soie pour les tissages de Lyon), maison de notables, refuge de l'ineffable peintre Corbassières dans ces années soixante/soixante-dix, elle est à présent l'hôtel à la mode de Saint-Tropez, mais une mode de discrétion.

C'est vrai qu'on y vit bien et cossu, mais surtout sans cinéma. Chambres coquettes et joliment aménagées en goût et en simplicité, selon un moderne gai et malin (bons sanitaires). Dans le jardin, un « hameau », moderne, lui, mais tellement provençal, avec des appartements en duplex (sanitaires exceptionnels), eux aussi ravissants.

Mais le charme de la maison tient aussi à son accueil délicieux, et les qualités d'hôte de M. Racine et de son associée relèvent, pour Saint-Tropez, du miracle. Ah ! Qu'on est bien là ! (Cuisine un peu pédante mais bien faite.)

Monsieur Racine
Ouvert du 1/4 au 30/9
Tél. (94) 56.09.11
83990 Saint-Tropez. 21 chambres et 10 appartements. De 457 à 1 324 F. Parc. Piscine. Tennis. Jacuzzi. Petit déjeuner à 40 F. Menu à 200 F environ. Accès par D 98 A vers Gassin.

CHÂTEAU
DE LA CHÈVRE D'OR

Éze. Alpes-Maritimes

Le médiéval look

René Clair ne s'y était pas trompé avec *Fantôme à vendre* et Errol Flynn non plus avec *Robin des Bois* : le Moyen Age a toujours plu aux Américains. Et plus encore l'idée qu'ils s'en font. Alors vous pensez si Éze, sur son piton regardant de haut toute la Côte depuis des siècles et même plus, a de quoi les séduire : ruelles, remparts, maisons secrètes, venelles tortueuses, château en garde... tout y est. Je ne m'étonne même pas que le violoniste américain Balakovic et sa femme aient eu l'apparition de la Chèvre d'or de la légende (elle apparaissait aux voyageurs égarés) dans les ruines de ce qui n'était alors qu'un village abandonné : car c'était un peu cela, Éze en 1926.

De là à s'installer, à rebâtir une maison folle et princière sur un tas de cailloux en y adjoignant quelques vieilles maisons, il n'y avait qu'une poignée de dollars. Art médiéval selon Hollywood, art provençal selon Beverly Hills, art méditerranéen selon le Texas... tout y est passé. Et le résultat fut joli, drôle même : cette galerie façon cloître au-dessus de la piscine haut placée au-dessus de la mer, voûtes, grilles, meubles lourds à patiner, poutres énormes... On s'y croirait dans ce Moyen Age-là. Avec quel panorama ! A faire pâlir une chèvre de légende !

En 1953, un Suisse plein de retenue autant que d'élan, consul d'Afrique du Sud à Monaco, en fait un hôtel. Sans rien changer : en en rajoutant même, car il a compris le charme. Il a inventé une salle à manger mirador d'où la vue est à couper le souffle et des chambres dans d'autres petites maisons, toujours dans le style médiéval super confortable (quoique les fauteuils soient un peu raides). Ah ! se sentir villageois au Moyen Age avec de superbes installations modernes et des meubles enfin patinés ! On viendrait du Texas pour cela... et même de France. (Cuisine intelligente et de haute qualité.)

P.-S. : A propos de Chèvre d'or, il en est une, de métal précieux, qui serait enterrée depuis Philippe le Bel au château Saint-Martin.

Monsieur Ingold
Ouvert du 15/2 au 15/11
Tél. (93) 41.12.21
06360 Éze. 6 chambres et 3 appartements. De 350 à 1 250 F (+15%). Piscine. Petit déjeuner à 40 F (+15%). Menu à 220 F (+15%). Carte à 350 F environ. Accès par la Moyenne Corniche.

CHÂTEAU DE CLAVEL

Etoile. Drôme

La chute du second Empire

Ah ! on savait construire sous le second Empire, lorsqu'on n'avait pas raté le coche de l'industrie naissante et de la spéculation immobilière triomphante ! On avait même un goût certain pour les meubles opulents qui pesaient leur poids de dorures et de soies ou de satin brochés.

Et en découvrant ce château qui, de loin, avait encore une furieusement belle allure, je songeais que sous Napoléon III il y avait eu des réussites qui osaient se montrer. En m'approchant, j'ai eu envie de dire : « T'as de beaux restes, tu sais ! » Mais en arrivant, voyant l'état de cette imposante entrée avec son lustre gigantesque empoussiéré sous une verrière étonnante qui éclairait lugubrement un sinistre état de déchéance, étant reçu par des gens déplaisants et pas très nets sur eux, j'ai pensé : « Tu te laisses aller. »

Sans doute y eut-il là des professionnels sérieux et pleins de bonne volonté si j'en juge par les tentatives dont il reste quelque chose dans les chambres à mezzanines, mais aujourd'hui, c'est la déprime. Chère qui plus est : on demande mécène et hôtelier !

Monsieur et Madame Toussaint
Ouvert du 1/2 au 15/1
Tél. (75) 60.61.93
L'Etoile. 26800 Portes-lès-Valence. 23 chambres. De
250 à 600 F. Parc. Piscine. Tennis. Petit déjeuner à
30 F. Menu à 130 F. Carte à 220 F environ. Accès par
A 6, sortie Loriol, N 7 et Porte-lès-Valence au lieu-dit
La Paillasse.

CHÂTEAU
DE CUBIÈRES

Roquemaure. Gard

Un drôle de trio

L'auteur de ce gentil château, Simon, Louis, Pierre,
marquis de Cubières, écrivit aussi, en tant qu'agronome
et naturaliste, une *Histoire des coquillages de mer* et une
Histoire du tulipier. Ce qui tendrait à prouver que l'on
pouvait survivre en paix à la Révolution puisqu'il vécut
de 1747 à 1821. Pendant ce temps, son frère se faisait
renvoyer du séminaire pour avoir composé une poésie
érotique : il préféra alors d'autres saints, devenant écuyer
de la comtesse d'Artois puis de Fanny de Beauharnais,
célébrant successivement Marat, Bonaparte, Napoléon et
les Bourbons.

Amédée-Louis, fils et neveu des précédents, général
et ministre de la Guerre, remarqué à Eylau et plus encore
à Waterloo avant de collectionner ensuite les campagnes,
ministre, fut dégradé civiquement pour une sombre
histoire de Mines lointaines, avant d'être réhabilité.

Qui imaginerait un tel trio en arrivant dans cette
grosse demeure bonhomme bien fin XVIIIe, beaucoup
bricolée depuis dans le genre famille bourgeoise en
vacances avec une ribambelle d'enfants ? Hors l'escalier
fort impressionnant, cela vous a en effet des airs de
bonne pension familiale avec des meubles hétéroclites et
émouvants venus de fonds de greniers depuis un siècle.
Cela a des coquetteries naïves, des maladresses touchantes,

mais il y a tant de gentillesse, depuis l'accueil jusqu'au service. Le confort sanitaire est honnête, lui aussi très maison familiale. Un étonnant salon dans une véranda aux verres teintés et bariolés, et une salle de restaurant dans les communs avec une table un peu rustique, se voulant parfois moderne, d'une volonté raisonnable en tout. Et le parc est bien dans la manière du reste : plein de charme désuet.

Famille Wagner
Ouvert du 20/3 au 15/11
Tél. (66) 50.14.28 et 50.29.33
30150 Roquemaure. 14 chambres. De 162 à 180 F.
Parc. Petit déjeuner à 20 F. Menus à 78 et 110 F ; pour enfant à 40 F. Carte à 125 F environ. Accès par autoroute A 6, sortie Orange, puis route d'Avignon, sur la D 980.

LES DOCTRINAIRES

Beaucaire. Gard

Du latin à la cuisine

Un portail du grand siècle, sa grille appuyée aux colonnes surmontées d'un fronton, et derrière... une station-service bien d'aujourd'hui. Au-delà des pompes à essence, un reste de parc symbolisé par quelques arbres géants qui ombragent encore une façade stricte, à peine honorée d'un bel escalier de pierre. Je ne vais pas tricher en disant que cela a des airs de collège d'Ancien Régime ayant mal tourné, puisque je le sais déjà.

Mais tout de même ces pères de la Doctrine chrétienne doivent un peu se retourner dans leur tombe à la vision de leur école passée à l'hôtellerie. La construction de leur collège au XVIIe n'avait pas été très aisée, mais l'heure de gloire du chapitre général de la congrégation, tenu ici par ordre du roi en 1744, avait compensé. D'autant que la maison avait fort bonne réputation pour l'enseignement du latin et de la bonne morale.

Par quel hasard pervers un traiteur acheta-t-il ce bien « national » après la Révolution pour qu'il devienne aujourd'hui hôtel restaurant ? Peu importe, le bâtiment est sauvé. Ses fantastiques salles voûtées (restaurant maintenant), ses belles cuisines anciennes (salle de réunion à notre heure), son splendide escalier et ses sculptures que l'on peut attribuer aux meilleurs, et une cour, patio de charme comme on n'en invente plus.

Pourquoi faut-il alors que les chambres (très propres et nettes) soient étriquées, plutôt inspirées d'un « Mercure » quelconque en dépit de petites bricoles rustico-provençales de série. Sans doute les prix sont-ils sages, mais cela excuse-t-il ce manque d'imagination à l'étage ? Soit, la cuisine est gentillette et, après tout, comme escale avant une visite en Camargue...

Monsieur C. Sauvage-Dijol
Ouvert du 1/1 au 31/12
Tél. (66) 59.41.32
Quai Général-de-Gaulle et 52, rue Nationale, 30300 Beaucaire. 30 chambres. De 50 à 105 F. Parc. Petit déjeuner inclus. Menus à 73, 110 et 180 F. Carte à 200 F environ. Accès par A 7 et N 7.

EUROPE

Avignon. Vaucluse

Un monde !

Avignon, c'est tout comme Aix-en-Provence : on n'en finit plus de compter et d'admirer surtout les hôtels particuliers qu'une civilisation aussi raffinée que riche y a laissés au travers des siècles. On les restaure aujourd'hui avec un respect extraordinaire, et si les notables les avaient, le temps d'une génération parfois, laissés échapper, ils en retrouvent le chemin. Je m'étonne pourtant qu'il n'y en ait aucun qui n'ait été transformé en hôtel-hôtel. Car Avignon se vit plus encore de l'intérieur et se vivrait mieux depuis un de ces hôtels-là.

La preuve en est l'immense plaisir que l'on a à vivre dans l'hôtel de l'Europe. Ses murs datent du XVIe, mais il est devenu auberge, puis hôtel au XVIIIe. De plus en plus dégradé dans ces dernières années, il finissait par ressembler au château de la Belle au bois dormant. Un banquier dont les guichets venaient d'être nationalisés — soucieux de la réputation hôtelière et du passé monumental de sa ville — l'a réveillé. Il l'a fait en douceur, ravivant les ors, mais discrètement, rafraîchissant la pierre, restaurant le merveilleux mobilier (ah ! ces pièces et ces objets Empire entre autres !), créant de vraies salles de bains, redonnant à la cour patio sa fontaine et sa mosaïque de marbres au sol.

On y dîne bien dans cette cour, et le chef fait preuve d'un très sage talent avec cependant des éclats d'un modernisme bien tempéré. On y dort à merveille dans ces chambres témoins d'autres temps (encore qu'il y en ait quelques-unes d'indignes. Demander expressément à visiter celles qui sont disponibles).

Quelle tristesse de subir un personnel qui relève du fonctionnariat (hors la très efficace et très pittoresque gouvernante de la maison) et qui aurait bien besoin d'un authentique directeur. Celui de l'été dernier — est-il encore en poste ? — brillait par ses absences répétées, et il a failli pourtant me gâcher mon séjour. Quant au défilé des stagiaires étrangers à la réception, il a de quoi vous rendre fou en raison de leurs incapacités. Et tout ce petit monde joue la morgue de surcroît !

Société
Ouvert du 27/2 au 31/12
Tél. (90) 82.66.92
12, place Crillon. 84000 Avignon. 64 chambres et 6 appartements. De 300 à 620 F. Petit déjeuner à 35 F. Menus à 100, 150 et 190 F. Carte à 220 F environ. Accès en ville.

LES FRÊNES

Montfavet. Vaucluse

Dans les roses

En Avignon, il n'existe pas beaucoup d'hôtels intra-muros et c'est dire s'ils sont très demandés au moment du festival. Alors, si vous n'avez pas trouvé de logement dans cet admirable hôtel de l'Europe dont je parle par ailleurs, il ne vous reste plus qu'à vous exiler. Evidemment, de l'autre côté du Rhône, il y a le Prieuré de Villeneuve-lès-Avignon, très couru lui aussi. Et puis voici le petit dernier de ce tiercé, l'hôtellerie des Frênes.

Caché dans un petit parc lui-même bien dissimulé au milieu d'un quartier résidentiel des environs d'Avignon, cet hôtel particulier, visiblement bâti au XIXe pour abriter une famille arrivée et ayant besoin d'assurer ce goût de la pierre bien de chez nous, est assez joliment installé. On y a fait preuve d'un goût sûr, un peu sophistiqué pourtant ; on s'est assuré d'un confort parfait (belles salles de bains) ; on a voulu que le jardin soit fleuri, de roses surtout, et que les oiseaux y soient chez eux. Cela fait des nuits calmes, des réveils frais et heureux. Ajoutez une cuisine sortant du commun et sur la voie d'une réussite dont on parlera bientôt. Et Mme Biancone, la propriétaire, est de si bonne compagnie !

Monsieur et Madame Biancone
Ouvert du 1/3 au 30/10
Tél. (90) 31.17.93
84140 Montfavet. 16 chambres et 2 appartements. 333
à 1 200 F. Parc. Piscine. Petit déjeuner à 41 F. Menus à
149 et 247 F. Carte à 300 F environ. Accès par D 53.

HÔTEL RESTAURANT DU GOLF DE VALBONNE

Valbonne. Alpes-Maritimes

Au trou !

Le propriétaire joue les hommes invisibles, le gérant ne sait rien... Moi donc d'imaginer un beau passé à ce château « palais » rustique, très provençal, presque italien, dont les trompe-l'œil de la façade s'écaillent autant que l'accueil, où le plus mauvais goût et le bricolé dominent, quand ce n'est pas l'usé, le craquelé, jusqu'à la corde. Cela pourrait être joli, splendide même à voir les volumes, les proportions, les beaux arbres et le golf qui l'entoure.

A sauver pourtant la courtoisie pincée du gérant, quelques petites chambres proprettes en duplex voûtées dans les anciennes granges ouvrant sur le 9, la piscine et son petit restaurant club bien honnête et pas cher. Passons sur le délabrement et la décoration débile des chambres à l'intérieur du château, la réception déplaisante de la péronnelle chargée de répondre au téléphone. Pour un beau parcours, c'est un beau parcours !

Monsieur F. Willems
Ouvert du 1/1 au 31/12
Tél. (93) 42.02.92
Château de la Bégude. 06560 Valbonne. 35 chambres. De 320 à 570 F. Parc. Golf. Piscine. Tennis. Petit déjeuner à 30 F environ. Menus à 70 et 110 F. Carte à 160 F environ. Accès par D 3 ou D 103 et D 204. N.B. : il y a deux restaurants, un au golf, un au château.

LA MAISON BLANCHE

Saint-Tropez. Var

En avant... snobs

Le Byblos s'en remettra et le Mas de Chastelas aussi... C'est une image car, dans leur manière d'être parfaits à leur façon, ils n'ont rien à craindre. Mais cet hôtel particulier bien provincial, qui a dû voir vivre entre ses murs depuis le début du siècle quelques notables bien établis, vient de basculer dans la vie tropézienne. Il faut bien avouer qu'avec une situation pareille (sur la célébrissime place des Lices), c'était inéluctable.

Le voici passé entre les mains de jeunes gens très, très ambitieux (déjà plusieurs restaurants en ville, un autre à Sainte-Maxime, un autre à Nice et un projet immobilier de golf, à moins que ce ne soit de golf immobilier) qui en ont tiré quelques chambres à peine, minuscules, quasiment luxueuses, dont ils ont su faire parler à merveille. On se les dispute déjà (les chambres), et c'est mérité, encore que les prix... Mais à Saint-Tropez, n'est-ce pas ? Du jardinet il reste je crois un palmier vénérable, et du reste ils ont sorti une boutique de mode (très mode) et un glacier. Pour être bien installé et dans le coup, c'est l'endroit à ne pas rater.

Monsieur Falco
Ouvert du 1/1 au 31/12
Tél. (94) 97.52.66
Place des Lices. 83990 Saint-Tropez. 8 chambres. De 650 à 900 F. Petit déjeuner inclus. Pas de restaurant.
Accès par le centre ville.

LE MANOIR

Le cloître caché

Aix-en-Provence... on s'y perd avec plaisir pour peu que l'on se sente civilisé. Intra-muros, les hôtels ne sont pas si nombreux en dehors de cette vénérable institution qu'est le Negre-Coste, dont le livre d'or est un peu celui de l'histoire de la France depuis qu'il existe, c'est-à-dire le XVIIIe, et ses chambres joliment meublées et ouvrant sur le fameux cours doivent avoir bien des choses à raconter.

Alors, il faut noter le Manoir pour trois bonnes raisons : l'accueil délicieux de la vieille dame qui en est propriétaire, le fabuleux cloître restauré (il date du XIVe) qui sert de cour et où l'on a planté quelques chaises longues et tables de bridge, et un étonnant canapé assez indéfinissable armé d'une quantité de pieds incroyables. Cela dit, les chambres sont gentillettes dans le genre provençal économique, le jardinet est amusant, et la situation au cœur de la vieille ville particulièrement appréciable. A noter une chambre mansardée, mais ayant vue sur les toits, qui inspirerait beaucoup, paraît-il, les gens importants du Festival de musique.

Monsieur M. Bertrand
Ouvert du 15/2 au 15/1
Tél. (42) 26.27.20
8, rue d'Entrecasteaux. 13100 Aix-en-Provence.
43 chambres. De 124 à 310 F. Petit déjeuner à 25 F.
Pas de restaurant. Accès en ville.

RELAIS
DE LA MAGDELEINE

Gémenos. Bouches-du-Rhône

D'un charme insoupçonné

Ah ! madame, me pardonnerez-vous ? Me pardonnerez-vous d'avoir oublié toutes les belles histoires de l'Histoire qui passaient et repassaient dans votre maison alors que vous me la racontiez avec une passion aussi sincère que désintéressée. Le gouverneur de la Provence avait-il fait de cette demeure sa résidence d'été au Grand Siècle ? C'est à peu près cela. Mais j'ai quelque excuse à ne plus y avoir attaché d'importance : les gloires des tableaux rares que vous avez accrochés aux murs, les meubles si doucement bien chez eux depuis si longtemps, les plâtres polis par le temps et les mains, la chaleureuse intimité des chambres qui étaient en train de me parler d'une famille au travers des siècles, jusqu'à me faire croire un instant que j'en faisais partie, m'avaient soudain fait renoncer à toute autre curiosité que celle d'une magie que je ne m'expliquais plus.

Le jardin tenait de l'extraordinaire avec ces platanes comme on n'en trouve que dans le Midi, et pourtant il ne devait plus rien à Le Nôtre depuis longtemps, mais l'âne et la chèvre (ou bien n'y en avait-il qu'un des deux) m'amusaient comme ils auraient pu le faire à l'époque de la comtesse de Ségur.

Alors me voici bien mal parti pour redescendre sur terre avec mes exigences de salles de bains (elles sont parfaites), de raffinement (vous avez pensé à tout), de sens de l'hospitalité comme on n'ose plus l'imaginer (vous le possédez à merveille), de cuisine (elle est bonne et transparente). Je ne saurais donc rien vous reprocher et surtout pas de ne pas être le plus bel hôtel du Midi de la France : il est sans doute un des plus charmeurs et ceci vaut largement cela. Merci.

Monsieur et Madame D. Marignane
Ouvert du 15/3 au 1/11
Tél. (42) 82.20.05
13420 Gémenos. 20 chambres. De 250 à 380 F. Parc.
Piscine. Petit déjeuner à 30 F. Menu à 130 F. Carte à
150 F environ. Accès par Aubagne et N 8.

MAS
DE LA BRUNE

Eygalières. Bouches-du-Rhône

La maison du Consul

Cela commence évidemment par une belle allée d'énormes platanes : n'est-ce pas ici le Midi tel que le voyageur l'aime ? Cette allée fait même le rond devant ce mas pour lequel on aimerait un mot joli et délicat signifiant petit château. Il y a castelet, bien sûr, mais il ne parle pas assez de grâce pour raconter le mas de la Brune.

C'est ce qu'on appelait au XVIe une maison consulaire : elles étaient nombreuses dans les villes où elles s'appuyaient les unes sur les autres : ici, en pleine nature, elle paraît plus petite encore, et pourtant elle est de ces demeures qui se font grandes dedans, sans « paraître » dehors. Non pas qu'il faille l'ignorer de l'extérieur. Sa façade fait de la dentelle et ses fenêtres à meneaux lui font baisser les yeux, tandis qu'une tour d'échauguette s'amuse à ne pas faire peur : c'est de l'architecture gracieuse.

Des salles voûtées, pas trop vastes, d'énormes cheminées, un escalier à vis et des chambres délicieusement installées (bonnes salles de bains), meublées ancien et intimes à souhait — l'une d'entre elles a même un petit oratoire dans une petite tourelle —, d'autres de coquetterie plus rustique, et une ambiance qui ignore le temps qui passe. Je me demande s'il n'y a pas quelque chose de magique.

Et puis, j'aime cette maison qui est aussi celle du courage : parce qu'elle en est tombée amoureuse ou qu'elle a été envoûtée par elle, une dame de qualité, avec sa fille, est devenue hôtelière, peut-être aussi pour sauver ce mas sur le point d'être abandonné. Elle prépare même une cuisine familiale très bien élevée, et ses petits dîners dans la salle à manger de pierre si joliment mise en scène sont de bien heureux instants. Si certains châteaux se rapprochent parfois de l'hôtellerie lorsqu'ils accueillent des hôtes, ici, cet hôtel reçoit avec le même sens de l'hospitalité que les châteaux.

Madame Chmielewski
Ouvert du 1/1 au 31/12
Tél. (90) 95.90.77
13810 Eygalières. 12 chambres. De 250 à 350 F. Parc.
Petit déjeuner à 25 F. Menu à 120 F. Carte à 170 F
environ. Accès par route Saint-Rémy-de-Provence-
Cavaillon N 538.

MAS
DE LA CHAPELLE

Arles. Bouches-du-Rhône

Ma bonne action

Qu'une abbaye ou qu'un monastère se trouvent transformés parfois en hôtels pourrait me gêner si je ne me souvenais que, de tous temps, sous le signe de la Croix, ils ont toujours reçu les voyageurs. Pendant des siècles même, ils furent les seuls, faute d'auberges, tout justement.

Lorsqu'une chapelle est devenue un restaurant, quelque part en moi je me sens mal à l'aise, et je suis toujours surpris que le catholicisme soit la seule religion à se laisser aller à désacraliser ses lieux de prière : imagine-t-on une mosquée ou une synagogue converties à la cuisine ?

Cela dit, vous n'êtes pas obligé de relever de mes états d'âme religieux, et ce mas du XVIe et sa chapelle (puisque chapelle il y a), son parc et ses deux piscines, ses chambres mignonnettes, sans mériter un pèlerinage, sont bien sympathiques, très ensoleillés, et l'on y mange agréablement une cuisine qui ne manque pas non plus de soleil. Ça se couvre seulement parfois du côté de la réception : mais enfin, quoi, tout le monde ne peut pas être un ange, même dans une ex-chapelle.

Monsieur et Madame Estienne
Ouvert du 1/3 au 31/1
Tél. (90) 96.73.43
13200 Arles. 7 chambres. De 260 à 300 F. Parc. Piscine. Tennis. Petit déjeuner à 22 F. Menu à 160 F. Carte à 220 F environ. Accès par Arles et D 35 puis V.O.

LE MAS
DU FAUNE

Les Baux-de-Provence. Bouches-du-Rhône

Le plus secret

C'est au plus profond du vallon des Baux, et je me demande si la nature, jalouse, n'a pas tout fait pour le dissimuler aux regards en l'engloutissant dans un jardin extraordinaire. A tel point que l'on a du mal à deviner depuis quand ce vieux mas existe. Deux, peut-être trois centaines d'années : il les porte bien et il en abuse pour jouer les séducteurs.

Sa propriétaire, fort distinguée, aime à recevoir dans une des plus belles bibliothèques que je connaisse, au milieu de beaux objets. Rien de grandiose ni de spectaculaire dans les dimensions de la maison, et moins encore des pièces : mais quelle force d'enchantement ! Il n'y a, je crois, que trois chambres si parfaitement meublées qu'elles prouvent que le goût, ici, ne date pas d'hier. Quelle immense distinction et quelle fâcheuse idée d'avoir envie de quitter tout cela avec déjà un petit goût de nostalgie.

Madame de Broqua
Ouvert sur demande
Tél. (90) 97.34.02
Les Baux. 13520 Maussane-les-Alpilles. 3 chambres. A
280 F. Jardin. Petit déjeuner inclus. Pas de restaurant.
(Attention, ce château n'est pas un hôtel mais une
demeure recevant des hôtes payants). Accès par le
village.

CHÂTEAU
DE MEYRARGUES

Meyrargues. Bouches-du-Rhône

La fin d'un règne ?

Curieux, une forteresse médiévale que la civilisation
et le soleil ont coiffée de ces tuiles romaines roses et
chaudes qui signent les ciels du Midi. Cela n'enlève rien
à sa hauteur mais la rend plus aimable. D'autant qu'avec
une situation pareille, dominant du sommet d'une colline
la vallée de la Durance, elle a de quoi être impressionnante.
Il lui fallait d'ailleurs bien l'être puisque ses seigneurs
devaient sans doute ainsi persuader les voyageurs de
payer quelque droit de passage.

Déjà au début du 1er millénaire, elle était au seigneur
des Baux. Changeant souvent de mains — les rois
aimaient souvent reprendre ce qu'ils avaient donné —
elle appartint longtemps à une famille napolitaine qui en
avait reçu don du roi René en remerciement de
services rendus pendant les guerres d'Italie : le premier
bénéficiaire portait l'étrange nom de Artaluche d'Alago-
nia. Ses alliés la conservèrent jusqu'au XVIIe, où le
château fut canonné et pillé.

Passé à l'hôtellerie en 1952, il la vit avec plus ou
moins de bonheur. Certes, il a conservé sa fière allure, et
sa cour jardin suspendue dominant une forêt de pins, la
salle à manger voûtée taillée dans l'épaisseur d'une
muraille, l'atmosphère pénétrante qui règne là peuvent
attirer et retenir. Les chambres sont parfois impression-

nantes, ouvrant à flanc des murs des tours. Un certain
laisser-aller, un certain capharnaüm — mobilier mariant
le meilleur et le pire, bois cirés anciens et pâles copies de
bazar — passeraient même, si l'accueil n'était pas, pour
les inconnus, d'une condescendance frisant le mépris.
Peut-être, à la deuxième ou troisième visite, a-t-on droit
à plus de sourires ? Mais quel dommage, car ce Moyen
Age-là aurait pu être un des plus vrais que j'aie
rencontrés. Mais peut-être est-ce une fin de règne ?

> *Monsieur Drouillet*
> Ouvert du 1/2 au 1/11
> Tél. (42) 57.50.32
> 13650 Meyrargues. 14 chambres. De 290 à 305 F. Parc.
> Petit déjeuner à 35 F. Menu à 150 F. Carte à 250 F
> environ. Accès par A 7, sortie Senas, et N 561 ; Salon
> et D 15 ; ou Aix-en-Provence et N 96.

LE PARC CHABAUD

Montélimar. Drôme

Sous l'empire des Empires

Insensé ! Les guides les plus reconnus traitent cette
maison de très haut, avec une certaine condescendance.
A croire que leurs inspecteurs n'ont jamais traversé ce
petit parc sauvé on ne sait trop comment au milieu de la
ville pour découvrir cette demeure totalement imprévue.
Ou alors ils en disent n'importe quoi, n'importe
comment.

191

Maison de notable... c'est ainsi qu'on la sent, qu'elle se montre, et il est vrai que la famille Chabaud a fait une bonne partie de l'histoire de la ville. Jamais l'adjectif « cossu » n'a été plus approprié. On ne s'y est pas haussé du col : pas de tours mais une assise solide, une allure bien campée, un double fronton néoclassique... image parfaite d'un hôtel particulier aussi discret que riche : le XVIIIe finissant et le XIXe triomphant ont eu ainsi bien des élégances et bien des marchands passés à l'industrie devenus seigneurs.

Quelle surprenante vieille dame que la propriétaire ! Elle reçoit avec la grâce d'une grand-mère dont on rêve, et le chien de la maison, une patte prise dans une prothèse, rythme d'un étrange pas la visite de cet hôtel pas du tout comme les autres. On y passe de surprise en surprise.

Un salon de lecture, ancienne cuisine, aux voûtes basses et puissantes ; une collection de meubles Empire, d'époque, à faire flipper tous les antiquaires du monde ; un salon d'étage jouant les fastes d'il y a plus d'un siècle, à tel point qu'on y attend un bal de famille ; une éblouissante chambre Napoléon III qui fut librairie, où on s'attend à voir sortir un valet d'une porte des boiseries ; un appartement d'un Louis XV exacerbé ; un autre qui fut sans doute de « jeune fille » avec son lit Directoire peint de vert tendre. Sans doute quelques meubles d'autres temps sont-ils posés là : c'est le lot des maisons qui ont vécu d'une famille et qui ne sont pas sorties d'un album de décoration. (Salles de bains efficaces et sans complications.)

Ce n'est pas le luxe mais la chaleur profonde d'une famille aisée en son temps, et s'il est des fautes de goût (il y en a), elles sont aussi du cœur. Comme cette salle à manger un peu bêbêtement moderne où la cuisine semble venir des livres des cuisinières qui ont dû se succéder là : choses simples et bonnes, vraies, comme tout ici.

Madame Leyronas
Ouvert du 1/2 au 24/12
Tél. (75) 01.65.66
16, avenue d'Aygu. 26200 Montélimar. 22 chambres.
De 245 à 425 F. Parc. Petit déjeuner à 35 F. Menu à 170 F. Carte à 200 F environ. Accès par autoroute A 7 ou N 540.

HOSTELLERIE
LE MOULIN BLANC

Les Beaumettes. Vaucluse

De l'eau à ce moulin

Maniaque à en craquer de la Provence, vous pensez si j'aime celle-là (oui, j'oubliais, elles sont plusieurs, mes Provences), alors qu'elle hésite entre les ocres sanglants de Roussillon, les villages haut perchés de Gordes et d'ailleurs, alors que ses lieux-dits portent des noms comme Cucuron, et que le Luberon ne veut ressembler à aucune autre montagne parce qu'il est unique. Quelle formidable réplique de beauté à cette autre Provence, de l'autre côté du Rhône, celle des Alpilles. Tout aussi belle !

Et ce Moulin Blanc, comme je l'aime lui aussi. Parce qu'avec son parterre de verdure, ses petits cyprès plantés sagement, et puis ce bout de bosquet, tous posés dans la plaine autour de ses murs crépis d'or pâle, il me fait penser aux feuilles de découpage de mon enfance qui présentaient les « maisons de chez nous ». Quelques coups de ciseaux en tirant la langue, des pliures « suivant le pointillé », quelques pattes à replier dans des encoches inaccessibles... et j'avais mon chalet savoyard, ma maison basque...

Le Moulin Blanc aurait été ma maison provençale. Pas trop grande, équilibrée entre ombre et soleil, et avec

une histoire qui est celle des gens et des lieux heureux :
c'est-à-dire presque sans histoire. Relais de poste au
XVIIIe, peut-être ; moulin très vite grâce à un canal
apportant l'eau de loin, c'est sûr. Il tournait encore en
1929. Depuis six ou sept ans, deux associés l'ont rendu à
sa vocation d'hospitalité pour les voyageurs. Une
douzaine de chambres quasiment luxueuses (trois avec
des baldaquins) et joliment illustrées de meubles souvent
Louis XIII (ou d'inspiration), dont les bois cirés vont
bien à l'ambiance de cette Provence rustique (belles salles
de bains). J'aime qu'il y ait là un raffinement d'esprit
autant que dans la manière. Et j'apprécie que cette
demeure bouge : la salle à manger passe parfois au salon,
comme on change des meubles. Les objets — délicats et
bien choisis — se promènent aussi. C'est une courtoisie
de plus dans cet endroit délicieux (cuisine imprévue mais
toujours délicate : on se demande comment il pourrait
en être autrement).

Messieurs S.N. Herail et P. Robert
Ouvert du 1/3 au 31/12
Tél. (90) 72.34.50
Les Beaumettes. 84220 Gordes. 12 chambres. De 210 à
300 F. Parc. Piscine. Petit déjeuner à 32 F. Menu à
120 F. Carte à 160 F environ. Accès par N 100.

AUBERGE DE NOVES

Noves. Bouches-du-Rhône

Une odeur de sainteté

C'est la Provence verte : la maison a en effet bien
du mal à se dégager, vers le ciel, des arbres et des
verdures d'un parc qui n'en finit plus de pousser.
Pourquoi est-ce que je trouve quelque chose de romain
dans le port altier de cette demeure au demeurant d'une
architecture assez pure et peu ornementée ? J'aime sa
façon de se tenir, bien haut, bien droit, avec des fenêtres
étirées qui l'anoblissent très dignement.

La dignité, elle a connu : montée pierre par pierre
en 1810 pour abriter une étrange « petite église », un des

nombreux schismes qui se sont détachés avec plus ou moins de bonheur de l'Eglise catholique, elle leur a mal survécu sans pour autant rien perdre de son allure. D'ailleurs, à la suite de la disparition de cet « ordre » épisodique et surtout de ses maîtres, les frères Bournissac, elle passait entre les mains d'un notaire dont la famille la conserva jusqu'en 1952. Or, appartenir à un notaire, pour une maison, c'est une référence.

En 1955, la « petite église » devint la Petite Auberge. A charge pour cet hôtel de nourrir à présent les corps : pour les âmes, il avait été assez donné en cet endroit. Les Lalleman, père et fils, et épouses aussi, ayant le sens du luxe et de la table, la voulurent cossue et belle, gourmande surtout. C'est très largement réussi, et je recommanderai à tous les amateurs de style provençal, qu'ils soient hôteliers ou voyageurs, de s'y rendre pour constater combien il peut être gai, original, élégant, intelligent et même presque opulent. Ainsi sont les chambres et la salle à manger. La table est provençale elle aussi, mais avec la bonne idée de s'être rajeunie, affinée (encore que certains la voient très citadine) sans avoir rien perdu de son accent. Et l'accent, dans le Midi, ça compte. Mais tout compte : à preuve, le succès venant, l'enseigne a un peu changé : l'adjectif « petite » a disparu. Cela faisait un peu aumône : à ces prix, certes pas !

Famille Lalleman
Ouvert du 1/3 au 31/12
Tél. (90) 94.19.21
13550 Noves. 20 chambres et 2 appartements. De 300 à 880 F (+ 15%). Parc. Piscine. Tennis. Petit déjeuner à 38 F (+ 15%). Menus à 150 et 260 F (+ 15%). Carte à 320 F environ. Accès par A 6, sortie Avignon-Sud, et direction Châteaurenard.

HÔTEL
LE PRIEURÉ

Aix-en-Provence. Bouches-du-Rhône

Pour les yeux

Que vaut-il mieux parfois ? Etre logé dans le château lui-même et n'en rien voir hors parfois une autre aile et quelquefois un parc heureux, ou bien vaut-il mieux être logé à l'extérieur, dans des communs par exemple, et ne voir depuis sa fenêtre que le château ?

Ici, aux portes d'Aix-en-Provence, le Prieuré donne une réponse qui ne manque pas de charme. Son enseigne, il la mérite puisque c'est l'ancien prieuré de l'archevêché. Un petit bâtiment sans gloire mais simple et sans agressivité que l'on a installé avec un sens certain de l'économie. Mais cela n'empêche pas les minuscules chambres, du format cellule de moines, d'être coquettes, d'un joli convenu mais sincère, le tout très bon marché. La réception est d'une gentillesse rare, pleine de bonne volonté, et il y a même pour les habitués une cuisine et une salle à manger pour s'essayer à leurs talents de cuisinier.

Cela pourrait n'être qu'un gentil petit hôtel, mais la plupart des chambres ouvrent sur un véritable parc à labyrinthes de Le Nôtre et sur l'ancien archevêché, véritable chef-d'œuvre d'architecture du XVIIᵉ. La vie de château a ainsi d'étranges détours.

Monsieur et Madame Le Hir
Ouvert du 1/1 au 31/12
Tél. (42) 21.05.23
Route de Sisteron. 13100 Aix-en-Provence. 30 chambres. De 90 à 190 F. Parc. Petit déjeuner à 16 F. Pas de restaurant. Accès par N 96 depuis Aix.

LE PAVILLON
AUX FONTAINES

Pernes-les-Fontaines (Vaucluse)

Rien n'y manque, et pourtant...

Ah, mais la province de la fin du second Empire pouvait en remontrer aux Parisiens de la plaine Monceau ! A voir cette maison puissante à laquelle il ne manque ni un fronton, ni un clocheton, ni une terrasse à balustres, ni un grand escalier, ni cet aplomb qui signait les nouvelles fortunes d'une redondante façade de pierre de taille, on n'en doute plus.

C'est un viticulteur devenu important qui s'est offert cette preuve de sa réussite. D'ailleurs, dans le parc reste, « abandonnée », une charrette de ses débuts... pour mémoire. Tout cela date de la fin du siècle dernier : la famille s'en est séparée il y a deux ans à peine et un banquier saisi par l'hôtellerie s'y est arrêté. Avec beaucoup de pointillisme il a tout fait restaurer : les immenses cheminées de bois, les vitraux, les plafonds peints, les gypseries. Tout ce qu'on aimait alors a été rénové avec précision. On a même fait plus : quelques appartements léchés, un peu décoration Louis XVI, impeccables, riches même (salles de bains parfaites). Il ne manque que les étiquettes tant c'est net et neuf.

La salle à manger, remise à neuf aussi, mais curieusement posée à la place du grand salon, a la même élégance froide : comme la cuisine qui chipote le petit doigt en l'air dans la cuisine moderne (honnête mais hors de prix, sauf les menus), parce que cela se fait. Ah ! S'il y avait une âme dans tout cela ! Tout y est tellement convenu. Mais après tout, on peut aimer cette suite de convenances.

Monsieur Rochette
Ouvert du 1/1 au 31/12
Tél. (90) 61.64.09
Carrefour Saint-Joseph. 84210 Pernes-les-Fontaines.
3 appartements. A 500 F. Parc. Petit déjeuner à 30 F.
Menus à 120 et 200 F. Carte à 200 F environ. Accès par
D 942 (route Avignon-Carpentras) et à Monteux
prendre la route de Velleron.

LE PRIEURÉ

Bonnieux. Vaucluse

La bonne volonté

Je n'allais tout de même pas écrire ce livre sans faire au moins une fois référence au *Guide bleu* dont les volumes régionaux sont si utiles au curieux que je demeure. Alors, on ne m'en voudra pas de reprendre une phrase qu'il cite à propos de Bonnieux : « Enroulé dans ses remparts, sur une roche où les tourbillons du vent se sont inscrits en cercle ; vision étonnante d'un mont Saint-Michel de Provence avec une vierge veillant sur une église haute, couronnée de cèdres. »

Accroché à flanc de colline, au milieu d'une cascade de toits, le Prieuré, serré au pied des vestiges de remparts, ancien hôtel-Dieu (du XVIIe à la dernière guerre), une cloche maintenue sur le toit, avec un de ces petits jardins que l'on dit avec raison « de curé », avait bien besoin d'être dépoussiéré.

Une nouvelle direction l'a fait, mettant en valeur ce qu'il y avait d'ancien, supprimant parfois des lourdeurs faussement rustiques, donnant un peu d'air aux chambres (salles de bains confortables) et surtout lui apportant un peu de gaieté : en manquer sous ce soleil, devant ce panorama... c'était désolant. La cuisine va s'améliorant, s'affinant même, et promet beaucoup. Comme tout le reste. L'année prochaine, j'aurai certainement de quoi nourrir un autre enthousiasme, celui de la table.

Monsieur R. Chapotin
Ouvert du 15/2 au 15/11
Tél. (90) 75.80.78
84480 Bonnieux. 10 chambres. De 250 à 290 F. Parc.
Petit déjeuner à 30 F. Menus à 90 et 140 F. Carte à
160 F environ. Accès par N 100 et direction Bonnieux.

AUBERGE
DE REILLANNE

Reillanne. Alpes-de-Haute-Provence

La pureté rigoureuse

La haute Provence n'est pas une terre de fantaisie.
Aussi généreuse qu'elle apparaît toujours en état de
sécheresse, prête à se donner un peu, mais certes pas à
n'importe qui. Elle a ses oasis comme celle de la vallée de
Reillanne qui répond bien aux forêts et aux caillasses
d'alentour. Le village est grimpé sur une rondeur, pour
mieux voir sans doute.

Pourquoi les Templiers avaient-ils placé leur hospice
à quelques lieues de là. Pour l'eau vraisemblablement.
Rome déjà occupait l'endroit et le très vieux puits
découvert entre les murs de cette bastide explique. Quant
à la belle allée de marronniers, vieux, vieux, vieux, ils
avouent une lointaine prise de possession. Pour ce qui est
du souterrain qui permettait de se réfugier dans l'église
(qui aujourd'hui y songerait ?) fortifiée, il est un bien
vieux témoin lui aussi.

C'est dire si la maison ne date pas d'hier. Mais les
années ne l'ont pas maquillée : pure, nette, carrée,
sans fioritures. Accueillante malgré un air de « pas
commode ». Différente ? Elle ne peut être que cela. Le
propriétaire lui-même, journaliste longtemps, éleveur de
chèvres pendant sept ans, puis passé à l'hôtellerie, répond
parfaitement à ces murs.

Il ne se cache pas d'avoir été envoûté par elle. Alors,
il a essayé d'exprimer à l'intérieur la tonalité de
l'extérieur. Il n'a pas cherché l'exercice de style de la

décoration parisienne égarée là-bas. C'est rigoureux et sans épate. Les chambres, immenses, n'ont rien de celles d'un couvent, et pourtant elles relèvent aussi d'une austérité certaine, chaude cependant (salles de bains complètes), et si mes souvenirs sont exacts, chacune possède des rayonnages de livres : un symbole, non ? La cuisine elle-même, à double face, très d'aujourd'hui ou très « cuisinée », selon les instants, ne fait pas de concessions non plus : le poisson ne s'y prépare que sur commande.

Monsieur et Madame J.-P. Founes
Ouvert du 1/3 au 15/1
Tél. (92) 76.45.85
04110 Reillanne. 7 chambres. De 220 à 240 F. Parc.
Petit déjeuner à 28 F. Carte à 200 F environ. Accès par
N 100 et D 214.

HOSTELLERIE
DES REMPARTS

Aigues-Mortes. Gard

Le Plaisir des gendarmes

Depuis que la mer s'est retirée, Aigues-Mortes donne l'impression d'être échouée dans cette plaine étrange qui hésite entre le ciel et les marais. Par chance, ses remparts confirment bien qu'elle est amarrée là pour un bon bout de temps. On en fait souvent le tour, et même trois petits tours avant de repartir vers la Camargue.

Pourtant, veillée par la célèbre tour de Constance, une hostellerie, si discrète qu'on la confond avec les maisons voisines, mérite qu'on y jette l'ancre. Apparemment venue du XVIIIe, poste de gens d'armes avant que d'être gendarmerie jusqu'aux dernières décennies, cette demeure de pierres rudes adoucies par le soleil ne joue pas la haute noblesse.

Qu'on ne s'y trompe pas ! Elle fait preuve de bien des raffinements avec ses quelques chambres décorées

avec un goût très sûr dans la manière Haute Epoque et Louis XIII épurée par des contemporains haïssant les fioritures. Cela aboutit à un charme absolu, doublé d'un confort moderne sans reproche (belles salles de bains) qui n'oublie pas non plus de fastueuses cheminées. Un appartement ouvre même sur la fameuse tour de Constance : par nuit claire, quelle silhouette ! Et la table, intéressante, ose parler de cuisine régionale.

Monsieur et Madame Karsten
Ouvert du 23/12 au 4/1 et du 21/1 au 29/11
Tél. (66) 51.82.77
Place d'Armes. 30220 Aigues-Mortes. 19 chambres. De 230 à 400 F. Petit déjeuner compris. Menu à 109 F. Carte à 160 F environ. Accès par l'intérieur des remparts.

CHÂTEAU
DE ROCHEGUDE

Rochegude. Drôme

L'art d'être pompier

Relais fortifié sur la via Agrippa, si l'on en croit les archives romaines du IIIe siècle, salle de justice des papes d'Avignon au XIVe, après être passé entre bien des

mains (Guillaume de Mondragon, Bertrand des Baux, entre autres), frontière entre la France et le Comtat Venaissin, un des rares échecs du baron des Adrets qui fut repoussé grâce à l'aide imprévue d'abeilles loyales — depuis elles figurent sur le blason —, délaissé puis reconstruit sous Louis XIV, embelli sous Louis XVI avec l'aide d'artistes ayant travaillé au Petit Trianon... Ah ! il en avait vu ce château de Rochegude, il avait vécu ! Vint alors Viollet-le-Duc : ce qui explique les « mâchicoulis de décoration » et d'étranges terres cuites sorties de fours gigantesques et d'autres fantaisies extravagantes.

Tout cela n'en a pas moins une allure étonnante, avec une impression d'« à la manière de ». Tout est vrai, toutes les époques se superposent, le donjon du XIIe ne triche pas, les gypseries du XVIIIe non plus, les escaliers remontent loin, et pourtant... c'est pompier en diable. Le propriétaire y a d'ailleurs succombé, car l'ameublement va loin lui aussi : Louis XVI plutôt louis-philippard, bois dorés à profusion, Napoléon III égaré, Louis XIII hagard, avec des pièces soudain admirables !

Tel quel, pourtant, s'appuyant sur un luxe aussi certain que voyant (très belles salles de bains aussi), cela vous a du panache, et si le style gaillard et rabelaisien apparaît du côté des salles à manger (on s'y attend un peu car on s'attend à tout) où les repas sont classiquement et sagement traités, on ne peut nier le dépaysement. Et somme toute, les châteaux au kitsch élégant, au pompiérisme délirant, il n'y en a pas beaucoup.

Monsieur et Madame Galibert
Ouvert du 15/3 au 31/10
Tél. (75) 04.83.24 et 04.81.88
26130 Rochegude. 61 chambres et 1 appartement. De
230 à 1 200 F. Parc. Piscine. Tennis. Petit déjeuner à
40 F. Menus à 135 et 185 F. Carte à 220 F environ.
Accès par Orange par N 576 et D 117 et par Bollène
par N 94 et D 8.

CHÂTEAU
DE ROUSSAN

Saint-Rémy-de-Provence. Bouches-du-Rhône

L'abandon délicieux

Mais non, je ne parle pas de l'état de ce château,
mais de mon état à moi lorsque j'y passe un instant. Il
n'y a vraiment que le XVIIIᵉ pour avoir su nous donner
d'aussi précieuses maisons. Car qu'est-ce d'autre qu'une
belle et noble maison que ce « château » auquel un
architecte un peu poète a voulu donner, pour flatter bien
sûr son propriétaire, un joli balcon et un fronton ? Mais
comme pour lui jeter un sort bienveillant, il a ajouté sur
la façade un cadran solaire qui annonce : *« Horas non*

numero, nisi serenas » (« je ne marque que les heures heureuses »).

Il avait pris soin aussi de planter ce qui allait devenir la plus belle allée de platanes de Provence, de creuser un canal (ombragé de platanes aussi) avec un « rond d'eau » au bout, une petite île pour y souper à la lueur des candélabres, de dessiner un parc un peu fou et d'ajouter autour du bassin des statues fort peu banales, se tournant étrangement le dos.

Mais l'étrange fait partie de l'atmosphère ici : les murs des communs ne sont autres que ceux d'une chapelle de Nostradamus, on pense par ailleurs que le premier châtelain fut le marquis de Ganges — et qui dit Ganges (marquise) dit Sade (marquis). Ajoutez à cela des souterrains mystérieux, cachés sous les pelouses par des Romains méfiants, et une sculpture représentant, sur une fontaine, un animal qui n'existe pas.

La lourde porte poussée, une odeur de cire d'abeille, un sol de tommettes rouges luisant doucement dans la pénombre, des meubles déjà familiers — ils le sont depuis un ou deux siècles — et l'hôte le plus souriant, le plus disert, le plus charmant, M. Roussel. L'ambiance n'est plus à l'étrange mais au plaisir de vivre dans une maison, une vraie maison.

Que les chambres, meublées de génération en génération, de la plus hétéroclite des façons, soient séduisantes elles aussi ne vous étonnera pas. Aucun luxe, mais une bonne et noble habitude de l'instant heureux (salles de bains complètes mais elles aussi peu orthodoxes). Qu'ajouterai-je ? Rien, rien, rien... sinon ce guide s'arrêtera là pour la bonne raison que je serai reparti pour Roussan.

Monsieur L. Roussel
Ouvert du 1/1 au 31/12
Tél. (90) 92.11.63
Route de Tarascon. 13210 Saint-Rémy-de-Provence.
12 chambres. De 300 à 360 F. Parc. Petit déjeuner à 27 F. Pas de restaurant. Accès par Saint-Rémy, puis prendre la route de Tarascon.

CHÂTEAU
SAINT-MARTIN

Vence. Alpes-Maritimes

La villa nostalgique

Très mal élevé par un grand-père esthète et grand voyageur, tout aussi mal habitué par ma mère plus grande voyageuse encore et vivant autant dans les palaces qu'à la maison, j'ai passé une bonne partie de mon enfance à bien vivre et à découvrir de belles choses : je les en remercie. Ce château Saint-Martin fut ainsi une de mes joies de jeune amateur au sortir de la guerre, alors que nous y étions reçus par son propriétaire, M. Genève, industriel important dont le nom s'étalait sur toutes les bennes qu'il fabriquait pour les camions.

J'avais été ébloui par cette situation jadis dominée par un bastion romain fortifié, où saint Martin était passé, alors que c'était devenu un ermitage et que le comte de Provence l'avait donné vers 1115 à des Croisés à leur retour de Terre sainte, pour y bâtir une commanderie, démantelée bien sûr sous Philippe le Bel (il reste pourtant un pont-levis et sa tour). La maison que cet homme avait fait bâtir avait un charme fou et rappelait, s'il en était besoin, que dans les années trente on savait bâtir riche et beau pour la femme que l'on aimait. Il y avait là les espaces d'un hôtel particulier parisien et les ampleurs des demeures nobles. Il y avait de beaux meubles anciens très méditerranéens ; des statues admirables et des tapisseries de classe tenaient leur place.

J'en ai gardé souvenir et tout est encore là, avec tout ce sens du bien-être dans lequel on s'enfonce. Les Genève en ont fait un hôtel qui n'a pas l'air d'un hôtel.

C'est peut-être d'ailleurs pour cela que la direction est aussi distante que figée, et le personnel un peu lointain, comme s'ils avaient tous des nostalgies.

On passe sur leurs états d'âme, car ils sont efficaces. Les chambres (et même les villas indépendantes dans le parc) représentent le rêve de l'Américain arrivé (et même du Français haut cadre de base). C'est très XVIe (arrondissement) avec la qualité des meubles en plus. Et quel panorama vers Vence, et bien au-delà, la mer. La cuisine se hausse du col et ne sort pas des honorabilités propres aux établissements de luxe.

Mademoiselle Brunet
Ouvert du 1/3 au 20/11
Tél. (93) 58.02.02
06140 Vence. 15 chambres, 10 villas et bastides. De 950 à 1 900 F (+ 15%). Parc. Piscine. Tennis. Petit déjeuner à 50 F (+ 15%). Menus à 260 et 290 F (+ 15%). Carte à 350 F environ. Accès par D 2.

CHÂTEAU
DU SCIPIONNET

Les Vans. Ardèche

Pas si théâtral

On ne le prendrait pas au sérieux ce petit château du Scipionnet avec ses deux petites tourelles pointues et ses terrasses à balustrades, à peine plus gros qu'une maison de poupée, et avec son air de Romantique surpris par l'orage. Pourtant, le mas auquel il a succédé vers 1875 était né à la fin de l'époque romane et avait été le centre d'une importante plantation de mûriers destinés à fournir les industriels de la soie de Lyon. Ses propriétaires, lignée de notaires de souche lozérienne depuis le XIVe, ne furent pas inconnus. L'un d'entre eux fut député à la Convention, fit discours contre les partisans de la mort du roi mais... la vota, ce qui lui valut d'être fusillé par une bande de royalistes à son retour ! Parmi les

descendants, un préfet de la Seine sous Louis XVIII, prenant part aussi à la révolution de Juillet, puis président du Conseil de Louis Napoléon. Un autre fut ambassadeur, puis le premier ministre français attaché au roi des Belges Léopold II.

Oui, tout cela derrière cette petite chose drôle et amusante qu'est ce charmant château de conte, bien posé dans la verdure, isolé, en bordure d'une rivière. L'accueil y est celui de gens éclairés aimant à recevoir. Le décor du salon est plus sage que les extérieurs mais ne renie pas Napoléon III, tandis que les chambres, bien propres, ne se compliquent qu'avec un petit classicisme sans luxe mais confortable (salles de bains honnêtes). A noter quelques beaux tableaux du XIXe et, pour mémoire, il faut demander à visiter les caves du XVIIe en cours de restauration.

Une restauration en entraîne une autre, et celle de la table enthousiasmera les amateurs de produits régionaux. Et régionalisme pour régionalisme, une galerie d'art-antiquaire vient d'ouvrir dans ces lieux. Mais comment tout cela peut-il tenir dans une si petite demeure ?

Monsieur J. Dupouy
Ouvert du 15/3 au 1/10
Tél. (75) 37.23.84
07140 Les Vans. 2 chambres et 6 appartements. De 230 à 420 F. Parc. Tennis. Piscine. Petit déjeuner inclus. Menus à 120 et 170 F. Carte à 220 F environ. Accès par CD 104 et CD 104 A ou 101.

CHÂTEAU
DE TRIGANCE

Trigance. Var

La forteresse de méditation

Enfin, je l'ai mon « nid d'aigle » : c'est vrai que les forteresses très haut plantées, en défi, ont très peu survécu à Richelieu, à la Révolution et aux entrepreneurs en mal de pierres taillées. Et celle-ci se réclame d'une définition que je n'avais jamais entendue : « forteresse de méditation ». Pour être moine on n'en tenait pas moins à sa sécurité. C'est ce que pensaient les bons frères de l'abbaye de Saint-Victor de Marseille, lorsqu'ils se construisirent cet impressionnant château fort à quelque sept cents ou huit cents mètres d'altitude, à deux pas des gorges du Verdon.

La Révolution ayant brûlé les archives, on sait peu de chose sur l'aventure de la seigneurie, encore que la famille de Raimond de Provence, seigneur du lieu, soit une des familles provençales qui a donné le plus de chevaliers à l'ordre de Malte au cours des siècles. En 1961, il ne restait plus grand-chose du château, sinon une ruine impressionnante. Un fou (au meilleur sens du terme), M. Hatmann, s'en enticha, la restaura, en fit un hôtel pour mieux la restaurer encore. Les Thomas continuent aujourd'hui son idée fixe : rendre sa grandeur rude à Trigance. Et ils y croient tellement ! Aidons-les !

Rude, encore que séduisante à vivre. Murs de crépis nus, voûtes de pierres grattées donnent aux chambres une rigueur franche qu'adoucissent des lits à baldaquin à tissus gais, tandis que des meubles aux lignes simples plus paysans que châtelains et un sol de carrelage ciré ne prétendent pas au luxe mais à une certaine élégance dépouillée (belles salles de bains). La cuisine n'oublie pas la Provence en lui donnant un accent plaisant et une légèreté qui n'interdit pas ensuite la méditation — vocation première de cette maison.

Monsieur Thomas
Ouvert du 24/3 au 1/11
Tél. (94) 76.91.18
Trigance. 83840 Comps-sur-Artuby. 8 chambres. De
170 à 470 F. Parc. Petit déjeuner à 25 F. Menus à 106
et 185 F. Carte à 200 F environ. Accès par N 527 et à
Castellane D 952.

VIEUX CASTILLON

Castillon-du-Gard. Gard

Le village ressuscité

La piscine est suspendue en plein ciel au deuxième
étage, semblant vouloir s'élancer dans la garrigue, bien
plus bas. Une muraille en partie ruinée, percée de fenêtres
à meneaux ouvertes sur tout et rien, semble la retenir.
Cela vous donne le ton de cet endroit un peu fou et
unique.

Combien de maisons, bousculées par les figuiers
sauvages depuis leur abandon, René Traversac a-t-il
restaurées, reliées entre elles pour en faire un des plus
étonnants hôtels de France. Elles étaient toutes vieilles
de cinq, six siècles. Il leur a redonné un toit et une vie.
Dans ce labyrinthe étrange refait à pierre et à chaux, les
ruelles sont devenues parfois des jardins qu'une arche
enjambe ; des cheminées venues d'un temps lointain
apportent la signature du passé dans les chambres, et
l'on a parfois l'impression de jouer aux quatre coins de
l'histoire du Moyen Age (sans aucun excès heureusement), de la Provence, et en même temps de vivre une
aventure hôtelière comme il y en a peu. Car Traversac
est de ces hommes passionnés qui croient à l'hôtellerie de
château, à celle dans les vieilles pierres. Il l'a déjà prouvé
avec une série de maisons qui ont nom Artigny,

Beauvois, Chenehutte, Isenbourg, et pardon si j'en oublie.

Ce village à ressusciter a été sa dernière, et toute provisoire, trouvaille. Il l'a voulu du meilleur provençal dans les meubles, les tissus, la décoration fleurie. La patine commence déjà et cela prend une allure intimiste qui n'était pas évidente dans les débuts. Les plafonds de bois et de poutres aident, les minuscules fenêtres aussi qui poussent aux fraîcheurs sous le soleil, et puis ces quelques armoires anciennes, ces fauteuils confortables pour compenser la raideur du rustique (et aussi d'admirables salles de bains). Le personnel (j'ai failli écrire, les villageois) est d'une efficacité discrète, et la table parfois pompeuse participe aussi du plaisir de ce séjour inattendu.

Monsieur R. Traversac
Ouvert du 10/3 au 1/1
Tél. (66) 37.00.77
30210 Remoulins. 33 chambres et 2 appartements. De 330 à 850 F. Parc. Piscine. Tennis. Petit déjeuner à 38 F. Menus à 170 et 220 F. Carte à 240 F environ.
Accès par A 9, sortie Remoulins, et N 100 et N 86.

CHÂTEAU
D'URBILHAC

Lamastre-en-Vivarais. Ardèche

De l'Afrique aux chèvres de l'Ardèche

Les routes des montagnes de l'Ardèche ne sont pas simples : elles tournicotent, font des nœuds, remontent lorsqu'on s'attend à ce qu'elles descendent, font des tours et des détours aux coins des bois. Celle qui mène à Urbilhac joue ainsi à cache-cache avec les sous-forêts et les panoramas pour finir en cul-de-sac devant la grille du château.

Un château qui se rengorge, fait les gros murs comme d'autres le gros dos, mais qui ne se cache pourtant pas d'être une maison de notable à qui l'on

aurait fait le tour de la couvrir de toits pointus. Cela a dû jadis en imposer aux gens du pays, d'autant qu'au moment de sa construction, vers 1892, ses propriétaires étaient gens de robe avec un très respectable blason. Et un solide patrimoine, puisqu'on leur comptait alors une centaine de fermes, et bien de la terre.

C'est d'ailleurs cette même notion d'espace autour du « château » (un domaine de soixante hectares) qui a amené ici les tenants actuels : d'avoir fait fortune en Afrique leur a donné le goût des horizons dégagés et, comme là-bas, ils croient à l'exploitation de la terre. Je ne sais pas ce qu'il en est pour l'heure, mais le troupeau de chèvres est déjà nombreux.

Le château ne pouvait devenir qu'hôtel : très, très province. Ah ! ce mobilier Dufayel, d'époque sans doute, posé là dès la première pierre ! Ah ! ces salons qui racontent un passé confiné et probablement plein de secrets de famille ! C'est désuet en diable (salles de bains évasives), suranné même, plein de clins d'œil et sans les prétentions d'hier. Fabuleux panorama depuis la terrasse, confort sans excès, ambiance vacances sages et potins sans méchancetés, et table très régionale, ce qui est plutôt un compliment.

Madame Xompero
Ouvert du 1/4 au 30/9
Tél. (75) 06.42.11
07270 Lamastre. 12 chambres. De 150 à 300 F. Parc. Piscine. Petit déjeuner à 25 F. Menu à 150 F. Carte à 200 F environ. Accès par D 533 à partir de Valence.

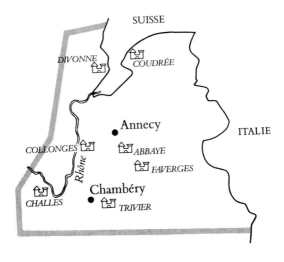

SUISSE

DIVONNE

COUDRÉE

Annecy

ITALIE

COLLONGES

ABBAYE

Rhône

FAVERGES

Chambéry

CHALLES

TRIVIER

X — SAVOIE

ABBAYE
DE TALLOIRES

Talloires. Haute-Savoie

Sacrés moines !

Ainsi donc, la rumeur populaire qui faisait de certains moines du Moyen Age de sérieux soiffards n'était peut-être pas tout à fait inexacte, puisque je viens d'apprendre que dans cette sainte abbaye de Talloires, au XVIᵉ siècle, chacun d'entre eux avait droit à trois litres de vin par repas ! Les autorités ecclésiastiques s'en étant tout de même émues, avaient réduit cette allocation à un verre : le prieur inventa un verre d'une contenance d'un litre (on en voit d'ailleurs un exemplaire au musée d'Annecy).

On est loin des reines sages qui avaient protégé ce lieu de réflexion dès le IXᵉ siècle. Les incendies successifs ont-ils été dus à la colère de Dieu, à des imprudences de moines pris de boissons, à des humeurs révolutionnaires... sans doute un peu tout cela.

Toujours est-il que le bâtiment actuel, posé quasiment les pieds dans le lac, date du XVIᵉ et a grande et belle allure dans sa simplicité hautaine et puissante. Devenue hôtel depuis 1820, l'abbaye n'a fait que retrouver son « hostellerie » qui fonctionnait déjà au XIᵉ siècle : c'est bien cela la continuité.

A l'intérieur il reste de beaux vestiges du cloître et des déambulatoires, tandis que, dans une des chambres, une fresque du XVIIᵉ raconte au voyageur l'histoire des douze apôtres. Les autres chambres occupent les anciennes cellules (les plus grandes étant celles des « pères » et les plus petites celles des « frères ») et sont plutôt plaisantes à habiter avec leurs meubles rustiques (certains très beaux), tandis qu'on passe sur le confort (salles de bains un peu vieillottes) parfois inégal.

Excellent accueil par des hôteliers pleins de bonne volonté, vue splendide, jolis jardins au bord de l'eau et cuisine honorable... mais tout à côté, en voisin, on peut se faire une fête de la table chez le célèbre Bise.

Monsieur Tiffenat
Ouvert du 1/5 au 15/10
Tél. (50) 67.40.88
A Talloires. 74290 Veyrier-du-Lac. 31 chambres et 2
appartements. De 380 à 770 F. Parc. Ski nautique.
Planche à voile. Baignade dans le lac. Petit déjeuner
inclus. Menus à 100, 140 et 180 F. Carte à 230 F
environ. Accès par D 909 ou D 909 A.

CHÂTEAU DE CHALLES

Challes-les-Eaux. Savoie

En cure

Le château date du XVe, le confort d'il y a quelques
années déjà, mais la volonté de bien faire est quotidienne.
Si l'emplacement dans un parc est agréable, si même ce
bâtiment a visiblement connu des jours plus glorieux, il
faut bien reconnaître que la direction fait tout pour
améliorer les choses. A commencer par un accueil très
attentionné, par une bonne tenue de l'ensemble, et puis
on sent que des travaux sont en cours, ce qui explique les
différences de qualité des chambres selon qu'elles sont
d'hier ou bien d'aujourd'hui.

Le salon et la salle à manger sont impeccablement
entretenus et finissent par avoir un certain charme désuet
qu'il ne saurait sans doute pas mauvais de conserver.
Une maison à suivre parce qu'elle est en pleine
renaissance, et je suis sûr que son livre d'or finira par
retrouver des signatures aussi prestigieuses que dans le
passé (de Poincaré à Frédéric Dard).

Monsieur Germain
Ouvert du 2/5 au 29/9
Tél. (79) 85.21.45
247, rue du Château. 73190 Challes-les-Eaux. 72
chambres. De 65 à 220 F. Parc. Piscine. Tennis. Petit
déjeuner à 22 F. Menus à 64, 100 et 150 F. Carte à
220 F environ. Accès par N 6.

CHÂTEAU
DE COUDRÉE

Douvaine. Haute-Savoie

Un fabuleux regret

Comme j'aurais pu en devenir fou ! Posé les pieds
dans le lac, taillé au carré, civilisé en richesse, puissant
dès l'abord, plus aimable de près, prenant dès les premiers
pas, ce château guerrier a le sens du repos. Depuis le
VIe siècle, il a eu le temps de se donner une personnalité.
Assez étrangement, son art de vivre date de l'entre-deux-
guerres où il a été restauré à merveille. On y a mis en
valeur de somptueux plafonds, d'admirables tapisseries,
des boiseries rares qui mettent à contribution le Grand
Siècle, la Renaissance italienne, le XVIe siècle espagnol,
et parlent aussi bien de dons de Louis XIV à Colbert que
du passage de Henri IV.

Le mobilier des chambres est parfois grandiloquent,
pompier même, et pourtant il s'appuie souvent sur
certaines authenticités, tandis que le confort sanitaire est
sans reproche. Tout est net et cependant il y a un
je-ne-sais-quoi d'empoussiéré dans l'ambiance. Il y a
certes là de quoi faire craquer le touriste de base, le
séminariste en recyclage, le banquet de fin d'année et la
réunion de mariage.

L'accueil et le service font ce qu'ils peuvent, sont
polis, mais ils donnent l'impression d'y croire sans trop :
ça fonctionne, ça tourne et cela semble leur suffire. On a
une impression de fonctionnarisation, même à table.
Alors ? Pour le décor, pour une nuit sous un lit à
baldaquin et pour l'environnement de la nature, on peut
passer sur cette atmosphère aussi besogneuse que banale.
Quelle belle occasion châtelaine perdue !

Famille Laden
Ouvert du 1/4 au 30/10
Tél. (50) 72.62.33
Sciez-Bonnatrait. 74140 Douvaine. 17 chambres et
chalets. De 335 à 540 F STC. Plage privée. Solarium.
Piscine chauffée. Tennis. Parc. Discothèque. Sauna.
Sports nautiques. Port. Billard. Petit déjeuner à 32 F.
Menu à 150 F. Carte à 200 F environ. Accès par route
du bord du lac et D 9.

CHÂTEAU
DE COLLONGES

Ruffieux. Savoie

Qui vivra verra

Si l'hôtel a un passé récent — il naquit en 1968 —
les murs qui l'abritent ont, eux, un passé très ancien,
puisque l'on a retrouvé des fondations antérieures au
XIIᵉ siècle.

L'ensemble se présente aujourd'hui comme un
mélange de styles sous l'aspect général d'une grosse
bâtisse Napoléon III avec une tour. En y regardant de
plus près, on remarque les vestiges d'une chapelle romane
et des restes de la construction du XVIᵉ, mais la majorité
de l'édifice reste due aux travaux réalisés sous le second
Empire.

Malgré sa jeunesse, cet hôtel est en pleine restauration, on vient d'y apporter des meubles d'époque transition et un salon Empire, les chambres s'améliorent et l'on s'attaque aux salles de bains « caméléons » pour leur donner un aspect plus uniforme et augmenter leur fonctionnalité.

Avec nos meilleurs vœux pour l'avenir d'un endroit particulièrement propice au repos.

Monsieur Gérin
Ouvert du 16/3 au 15/1
Tél. (79) 54.27.38 et 54.24.45
Ruffieux. 73310 Chindrieux. 12 chambres et 1 appartement. De 250 à 335 F. Parc. Petit déjeuner à 20 F. Menus à 140 F (+ 15%). Pas de carte. Accès par D 904 ou D 991.

CHÂTEAU
DE DIVONNE

Divonne-les-Bains. Ain

Joue et gagne

Hôtel heureux que ce château de Divonne, aussi heureux que le Casino qui le fait vivre, puisque c'est une des plus grosses recettes de jeux de toute la France. Non pas que les curistes de Divonne soient tous milliardaires, mais la Suisse est si proche, le franc suisse si avantageux pour les Helvètes et les jeux sont prohibés sur les bords du Léman ! Cela suffit à faire la fortune d'une ville d'eaux en nos temps.

Mais cela ne fait pas une histoire puisque justement les endroits heureux, comme les jeux, n'en ont pas. Et puis, on le sait, le monde du jeu est tellement discret sur son passé, secret sur son présent et évasif sur son avenir.

Le « château » date du siècle dernier, mais d'une époque où l'on préférait un néoclassicisme de bon ton aux extravagances paragothiques de Napoléon III. Cela fait donc une façade bien ordonnée et un intérieur qui joue à merveille le « grand style » lui aussi. Cela a dû paraître un peu nouveau riche à nos grands-parents, mais, la patine venant, cela fait « palace ». Comme c'est parfaitement tenu, mieux entretenu encore, soucieux de grand confort et d'élégance dans les détails, on tient là une vie de « palace », je le répète, mais bien peu de château. Aux dernières nouvelles René Traversac (le multinational de l'hôtellerie de château) vient de l'acheter et a commencé de le rendre luxueux, fournissant aussi un énorme effort du côté des cuisines. Il est certain d'avoir bien joué.

L'immense parc léché et la vue sur le lac de Genève et le massif du Mont-Blanc peuvent consoler des pertes au casino.

Monsieur Traversac
Ouvert du 1/5 au 15/10
Tél. (50) 20.00.32
Route de Ferney-Voltaire. 01220 Divonne-les-Bains. 34 chambres. De 380 à 570 F. Parc. Petit déjeuner à 40 F. Menus à 135, 180 et 220 F. Carte à 300 F environ. Accès par Divonne-les-Bains.

CHÂTEAU
DE FAVERGES

Faverges-de-la-Tour. Isère

Descendus de la montagne

Les Tournier sont les rois de l'hôtellerie de Courchevel, en quantité sinon en qualité. Restaurant d'altitude pour skieurs pas difficiles, hôtel de presque « luxe » dit Le Lana, musico-bar de l'Equipe, et puis, je crois, encore un ou deux hôtels de moindre importance. Ils sont comblés et prospères. Mais l'inactivité de l'été leur pesait et sans doute aussi le désir de posséder un établissement qui soit véritablement luxueux.

C'est fait avec le tout nouveau château de Faverges, délire second Empire au milieu d'un parc boisé en majesté. Ils ont dû engloutir une fortune pour assurer un excellent confort (très belles salles de bains) et une décoration à faire craquer la Castiglione et Eugénie. Je ne sais pas pourquoi, mais ce luxe ahurissant et pour le moins voyant m'a fait songer à un décor pour une musique d'Offenbach (oui je sais, elle est légère).

Je m'en voudrais pourtant de bouder un plaisir très différent et, pour un dépaysement, c'est un sacré dépaysement. Pour un bal costumé, ce serait admirable, mais au quotidien cela réussit l'exploit de très bien passer et même d'être agréable. Le tout est d'être averti. Et pour la première fois dans l'histoire des cuisines de la famille Tournier, la table est très bonne, originale même. Les gens qui débarquent ici par hélicoptère (il y a une hélisurface) ne demandent pas plus.

Monsieur et madame Tournier
Ouvert du 13/5 au 1/11
Tél. (74) 97.42.52
Faverges-de-la-Tour. 38110 La Tour-du-Pin. 36 chambres et 5 appartements. De 350 à 900 F. Parc. Piscine. Sauna. Equitation. Pêche. Chasse. Concerts. Petit déjeuner à 45 F. Menus à 120, 200 et 300 F. Carte à 350 F environ. Accès par A 48 ou A 43, sortie La Tour-du-Pin et D 145 C.

CHÂTEAU
DE TRIVIER

Trivier. Savoie

L'autre de Challes

Côte à côte, les châteaux de Trivier et de Challes ont participé à l'histoire de la Savoie. Les voici encore côte à côte participant à celle de Challes-les-Eaux, puisqu'ils en sont les deux grands hôtels. Enfoncé dans la verdure, ouvrant cependant sur un splendide panorama de montagnes, Trivier fait solide avec sa tour ronde, accueillant sous son toit haut pentu, et pacifique avec son parc et sa pièce d'eau.

Agréable à vivre en toute modestie, il est lui aussi, comme son voisin, en cours de rénovation, ce qui explique ici également le style parfois incertain de quelques chambres et leur confort lui aussi inégal. Mais le cœur y est, et je ne doute pas que dès l'année prochaine tout sera parfaitement en place.

Décidément, je sens qu'il va me falloir aller aux eaux de Challes.

Monsieur J. Clanet
Ouvert du 1/1 au 31/12
Tél. (79) 85.07.27
A Trivier. 73190 Challes-les-Eaux. 30 chambres. De 88 à 278 F. Parc. Petit déjeuner à 19 F. Menus à 60, 90 et 120 F. Carte à 180 F environ. Accès par N 6.

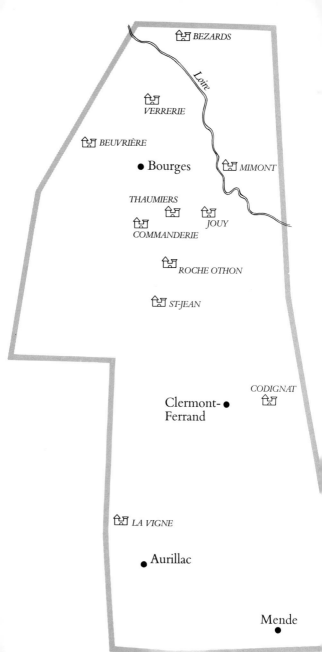

XI — CENTRE, BERRY, AUVERGNE

CHÂTEAU
DES BÉZARDS

Les Bézards. Loiret

Une fois fortune faite...

Cela ne relève pas de l'architecture mais plutôt de la sociologie : car il est bien vrai que ce n'est pas joli, joli que cette grosse chose pourtant sympathique devant laquelle on a l'impression qu'il pourrait bien y avoir un train. Un romancier verrait bien là le rêve enfin réalisé d'une fortune toute neuve vers la fin du siècle dernier ou au début du nôtre. Ça fait assis et confortable. Et je crois bien que le romancier aurait raison.

D'ailleurs, l'intérieur aussi touchant et, je le répète, sympathique que l'extérieur a plus d'ampleur, et la bibliothèque comme la salle à manger portent moralement des montres à gousset ornées de grosses chaînes sur leur ventre. Du côté des chambres, un décorateur de province a pillé les magasins de meubles spécialisés dans le style néo de toutes les époques : mais quelle propreté et quel vrai confort ! Cela pourrait me porter à rire, mais je sais bien des intérieurs très bourgeois meublés ainsi au cordeau et pour beaucoup d'argent.

Au moins, ce genre de château n'écrase-t-il pas par ses hauteurs, et la réception autant que le service y sont d'une efficacité et d'une courtoisie vraies. Quant à la table, elle se montre valeureuse et méritante, avec une pointe d'originalité intelligente. Et quel parc formidablement équipé !

Monsieur Liot
Ouvert du 1/1 au 31/12
Tél. (38) 31.80.03
45290 Nogent-sur-Vernisson. 43 chambres et appartements. De 200 à 500 F. Piscine. Tennis. Sauna. Salle de gymnastique. Parc. Petit déjeuner à 28 F. Menus à 89 et 150 F. Carte à 230 F environ. Accès par autoroute du Sud, sortie Dordives, N 7.

CHÂTEAU
DE LA BEUVRIÈRE

Saint-Hilaire-de-Court. Cher

L'Art au château

Je me suis toujours amusé de ces manoirs châteaux dont l'architecture hésite entre la forteresse et la résidence, voulant impressionner par des tours à mâchicoulis qui cachent des escaliers ou des cabinets de toilette alors que leurs larges fenêtres, pour être encadrées de pierre et croisillonnées de meneaux, prouvent qu'on y vit plus que l'on ne s'y enferme.

On en trouve beaucoup de cette manière en Val de Loire, et La Beuvrière pourrait être en Val de Loire justement par sa façon d'être. Ni forteresse, ni résidence, il se cherche aujourd'hui une vocation. Il l'a trouvée en partie en devenant centre d'art avec une galerie-salon de thé ouvrant sur un beau panorama.

Mais on peut y loger dans deux ou trois vastes chambres, un peu dépouillées, très provinciales selon Balzac, coquettes, gaies et pas mal équipées (sanitaires sans luxe mais nets). Sympathiques, sincères, il leur manque un rien de chaleur qui devrait vite venir. A remarquer cependant que les splendides salles en rez-de-chaussée sont souvent occupées par des séminaires. Alors priez pour qu'il n'y en ait pas un lors de votre passage !

Les châtelains, ici depuis plus de deux siècles, sont d'une courtoisie décontractée et touchante.

Monsieur et Madame de Brach
Ouvert du 1/1 au 31/12
Tél. (48) 75.14.63 et 71.56.72
La Beuvrière. 18100 Saint-Hilaire-de-Court. 5 chambres. De 200 à 250 F. Parc. Petit déjeuner à 20 F. Pas
de restaurant. (Attention, ce château n'est pas un hôtel
mais une demeure recevant des hôtes payants.) Accès
par Saint-Hilaire-de-Court par D 63 ou D 90.

CHÂTEAU
DE LA COMMANDERIE

Farges-Allichamps. Cher

Pour soi tout seul

Monsieur de Jouffroy aime les chevaux, et ceux qui
galopent en toute liberté ne sont pas là seulement pour
animer les prairies et les bois qui entourent la
Commanderie : je les soupçonne aussi d'être un peu une
de ses nombreuses raisons d'être.

Les pièces d'antiquité gallo-romaines mises en valeur
dans son délicieux salon bourré d'objets choisis doivent
représenter aussi une autre de ses passions.

Sa Commanderie aussi qu'il situe pour partie au
XVe et pour partie au XVIe, et qu'il semble assez aimer
pour en avoir fait une des plus intimes gentilhommières
que j'aie rencontrées dans mon tour de France.

Reste ce qui, pourtant, apparaît *a priori* comme le
« château » aux yeux du visiteur non averti. C'est une
sorte de folie digne autant d'Hugo que de Viollet-le-Duc,
née d'une inspiration d'un grand-père en mal de tourelles
à chapeaux pointus, de fenêtres à meneaux et de murs
dentelés. Cela aurait pu frôler le ridicule, mais l'homme
avait autant de moyens que de goût (de goût de l'époque,
bien sûr). Cela donne un ensemble assez riche, aussi
folklorique que pittoresque, qu'une collection de meubles
et de tableaux hors du commun enrichit jusqu'à la
noblesse.

Château dominant la « Commanderie », cela constitue un « appartement » comme on en trouve peu dans

l'hôtellerie de château, constitué d'au moins six à sept pièces, toutes plus châtelaines les unes que les autres, toutes à double exposition, ce qui est rarissime, vastes et hautes de plafonds, belles enfin. Tout cela pour le prix d'une seule chambre dans un palace de la Côte d'Azur. La vie de château a de ces surprises.

Comte et Comtesse de Jouffroy-Gonsans
Ouvert du 1/5 au 30/10
Tél. (48) 61.04.19 et 61.05.34
Farges-Allichamps. 18200 Saint-Amand Montrond. On peut louer une aile du château : pour 2 semaines 20 000 F et pour 1 mois 40 000 F. Accès par N 144 et D 92.

CHÂTEAU
DE CODIGNAT

Bort-l'Etang. Puy-de-Dôme

Le cinéma auvergnat

Tour au haut crénelé, toiture pointue à poivrière, situation haut perchée, silhouette se découpant sur le ciel... Victor Hugo aurait aimé le dessiner et Viollet-le-Duc — qui a bien dû passer par là — l'aurait adoré. Quant à Walt Disney, il y aurait fait habiter la reine sorcière de « Blanche-Neige ».

Né au XIIe siècle comme tour de guet en couverture d'un château voisin mais aussi afin de surveiller une carrière (autrement dit les mineurs) d'arkose (c'est un grès feldspathique très utilisé pour construire châteaux et églises d'Auvergne), Codignat fut toujours de petite noblesse même s'il appartint au cours du XVIIe à un certain d'Estaing, et s'il vécut heureux, ce fut sans histoire.

Abandonné depuis plus d'un siècle, redécouvert il y a une douzaine d'années sous un fouillis de ronces, il a été restauré avec un bel entêtement, sinon toujours avec beaucoup d'adresse. C'est vrai qu'il fait un peu cinéma, et plus encore à l'intérieur où l'on a l'impression du délire d'un décorateur d'Hollywood saisi par la Haute Epoque.

Cela tourne au kitsch, à l'humour pur, et les chambres meublées dorées et de couleurs tendres par des espagnolades insensées en deviennent étonnantes. Une fois le parti admis, on aurait tort de bouder ce plaisir et un confort certain (belles salles de bains), une cuisine au-dessus de la moyenne et un accueil délicieux.

Madame M. Barberan.
Ouvert du 26/3 au 2/11
Tél. (73) 68.43.03
63190 Lezoux Bort-l'Etang. 32 chambres et appartements. De 415 à 830 F. Parc. Piscine. Petit déjeuner à 35 F. Menus à 100, 160 et 250 F. Carte à 300 F environ. Accès par D 223 et D 212.

DONJON DE JOUY

Sancoins. Cher

Illusion perdue

La nature a des fantaisies de revanche : sur le plus haut d'un donjon assez fantastique, assez puissant encore pour qu'on ait l'impression qu'il est en train de renaître de ses propres ruines, un arbre pousse. Pour un spectacle comme celui-là, je prendrais les routes les plus impossibles.

Qu'on m'y promette en même temps une vieille demeure transformée en hôtel, et me voici fantasmant, m'imaginant logeant en compagnie de chouettes et de hiboux entre deux pans de murs enserrant la plus belle des chambres romantiques.

Hélas ! on s'est contenté des communs qui ont des allures de gare du second Empire à laquelle on a rajouté des tas d'annexes, de raccords, pour faire un petit hôtel gentil, confortable comme une « unité » de chaîne autoroutière ! On a maquillé en faux quelque chose de plus ou moins médiéval. Cela n'a rien à voir avec la vie de château, même si on peut y trouver un certain plaisir : des tennis à la piscine, il y a tout pour faire un « complexe » comme on les aime aujourd'hui pour les petits week-ends pas trop chers.

Quant à la seconde annexe qui se pique de néogothique (en photo, c'est plutôt payant), elle sent le moisi, les chambres sont dérisoires de prétentions et le mobilier ressemble à ce que l'on pourrait trouver chez un marchand de meubles réinventant le style Louis XVI et au moins jusqu'au Louis XXI , pour un palais impérial d'Afrique noire.

Les gens qui tiennent cet ensemble surréaliste sont gentils, pleins de bonne volonté, ficellent une cuisine de série mais saine. Mais pour ce qui est de la vie dans un donjon du XIIIe (c'est ce que laisse à penser la couverture du dépliant publicitaire), c'est à laisser au fond d'une oubliette.

Monsieur A. Authouart
Ouvert du 1/1 au 31/12
Tél. (48) 74.56.88
18600 Sancoins. 11 chambres et 4 appartements. De 190 à 310 F. Parc. Piscine. Deux tennis. Petit déjeuner à 25 F. Menus à 105, 165 et 180 F. Carte à 200 F environ. Accès par la route de Bourges à Saint-Pierre-le-Moutier et, à Sancoins, direction Neuilly-en-Dun.

CHÂTEAU
DE MIMONT

Pougues-les-Eaux. Nièvre

Une femme de tête

Longtemps ce très charmant et très précieux château de Mimont, bourré de meubles élégants et d'époque, eut une spécialité qui eut son moment de gloire parmi les rares voyageurs distingués à pratiquer le début de l'hôtellerie de château : on était prié de rentrer avant onze heures du soir !

Depuis, les jeunes gens qui dirigent cette adorable demeure — qui appartient toujours à leurs parents — ont assoupli cette dictature. Mme Prégermain-Alasnier, jeune femme aussi ravissante que de tête, mène à présent cette petite châtellenie construite peu après la Révolution sur les ruines d'une abbaye démantelée, avec un caractère qui, pour ne le céder en rien à celui de ses parents, est amène et plein de personnalité.

Elle juge vite ses hôtes, les estime plus ou moins dignes de découvrir les collections étonnantes de son salon où trônent de beaux meubles du XVIIIᵉ et du XIXᵉ, et dont certains, d'époque Directoire, annoncent une chambre ravissante dans le même style. Les autres chambres, bien agréables aussi et souvent assez élégantes, ont un petit quelque chose de suranné, de vieillot même, mais toujours elles sont pleines de grâce (sanitaires parfois démodés).

Madame Prégermain-Alasnier
Ouvert de Pâques à novembre
Tél. (86) 68.81.44
58320 Pougues-les-Eaux. 6 chambres et 1 appartement.
De 200 à 550 F. Parc. Tennis. Piscine. Petit déjeuner à
28 F. Pas de restaurant. Accès par N 7, Nevers.

CHÂTEAU
DE LA VERRERIE

Aubigny-sur-Nère. Cher

Subtiles transparences

Je ne doute pas un instant que tous mes lecteurs connaissent le roman d'Eugène Melchior de Vogüé, *Le Maître de la mer*. Cet académicien, aussi écrivain et poète, alors propriétaire de La Verrerie, a décrit son domaine d'une écriture précieuse, dans cette œuvre, lui attribuant le nom imaginaire de « château de Jossé ». Que pourrais-je alors ajouter sur cet ancien fief des Stuart (XVe) bien planté en lisière d'une forêt de chênes, sur sa galerie Renaissance particulièrement gracieuse, sur les tours puissantes mais bien civilisées et sur la chapelle dont il ne faut pas négliger les fresques du XVIe. D'ailleurs, le meilleur reflet de ce château me semble être celui de son étang, ou mieux encore de son propriétaire, Antoine de Vogüé, racé, parfois condescendant, subtilement courtois et d'excellente compagnie lorsqu'il y consent.

Si l'on veut bien se reporter à mes impressions « matérielles » sur le château du Gué Péan, on aura le double de ce que j'aurais pu dire sur La Verrerie à propos du mobilier et des objets. Les hommes en sont différents, je le souligne encore.

Comte et Comtesse Antoine de Vogüé
Ouvert du 1/4 au 1/11
Tél. (48) 58.06.91
Oizon. 18700 Aubigny-sur-Nère. 4 chambres. A 500 F.
Parc. Tennis, Baignade. Canotage. Equitation. Petit
déjeuner compris. Menus à 90 et 120 F (du 15/6 au 15/
10). Pas de carte. Accès par N 140 et D 89.

CHÂTEAU
DE LA ROCHE-OTHON

Hérisson. Allier

Fortissimo

Sur son roc, il ne cache pas qu'il a été forteresse et
qu'il lui faudrait bien peu pour qu'il ne le redevienne.
L'époque médiévale savait faire choix du meilleur lieu
pour établir ses châteaux. Ce n'est qu'au XVIIe que le
seigneur d'alors, Philippe de Villelume, « fit au château
les aménagements destinés à le rendre bourgeoisement
habitable ». Mais il lui laissa ses murs sobres, dépouillés
et sans ornements, et ses tours carrées. Des cheminées
monumentales Renaissance sont la marque de la première
« civilisation » de ce château fort.

Miraculeusement, la propriétaire d'aujourd'hui a
choisi d'en garder l'esprit, et c'est une petite merveille
de décoration inspirée du Louis XIII avec des touches
ravissantes d'idées contemporaines. Les lits à cantonnières
(chambre « rouge », chambre des « anges ») les fauteuils
« os de mouton », les tapisseries, les canapés modernes,
les lits à rideaux, les tables de monastère qui pourraient
basculer dans le ridicule de certaines puces parisiennes
créent une intimité faite à la fois de rigueur et de chaleur.
Sous les énormes poutres du grand salon, deux immenses
cheminées de pierre se font face se répondant de leurs
feux.

Quel endroit, quels instants ! Une réussite ! Et
quelle hôtesse attentive que Mme Leynaud. De son
enfance à la Roche-Othon elle en a gardé un attachement
qu'elle aime à faire partager, sans retenue aucune.

Madame Leynaud
Ouvert du 1/1 au 31/12 (sur réservation)
Tél. (70) 06.80.31 et 05.19.54
03190 Hérisson. 3 chambres et 2 appartements. De 365
à 500 F. Parc. Petit déjeuner inclus. Pas de restaurant,
mais possibilité de dîner pour les résidents. (Attention,
ce château n'est pas un hôtel mais une demeure recevant
des hôtes payants.) Accès par D 3 et D 157.

CHÂTEAU
DE THAUMIERS

Charenton-du-Cher. Cher

Sur les traces de De Gaulle

La vicomtesse de Bonneval a inventé la chaîne
« Château Accueil » afin, dit-elle, de faire connaître la
« France de l'intérieur ». Les propriétaires de châteaux
privés qu'elle a réunis ne se contentent pas de « loger »
des hôtes curieux de la vie de château et plus encore de
celle des châtelains. Elle veut avant tout « les aider
à découvrir les ressources architecturales, culturelles,
gastronomiques et sportives de nos régions ».

Thaumiers n'est donc pas pour elle une affaire
hôtelière mais plutôt une affaire de famille, puisque
depuis le XVIIIᵉ cette demeure, noble sans être hautaine,

est bien celle du nom. Cela vous a des allures de grandes vacances telles qu'on les pratiquait, qu'on les pratique encore partout avec des alliés, des cousins, des enfants, de génération en génération.

Un pas dans la bibliothèque découvre l'intimité et le goût des curiosités, un autre pas dans le salon et la salle à manger, admirablement meublés, fait effleurer toute une longue histoire racontée par tout : objets, tableaux et portraits rappellent que la France y fut servie aux plus hauts honneurs.

Les chambres ont plus de modestie et gagnent par leur sincérité familiale ce qu'elles n'ont pas besoin d'avoir en ce qui ne serait que vain exercice de style. De Gaulle vint ici, y dormit, en toute fidélité à son aide de camp, le colonel de Bonneval.

Mais la vie n'est pas ici uniquement au passé composé et Mme de Bonneval croit tout autant aux vertus de l'initiation au golf dans le parc, selon la méthode Swin inventée par un proche. Pour elle, un château n'est pas un musée, et le châtelain n'est pas un être d'un autre siècle égaré dans le nôtre. La pétulance, la gaieté de son accueil, son activité le prouvent assez. Nostalgiques seulement, abstenez-vous ! Ici, il faut exister.

Vicomte et Vicomtesse de Bonneval
Ouvert du 1/3 au 1/11
Tél. (48) 60.87.62
Thaumiers. 18210 Charenton-du-Cher. 5 chambres et 1 aile du château. De 320 à 550 F et 5 000 F par semaine. Tennis. Parc. Practice de golf. Baignade. Petit déjeuner compris. Pas de restaurant. (Attention, ce château n'est pas un hôtel mais une demeure recevant des hôtes payants). Accès par D 953 entre Dun et Charenton-du-Cher.

CHÂTEAU SAINT-JEAN

Montluçon. Allier

Dans le square

Un véritable jeu de piste m'a emmené dans les faubourgs de Montluçon à la recherche du château Saint-Jean. Je sais tout maintenant des quartiers dits résidentiels de toutes catégories de cette sous-préfecture. En débouchant devant un jardin public, un peu plus que square, mais pas tout à fait parc, j'ai cru m'être trompé. Mais au fond, derrière les pelouses, je le tenais mon château.

Pas laid à voir avec ses deux tours rondes, pointues ce qu'il faut pour signer le ciel. Difficile à définir car j'ai entrevu là, derrière la verdure grimpant le long des façades, un peu de Roman, un peu de Gothique dont l'authenticité éventuelle se cache sous les feuilles de lierre et de vigne vierge.

Pourtant, il y a une chapelle qui ne vole pas son passé : XIIe incontestable et beaucoup d'allure. On me l'a dite de Templiers et de chevaliers de Malte, ce que je veux bien croire. Devenue restaurant (on sait que cela ne m'emballe pas), elle ne triche pas non plus sur la qualité de ce que l'on y mange. C'est classique, régional (très Sud-Ouest), terrien, puissant, largement servi et opulent si l'on retient le tonnage de foie gras débité, selon son propriétaire, au mois.

Du côté de l'hôtellerie, cela pécherait plutôt par une rusticité « bonhomme en bois », une désuétude certaine, un suranné évident, un confort aléatoire et un accueil dubitatif.

Monsieur J. de Villesuzanne
Ouvert du 1/1 au 31/12
Tél. (70) 05.04.65
03100 Montluçon. 8 chambres. De 250 à 450 F. Jardin public. Petit déjeuner à 28 F. Menus à 125 et 185 F. Carte à 200 F environ. Accès par le parc Saint-Jean en ville.

CHÂTEAU
DE LA VIGNE

Ally. Cantal

Sur les monts d'Auvergne

On l'oublie facilement, mais la nature même se voit parfois (et heureusement) gratifiée d'une protection (elle en a bien besoin) de la part de l'Etat en se trouvant inscrite à l'Inventaire des Sites. Les fonctionnaires n'étant pas particulièrement des poètes, il faut donc attacher une extrême importance à ce qui a pu les émouvoir. Non pas parce qu'ils le désignent à notre attention — nous sommes assez grands pour avoir des émotions tout seuls — mais parce que c'est rarissime et événementiel. Or, les monts de haute Auvergne appartiennent à ce choix.

Je ne vois pas de meilleur endroit d'où admirer leur panorama grandiose que depuis le château de La Vigne, véritable forteresse médiévale sans concessions, heureusement adoucie par un corps de logis accolé pendant le XVIIIe comme pour faire pendant au donjon carré et aux deux tours rondes couronnées de chemins de ronde sur mâchicoulis.

Madame de La Tour, châtelaine jusqu'au bout des ongles (et j'utilise pour la seule fois ce titre de châtelaine auquel j'accorde une part de romantisme), a su donner beaucoup de chaleur à cette maison dont la personnalité et l'âme sont incontestables.

Fort heureusement aussi, les décors intérieurs sont témoins d'une vie riche à travers les siècles, et de la Haute Epoque au XVIIIe, ils parlent. Cela sans oublier la chapelle gothique avec des voûtes peintes du XVe-XVIe, et la salle de Justice en haut du donjon. De quoi écrire d'une certaine manière l'histoire d'une lignée.

Les chambres sont bien celles d'une vraie demeure et n'ont rien d'hôtelier : ce qui suppose une certaine originalité sécrétée par le temps (salles de bains normales), reposant sur des meubles ayant eux aussi vécu et portant

souvent beau. A noter une époustouflante chambre dite
« des troubadours » d'une Haute Epoque-Gothique
glorieusement incertaine.

Monsieur et Madame B. du Fayet de La Tour
Ouvert du 1/7 au 31/8
Tél. (71) 69.00.20
Ally. 18700 Pleaux. 2 chambres et 1 appartement. De
200 à 400 F. Parc. Tennis. Petit déjeuner inclus. Pas de
restaurant. (Attention, ce château n'est pas un hôtel
mais une demeure recevant des hôtes payants.) Accès
par D 2 (Ally-Pleaux).

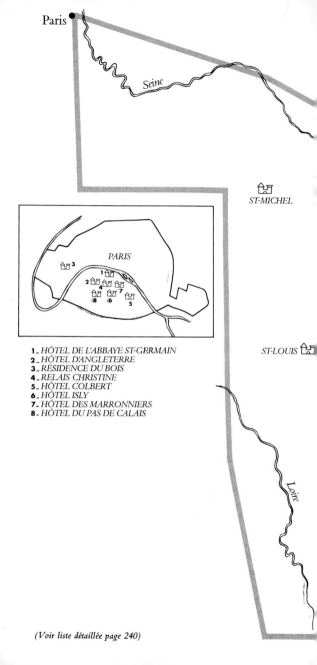

Paris

Seine

ST-MICHEL

ST-LOUIS

PARIS

1 _ HÔTEL DE L'ABBAYE ST-GERMAIN
2 _ HÔTEL D'ANGLETERRE
3 _ RÉSIDENCE DU BOIS
4 _ RELAIS CHRISTINE
5 _ HÔTEL COLBERT
6 _ HÔTEL ISLY
7 _ HÔTEL DES MARRONNIERS
8 _ HÔTEL DU PAS DE CALAIS

Loire

(Voir liste détaillée page 240)

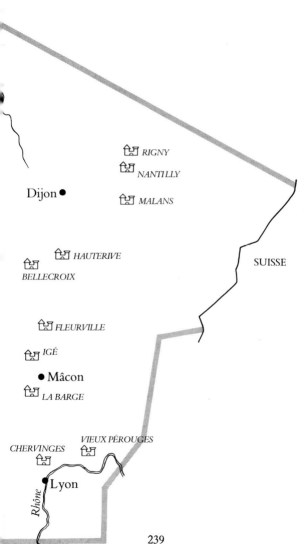

RIGNY

NANTILLY

Dijon •

MALANS

HAUTERIVE

BELLECROIX

SUISSE

FLEURVILLE

IGÉ

• Mâcon

LA BARGE

VIEUX PÉROUGES

CHERVINGES

Lyon

Rhône

239

XII — PARIS-LYON ET PARIS

ABBAYE
SAINT-MICHEL

Tonnerre. Yonne

... Et succombez à la tentation

Il ne m'était jamais arrivé de me réveiller devant une merveilleuse fresque du XIIIe siècle dans ce qui fut la cellule d'un « père » conservateur des cartes et documents. Ces fresques à la détrempe représentent une Crucifixion, dans une niche avec un bénitier, une Pentecôte et une Dormition de la Vierge.

A cela rien d'étonnant, puisque j'étais dans une ancienne abbaye bénédictine fondée au Xe siècle par Mille III. On y enterra saint Thierry en 1022. Une charte de l'évêque de Langres datant de 1161 donne toute juridiction à l'abbé de Saint-Michel sur les églises cinq lieues à la ronde. Jeanne d'Arc y trouva asile en 1429.

Daniel Cussac a un tel amour de « sa » maison, qu'il embellit, restaure, cherche et découvre chaque jour quelque chose. Il a retrouvé les souterrains, il cherche encore la crypte. Il a découvert des ossements car les moines de Saint-Michel ont eu le monopole des sépultures, et l'on pouvait se faire enterrer ici à condition d'abandonner tous ses droits et biens aux moines.

Dans le parc, un potager fournit les légumes frais à Christophe Cussac, fils de Daniel, et élève de Robuchon et des Troisgros. Il sait aussi baptiser ses plats avec humour : ainsi les « Escargots de Bourgogne chevalier d'Eon »... Hermaphrodite, dites-vous !

Vous vous régalerez de ces plats pleins de finesse dans une somptueuse salle à manger aux voûtes romanes dont les niches conservent d'émouvantes statues.

Et quand vous saurez que l'accueil est plein de chaleur et d'amitié, vous saurez tout. J'ajoute pourtant que les chambres sont fort jolies et confortables (très belles salles de bains).

Monsieur D. Cussac
Ouvert du 1/2 au 20/12
Tél. (86) 55.05.99
Montée Saint-Michel. 89700 Tonnerre. 7 chambres et 4 appartements. De 380 à 1 050 F. Parc. Tennis. Mini-Golf. Hélisurface. Petit déjeuner à 42 F. Menus à 100, 160, 190 et 220 F. Carte à 250 F environ. Accès par la ville.

CHÂTEAU
DE LA BARGE

Crèches-sur-Saône. Saône-et-Loire

Le rustique modeste

Il y a château et château, disais-je quelque part dans ce guide... C'est bien le cas ici. A moins qu'il ne suffise de quelques rares jolis meubles dans un salon, de quelques toiles portraits intéressantes pour le décor, et que pour le principal — la bâtisse — un peu de lierre posé sur des murs d'une banalité extrême et une date ancienne (1679) soient suffisants pour avoir droit à l'appellation de château.

Cela souligné, voici une auberge étape qui n'a pas honte du genre rustico-rustique (de la salle à manger aux chambres) à prix raisonnables et qui propose en toute simplicité une halte calme à deux pas d'une grand-route. Alors, en cas de besoin... c'est pas cher, gentillet, propret et mangeable. On a la vie de château qu'on peut, n'est-ce-pas ?

Monsieur et Madame Nebout
Ouvert du 15/1 au 20/12
Tél. (85) 37.12.04
Crèches-sur-Saône. 24 chambres et appartements. De 140 à 362 F. Parc. Petit déjeuner à 20 F. Menus à 60, 100, et 135 F. Carte à 150 F environ. Accès par N 6 et autoroute A 6 Crèches-sur-Saône.

HOSTELLERIE
DU CHÂTEAU
DE BELLECROIX

Chagny. Saône-et-Loire

Du Guesclin.. or not Du Guesclin

Une commanderie des chevaliers de l'ordre de Malte, cela vous impressionne, vous en impose et vous fait rêver. Sur celle-ci, la vigne vierge monte presque jusqu'au sommet des deux tours comme pour l'adoucir, la rendre plus modeste, moins guerrière, et l'on a alors envie d'être conquis, d'être amoureux, pourquoi pas, de cette demeure.

Mais je n'ai pas eu le coup de cœur que j'espérais. Allez donc savoir pourquoi ! Pourtant, Mme Gautier, qui règne sur cette maison, reçoit avec une amabilité et une gentillesse désarmantes. Elle aime parler de ses efforts pour relever le défi perpétuel qu'est cette maison et elle raconte même qu'une vieille légende veut que Du Guesclin y soit passé.

Depuis l'édification de la commanderie en 1199, le parc s'est réduit à deux hectares, mais il reste un agréable lieu de repos.

Les chambres sont plutôt petites, meublées d'un rustique coquet et pimpant réduit à l'essentiel, mais les quatre chambres rondes des tours sont plus grandes, et je connais nombre de jeunes ménages qui seraient heureux d'y vivre certains moments de leur voyage de noces. Les salles de bains sont elles aussi de taille modeste mais de bonne tenue.

Alors, je ne sais toujours pas pourquoi je n'ai pas eu de coup de cœur, d'autant que la carte est intéressante, à des prix convenables, et qu'à la vue du soin apporté à tenir l'établissement je ne peux imaginer que la table ne soit pas bonne ; je regrette même de n'avoir pu l'essayer.

Madame Gautier
Ouvert de début février à fin décembre
Tél. (85) 87.13.86
71150 Chagny. 16 chambres. De 180 à 400 F. Parc.
Petit déjeuner à 20 F. Menus de 75 à 135 F. Carte à
120 F environ. Accès par N 6 et V.O.

CHÂTEAU
DE CHERVINGES

Chervinges-Gleizé. Rhône
L'occasion perdue

J'ai toujours soutenu que le client, dans quelque hôtel que ce soit, serait-ce même un hôtel château, a le droit de demander à voir la chambre dans laquelle on prétend l'installer. Or, selon ma dernière expérience, il semblerait que ce ne soit pas le point de vue de la femme chargée de la réception au château de Chervinges. « C'est un trois-étoiles, m'a-t-elle signifié. Cela devrait vous suffire. »

Il se trouve que cela ne me suffit pas ! Mes vieux bons souvenirs de cette maison s'en sont trouvés effacés. Car enfin, n'est-ce pas justement le privilège de ces établissements de posséder des chambres réellement personnalisées ? N'est-ce pas le devoir des hôtes de mieux recevoir encore que dans l'hôtellerie de chaîne moderne ? Mais peut-être, après tout, n'est-ce plus tout à fait la vocation de cet endroit que de recevoir en seigneur ? Mme Rolland y passa, dit-on, et bien plus tard Peynet, le dessinateur du Tendre qui y a laissé un bien joli dessin... Sans doute y était-il en amoureux !

Monsieur R. Legros
Ouvert du 1/3 au 31/12
Tél. (74) 65.29.76
Chervinges-Gleizé. 69400 Villefranche-sur-Saône. 17 chambres et appartements. De 460 à 1 250 F. Parc. Piscine chauffée. Tennis. Discothèque réservée aux résidents. Petit déjeuner inclus. Menus à 150 F et 200 F. Carte à 300 F environ. Accès par Villefranche-sur-Saône.

MOULIN
D'HAUTERIVE

Saint-Gervais-en-Vallière. Saône-et-Loire

La « salle à manger »... dans l'île !

Le meunier et la meunière ne sont pas devenus hôteliers. Les hôteliers étaient infirmière et kinésithérapeute, jusqu'au jour où ils eurent le coup de foudre pour ce qui n'était alors qu'une ruine sur les rives de la Dheune.

Alors, pierre après pierre, ou presque, M. et Mme Moille ont restauré et reconstruit avec passion le vieux moulin. Au XIIe, les moines de l'abbaye de Cîteaux avaient créé le moulin à huile. Reconverti à farine au XVIIIe, il le restera jusqu'en 1962, mais il avait perdu sa roue pendant la Première Guerre mondiale et on ne la retrouva jamais.

Avec la même patience et la même ténacité Mme Moille a décoré les chambres très confortables de meubles le plus souvent rustiques et en accumulant les trouvailles et les inventions comme dans les salles de bains. Tout cela a été fait avec beaucoup d'humour et de drôlerie. On sent qu'elle a su rencontrer les objets plus que les chercher et créer alors autour d'eux un climat et une ambiance qui correspondent tout à fait à l'accueil que l'on reçoit dès que l'on franchit le seuil de cette maison où l'on sent les gens heureux de vous voir.

Une carte bien conçue et des vins bien sélectionnés que l'on peut même trouver en demi-bouteille.

Et, joie sublime, quand le temps le permet, les repas sont servis sur la petite île du bief du moulin...

Embarquons !

Monsieur et Madame Moille
Ouvert du 1/2 au 30/11
Tél. (85) 91.55.56
71350 Saint-Gervais-en-Vallière. 14 chambres et 2 appartements. De 180 à 350 F. Parc. Tennis. Pêche. Sauna. Spa. Piscine en construction. Petit déjeuner à 22 F. Menus à 80 et 160 F. Carte à 200 F environ. Accès par A 6, sortie Beaune, et direction Verdun-sur-le-Doubs, puis D 183 à Saint-Loup-de-la-Salle.

CHÂTEAU
DE FLEURVILLE

Fleurville. Saône-et-Loire

Ni fleurs ni couronnes

« Monsieur, avant même que de choisir votre chambre et le temps de faire approcher vos bagages hors de votre voiture, vous plairait-il que Mozart vous fasse patienter ? »... C'était il y a une dizaine d'années dans ce qui était alors le délicieux château de Fleurville.

Ce temps-là est fini puisque le vieux monsieur doit avoir disparu. Ses successeurs croient tenir une pension, imposent des horaires de rentrée le soir, bougonnent à propos de ceux du restaurant et oublient de tenir impeccablement des chambres en désuétude. Encore heureux quand ils ne bouleversent pas votre réservation. Un vrai bouquet d'épines !

Monsieur Naudin
Ouvert du 1/3 au 20/11 et du 15/12 au 31/1
Tél. (85) 33.12.17
71260 Fleurville. 15 chambres. De 170 à 270 F. Parc. Petit déjeuner inclus. Menus à 85 et 185 F. Accès par N 7 entre Mâcon et Tournus.

CHÂTEAU D'IGÉ

Igé. Saône-et-Loire

Idées

La vigne vierge rousse et le lierre tout vert, en s'agrippant à ses murs et en dégringolant en cascades depuis les balcons, ont vraiment fait perdre toute son agressivité à ce château jadis fortifié par les comtes de Mâcon vers le XIIIᵉ siècle. Les tours elles-mêmes ont beau faire état de leurs rondeurs puissantes, elles ont bien du mal à faire peur sous leur toit à peine pointu qui les coiffe comme un bonnet de nuit. Et les fenêtres dans leurs œuvres vives semblent plutôt leur avoir ouvert des horizons nouveaux qui n'ont rien à voir avec ceux de la guerre.

D'ailleurs, le cher M. Jadot, professeur de son état, me semble-t-il, et philosophe par nature, adore vivre en paix et ne se cache pas de vouloir faire partager ce point de vue face aux monts du Mâconnais, devant les vignobles, les prés et les bois. Avec une longue, très longue patience, il a rendu ses grandeurs intérieures — toutes modestes, car ce n'est pas un palais — à des salles bien carrées sous leurs énormes poutres qu'il a voulu meublées par des bois Haute Epoque et Louis XIII qui conviennent parfaitement à l'esprit du lieu. Tout au plus a-t-il peut-être abusé (mais il n'est pas le seul) du grattage des pierres : les enduits à la manière du temps n'étaient pas mal non plus... Evidemment de belles tapisseries seraient encore plus dans le ton, mais tel quel c'est extrêmement réussi, sans fautes.

Les chambres et les appartements qu'il a eu la bonne idée de créer dans les tours, occupés pour la plupart par un mobilier proche, de formes simples et de jolis bois, souvent inspiré du Louis XIII, avec leurs dallages anciens cirés, montrent encore qu'il y a ici un sens absolu du bien-vivre sans manières. La très curieuse chambre montée dans l'ancienne chapelle, avec ses couleurs tendres, fait un peu « cocotte » mais le kitsch, à ce niveau-là, c'est presque de l'humour (confort impeccable des salles de bains). La table a de la sincérité, mais il me semble qu'elle aurait tendance à devenir plus délicate : ce qui complète des plats bien du terroir comme les escargots (élevés dans le jardin), les truites (sorties du vivier) et le bœuf bourguignon (en hommage aux vins d'alentour).

Monsieur H. Jadot
Ouvert du 16/3 au 4/11
Tél. (85) 33.33.99
Igé. 71960 Pierreclos. 6 chambres et 6 appartements.
De 300 à 550 F. Parc. Petit déjeuner à 35 F. Menu à 150 F. Carte à 170 F environ. Accès par A6, sortie Mâcon-Sud, direction Cluny et D 82 vers Azé.

CHÂTEAU
DE MALANS

Malans. Haute-Saône

Honni soit qui...

Maison forte au Moyen Age dont la tour carrée servira de motif pour construire un château Renaissance en 1592 ! précise le propriétaire, le tout est restauré, n'ayons pas peur des mots, en 1850 par un M. de L'Allemand qui sera un peu plus tard l'ambassadeur de Napoléon III en Chine. Et dernière restauration il y a quelques années à peine par l'actuel châtelain.

C'est dire que l'ensemble pourrait servir de décor à Cecil B. de Mille, surtout quand on découvre à l'intérieur une chambre cambodgienne, une chambre japonaise, une chambre iranienne, et j'en néglige. Mais je n'oublie pas les meubles et les objets achetés probablement chez les « antiquaires » qui ont su guetter le touriste dans tous les pays visités par le remuant et itinérant propriétaire.

Si l'on sait que pendant la période d'ouverture le service est assuré par des jeunes filles au pair qui prennent soin des hôtes payants et que la piscine ressemble à un récipient peint en bleu du style trou, on ne saurait écrire un livre sur cette maison comme, paraît-il, en feront l'objet les plafonds peints, à caissons, et les parquets travaillés et somptueux.

Mais je ne peux cependant terminer sans vous dire que les salles de bains sont labyrinthiques et qu'il n'y a pas de restaurant.

Ah ! l'accueil… ? Châtelain, Quoâ… !

Monsieur G. Hoyet
Ouvert du 15/5 au 15/9
Tél. (84) 31.23.19
Malans. 70140 Pesmes. 10 chambres. A 250 F. Parc.
Piscine. Petit déjeuner inclus. Accès par D 112 et D 181.

LE RELAIS
DE NANTILLY

Nantilly. Haute-Saône

Une fontaine de charme

Il y a des moments où tout est sourire. Une addition d'impondérables, une accumulation de petits riens, et l'on est sous le charme. Déjà les bords de l'étang de Gray évoquaient les souvenirs des promenades de Voltaire ou de Rousseau, de Mme de Staël ou de Mme Récamier.

Et c'est là que l'on trouve la charmante construction du milieu du XIXᵉ, néoclassique, sobre et élégante, avec au fronton un ravissant écusson représentant une fontaine entre deux personnages debout. L'image même de cette fontaine de charme qu'est le Relais de Nantilly où il est impossible de ne pas être séduit par le parc que traverse

une petite rivière comme on l'est par l'accueil de M. et de Mme Guerre qui, avec un courage fantastique, ont réparé cette demeure en partie détruite par un incendie il y a deux ans.

Les nombreuses boiseries d'époque sont entretenues et surveillées avec tendresse. Les chambres sont en général spacieuses et les plus petites font oublier leur espace un peu restreint par une décoration pleine de goût. (Il en est de même des salles de bains.) Quant à l'ameublement, il est fonctionnel et confortable avec parfois un peu de sévérité. Un fauteuil ou une table supplémentaires seraient alors les bienvenus.

La carte du restaurant est très tentante, et quand on voit la propreté des lieux et le soin méticuleux apporté à l'installation d'une vraie cave du jour rationnelle et intelligente, la tentation est encore plus forte.

Alors, je pense que vous aurez, vous aussi, envie d'aller vous désaltérer à cette fontaine de charmes.

Monsieur et Madame Guerre
Ouvert de fin mars à fin octobre
Tél. (84) 65.20.12
Nantilly. 70100 Gray. 24 chambres et 1 appartement.
De 280 à 850 F. Parc. Piscine. Tennis. Petit déjeuner à 35 F. Menus à 160 et 180 F. Carte à 200 F environ.
Accès par D 2 à partir de Gray.

CHÂTEAU DE RIGNY

Rigny. Haute-Saône

Un inventaire... sans poète

Avec la Saône qui coule à ses pieds, ce château occupe une situation à faire rêver. Rêver de son passé de forteresse de la fin du XIIIᵉ à la fin du XVIIᵉ. Plus tard, il servira de refuge à Prud'hon et, plus tard encore, le général de Gaulle le visitera quelques jours avant sa mort, mais il n'y couchera pas. Il y aurait découvert, comme nous,

Une chaise à porteurs sur une cheminée,

Une chambre chinoise,

Une collection de tableaux d'un certain Dubois.

Des meubles rustiques copies de copies,

Des lits « Directoire » indéfinissables,

Une très belle tapisserie d'Aubusson,

Une chambre 1900 à rendre Majorelle fou de jalousie.

Des chambres mansardées au ras de la tête.

Inutile donc de revenir sur l'ameublement, vous l'avez deviné, mais oserai-je vous dire que les salles de bains sont souvent exiguës, allant jusqu'à se cacher en pièces détachées dans des placards, et que l'une même se plante avec orgueil dans l'une des chambres.

Les plats figurant au menu se veulent invention, mais ils n'y arrivent pas toujours : table honnête.

J'allais oublier la devise du château, effacée ou détruite à la Révolution : « Pour sa fidélité, Rigny ne paye rien au roi. » On ne paie pas grand-chose non plus au service d'entretien !

Enfin, l'accueil courtois et souriant est bien dans le style de la maison. Lui aussi, il se cherche.

Monsieur et Madame Maupin
Ouvert du 1/2 au 7/1
Tél. (84) 65.25.01
Rigny. 70100 Gray. 24 chambres. De 250 à 380 F. Parc. Tennis. Etang. Petit déjeuner à 23 F. Menus à 110 et 180 F. Carte à 200 F environ. Accès par D 2 à partir de Gray.

HÔTEL
SAINT-LOUIS

Autun. Saône-et-Loire

L'aller et retour de Napoléon

Si l'on en croyait toutes les plaques qui, sur les vieilles auberges, rappellent que Napoléon y a dormi, on finirait par croire qu'il a passé sa vie à essayer nos hôtels pour leur postérité. Néanmoins, son double passage dans ce bon vieil hôtel pittoresque d'Autun est attesté par des comptes rendus officiels. En 1802, il se rendait à Lyon avec Joséphine, et on a noté que les dames de la société se déguisèrent en servantes, plats à la main, afin de mieux l'approcher, à la grande distraction de sa compagne. En 1815, sur son chemin de retour d'Elbe, il y coucha encore, mais après une entrevue assez dramatique avec le conseil municipal qui ne lui était pas favorable. S'est-il alors souvenu de son parcours, puisqu'il avait été ici en pension chez les jésuites avec Joseph, avant Brienne ?

Toujours est-il que sa chambre existe, à votre disposition, avec deux lits bateaux en alcôve : de style Empire, bien sûr... mais à l'époque l'était-elle ? Car enfin, les hôteliers s'étaient-il déjà meublés « moderne » ? Les autres chambres de ce bon hôtel provincial sont aussi charmantes, plus agréables encore lorsqu'elles donnent

sur le patio. La cuisine ne s'embarrasse pas de fioritures à la mode mais fait dans le classique : on s'en serait douté (salle à manger agréable, élégante et curieuse rotonde salon).

Et, histoire pour histoire, clients glorieux pour clients glorieux, depuis que cette maison à l'apparence extérieure très « relais de poste » des années trente existe (c'est-à-dire 1696, alors à l'enseigne de *L'Auberge des bons enfants*, après avoir été résidence d'un grand avocat qui l'avait fait élever en 1655), elle a reçu, dans le désordre, le duc d'Orléans, la reine Christine, le comte de Paris, George Sand qui y fit un fâcheux repas dont elle se vengea.

Monsieur H. Barra
Ouvert du 15/3 au 15/11
Tél. (85) 52.21.03
6, rue de l'Arbalète. 71400 Autun. 53 chambres. De 84 à 305 F. Petit déjeuner à 20 F. Menus à 67, 80 et 115 F. Carte à 160 F environ. Accès par le centre ville.

OSTELLERIE
DU VIEUX PÉROUGES

Pérouges. Ain

Vous avez dit : cinéma ?

Que restera-t-il de ce vieux bonze du radicalisme que fut Edouard Herriot ? Des caricatures féroces de Sennep, une collection de pipes, une intelligence brillante et fulgurante, mais aussi le mérite d'avoir sauvé Pérouges de la démolition. Cité médiévale riche de franchises communales dès le XIIIe, au duché de Savoie qui fit sa fortune au XIVe, berceau de Favre de Vaugelas — grammairien célèbre —, ruinée par l'industrie, oubliée par le chemin de fer, abandonnée par ses habitants qui n'étaient plus qu'une centaine en 1900, elle faillit être détruite... Sans Herriot, c'était sa fin.

C'est un autre Moyen Age que celui de Carcassonne, moins imposant de l'extérieur, plus réel de l'intérieur : ainsi vivait-on, alors. Il ne manque même pas un « hortulus », ce petit jardin divisé en carré d'amour, carré médicinal, carré potager. Et, bien sûr, il y a l'ancienne hostellerie (du XVe), elle aussi restaurée et devenue... Ostellerie.

Décor, dira-t-on en voyant cet ensemble ; certes, mais d'époque, et le cinéma ne s'y est pas trompé. Combien de « Trois Mousquetaires » a-t-on tournés là ? Plusieurs, je crois. Et aussi, entre autres, le *Monsieur Vincent* de Fresnay. Décor aussi que celui de l'Ostellerie. Bressan avec une collection de faïences anciennes, d'étains, pour le restaurant (cuisine riche et rapide) où les serveuses gardent le costume régional. Farouchement ancien dans les très belles chambres à lits à baldaquin, meubles d'époque et salles de bains en marbre (attention, celles situées dans le manoir, annexe, sont jolies mais moins cossues).

Ambiance souvent bousculée pendant les week-ends au moment du déjeuner ; tout se calme dès la nuit tombée. Silence on tourne... ou plutôt on fait des tours et des tours dans les rues désertes qui font des flash-back sur leur passé.

Monsieur et Madame Georges Thibaut
Ouvert du 1/1 au 31/12
Tél. (74) 61.00.88
Place du Tilleul, Pérouges. 01800 Meximieux. 25 chambres. De 320 à 570 F. Petit déjeuner à 33 F. Menus à 115, 150, 170, 190 et 220 F (+ 15%). Carte à 220 F environ. Accès par Meximieux et GC 4.

HÔTEL DE L'ABBAYE SAINT-GERMAIN

Paris, VIe

L'Invitation au voyage

« Là, tout n'est qu'ordre et beauté, Luxe, calme et volupté. » Et l'on ne trouve rien à dire, tant il y a à voir, à regarder. Cette demeure du XVIIe siècle, ancien couvent rénové, vous laisse muet d'admiration. Tout y est élégant, sophistiqué, parisien en diable et apaisant. L'entrée est somptueuse avec sa cour en retrait de la rue, remplie de palmiers, et un somptueux bouquet vous accueille derrière les portes vitrées... « Les plus rares fleurs Mêlant leurs odeurs Aux vagues senteurs de l'ambre... » Les tableaux sont choisis avec goût, comme cette belle grisaille posée sur la voûte de pierre au-dessus du bureau de réception, ou cet autre, de l'époque 1900, dans une alcôve, plus loin, représentant le chagrin d'amour d'une jeune fille. L'accent velouté et latin de mon accompagnateur ne fait que consoler la douceur de ce lieu : « Madamé Láfortóuna choisit toút avec sá décoratricé », me confie-t-il fièrement. Plusieurs petits salons : salon de repos, dans les tons noir, blanc-or, avec canapés façon léopard... « Les riches plafonds, Les miroirs profonds, La splendeur orientale, Tout y parlerait A l'âme en secret Sa douce langue natale... », salon jardin d'hiver... « Les soleils mouillés de ces ciels brouillés Pour mon esprit ont les charmes... », car c'est bien le ciel, ainsi qu'un petit jardin gorgé d'eau (havre de repos) que l'on aperçoit derrière les rideaux-plantes de ce salon jardin où, enfoncé mollement dans ces canapés en rotin blanc, assortis de coussins verts, vous vous apprêtez à partir en voyage... « Des meubles luisants, Polis par les ans, Décoreraient notre chambre... » Et c'est bien d'acajou, de lit en cuivre ou en rotin dont il est question dans ces chambres toutes différentes (à lit double), et chacune dans des camaïeus jaune, bleu, rose thé, beige... salles de bains assorties. Les portes sont peintes en imitation marbre, onyx, agathe : « ... De tes traîtres yeux, Brillant à travers leurs larmes... », certaines ouvrant sur un patio, ou un jardin privé, orné d'une Diane chasseresse.

Alors, venez vite découvrir ce petit hôtel écrin que les journalistes, les artistes, les écrivains se disputent car... « Mon enfant, ma sœur, Songe à la douceur, D'aller là-bas vivre ensemble, Aimer à loisir, Aimer et mourir, Au pays qui te ressemble ! »

Madame Lafortune
Ouvert du 1/1 au 31/12
Tél. (1) 544.38.11
10, rue Cassette. 75006 Paris. 45 chambres. De 370 à 430 F. Petit déjeuner inclus. Pas de restaurant.

HÔTEL
D'ANGLETERRE

Paris, VIe

La Culture ne répond pas

La culture ne rend pas affable. C'est dans le non-dit et le sous-entendu qu'on opère. Témoin cette ancienne ambassade d'Angleterre aux portes superbes en bois à l'entrée, à l'aspect cossu et raffiné, transformée en très bel hôtel, toujours rue de la Culture et des Arts : rue Jacob. Et quand je demandais quelques renseignements sur l'hôtel en question, on estima n'avoir rien à en dire puisque tout se passe de bouche à oreille ici, cela va de soi. On me présenta un guide de Paris, comme à un touriste, afin que j'y dénichasse ce que bon me semblait, pensant sûrement que je ne savais pas lire. Alors, tant pis, je ferai ma visite sans eux. Face à la réception, un petit bar en bois et cuivre tout neuf, avec une salle à manger ornée d'un joli buffet. Dans le prolongement, un salon confortable et moelleux, avec un piano à queue, et qui donne sur la rue, digne des appartements bourgeois du VIIe arrondissement qui n'est pas loin. A l'arrière, un patio verdoyant avec une petite fontaine qui vous ferait vite oublier que vous êtes en plein cœur de Paris, si l'air un peu « coincé » du Monsieur et de la Dame à la réception ne vous rappelait à la réalité. J'avais envie de leur conseiller de relire Proust plus attentivement, mais c'était trop méchant, et l'hôtel de même que la clientèle semblaient valoir mieux. De plus, Hemingway étant passé chez eux (le nom était mentionné sur le guide), alors je n'avais qu'à taire mon analphabétisme. Si ce baroudeur leur avait fait l'honneur d'une visite entre deux voyages et dix mille hôtels, imaginez ce que doit être la suite... Elle fut laconique, et l'on ne m'accorda pas de voir les chambres qui, pourtant, mentionne toujours le guide en question, « sont immenses, très hautes de plafond, dotées de vrais grands lits pour y dormir à deux et de luxueuses salles de bains ». Mais vous le saviez déjà, bien sûr.

Société Pan Japan Entreprise
Ouvert du 1/1 au 31/12
Tél : (1) 260.34.72
44, rue Jacob. 75006 Paris. 31 chambres. De 180 à 450 F. Petit déjeuner à 20 F. Pas de restaurant.

RELAIS CHRISTINE

Paris, VIe

Quand un garage se fait galerie

· Des anges et des lions en pierre vous attendent dans cette cour verdoyante aux balcons fleuris. Ils vous rappellent que cette demeure, transformée en hôtel de luxe il y a seulement trois ans, était jadis une abbaye où la fille d'Henri IV priait : Christine. La décoration (que l'on aime ou pas) est faite avec grand soin et en toute connaissance de cause. Le salon, tamisé, est en boiserie claire, agrémenté d'une série de portraits du XIXe siècle, de fauteuils clubs en cuir marron, de tables basses et rustiques en bois solide et lustré. Car le bois prime, ici, et de toutes les époques : rampes Louis XIII qui courent dans les étages et vous conduisent dans des sous-sols

sompteux de caves voûtées et classées, meubles d'époque ou rustiques, lutrins, sculptures de saints et de rois, coffres de boucanier à serrure indéchiffrable... Il faut ajouter à cela d'authentiques tapis, de véritables tableaux et des poutres peintes à la réception. Les duplex, au troisième étage, travaillent de la charpente et des couloirs mansardés, et l'ensemble est parfaitement aménagé (couvre-lits cossus, têtes de lit en bois peint, rideaux en piqué blanc — prière de ne pas se cirer les chaussures avec —), le tout dans des tons brun, ocre, roux, beige (tissus, moquettes, papiers japonais). L'accueil de M. Sudre est des plus charmants ; il espère trouver pour chaque chambre au moins un meuble d'époque et vous assure en riant que certains de ses clients sont d'étranges phénomènes avec lesquels il faut savoir se montrer ferme, comme celui qui voulait que l'on peignît sa chambre en blanc, ou cet autre que l'on dut retenir de ne pas déménager les meubles de sa chambre dans le couloir, ne les supportant plus, confondant sûrement cloître avec palace. Nous sommes rive gauche, Monsieur, l'auriez-vous oublié ? Mais même si l'on tient au cachet Louis XIII, ici, tout est constamment refait. Les chambres sont spacieuses et à hauts plafonds à poutres apparentes, six ou sept d'entre elles donnent, en rez-de-chaussée, sur une grande pelouse au silence monacal, (salles de bains neuves). Mais la surprise reste encore le garage, sorte de loft tapissé de tableaux. Un choc pour moi de voir nos peintres contemporains trôner au milieu des voitures. Ne comptez pas sur moi pour vous donner les noms. M. Sudre se sent un peu gêné.

Pourtant, son garage ressemble à bien des galeries rive gauche, et fait la pige aux Américaines in, la prétention en moins. Hôtel original, pour artistes, donc, cela va de soi.

Messieurs Sudre et Blondeau
Ouvert du 1/1 au 31/12
Tél (1) 326.71.80
3, rue Christine. 75006 Paris. 30 chambres et 17 appartements. De 580 à 1 150 F. Petit déjeuner à 40 F. Pas de restaurant.

HÔTEL
LE COLBERT

Paris, V^e

M. Georges et son chat veillent sur vous

Si vous êtes amateur de Notre-Dame, de silence, d'hôtel rénové au vieux cœur de Paris, avec une jolie cour tranquille, de petites chambres et salles de bains (sans grand goût, à mon avis), et qu'en même temps vous aimiez à confondre de façon anachronique le roman noir, le film d'horreur, le Moyen Age et Louis XVI, le tout dans un genre pension de famille pour étrangers, alors n'hésitez pas. C'est à l'hôtel Colbert qu'il vous faudra descendre. Le salon est rempli de chaises et de fauteuils Louis XVI (Barbès), les fenêtres des chambres donnent presque toutes sur la cathédrale ; quant à Christopher Lee, c'est là qu'il aimait à séjourner, au sortir du château des brumes d'épouvante du docteur Frankenstein. A la réception M. Georges vous attend, ou plutôt se fait long, mais reviendra, un sandwich à la main, en compagnie de son chat noir dont les yeux plaisent tant aux sorcières. Ici, tout se passe à la bonne franquette, dans le calme « plan-plan », comme au début des « gothicnovels » anglais. Après, je ne sais pas... Mais la clientèle, tant suédoise qu'américaine (du Nord et du Sud) semble apprécier cet endroit un peu insolite, voire troublant. Et M. Georges, à la barbe blanche et au regard fixe, à force de voir couler la Seine ou d'observer les gargouilles de Notre-Dame du coin de la rue Colbert, s'il arrive à vous inquiéter, ne vous laissera pas indifférent. Sa décontraction vis-à-vis de Sartre et de Beauvoir (encore une fois !) de passage à l'hôtel vous convaincra. D'ailleurs, il n'en était plus très sûr (à la fin du sandwich) qu'ils soient finalement venus !

Monsieur Cantaloup
Ouvert du 1/1 au 31/12
Tél. (1) 325.85.65
7, rue de l'Hôtel-de-Colbert. 75005 Paris. 38 chambres.
De 258 à 588 F. Petit déjeuner à 21 F. Pas de restaurant.

HÔTEL D'ISLY

Paris, VIᵉ

L'anonymat en sus

On dit que Wagner a habité ce très ancien immeuble. En fait, c'était à côté, mais qu'importe ! C'est charmant, modeste, bien entretenu, avec encore ici, quartier oblige, la culture en sus. Toutes les chambres sont différentes, les salles de bains claires et fraîches, le salon-hall d'entrée moderne et les couloirs tapissés de croisillons grèges, l'ensemble un peu petit. On a mis du double vitrage pour ne pas déranger Wagner. Et dans la chambre verte et blanche (palmiers sur les murs et verdure aux rideaux) ou dans la même, mais en bleu, à moins que ce ne soit dans le petit appartement poulailler (salon, chambre à fleurettes, belle salle de bains, le tout mansardé), je me demande si ce n'est pas là que le grand compositeur a trouvé l'inspiration qui lui fit modifier la conception de l'opéra traditionnel, liant poésie et musique, tant il est vrai que les grandes idées naissent dans les volutes des tapisseries. Bien sûr, en plein cœur de Saint-Germain, les intellectuels y affluent, ainsi que les artistes, et même les banquiers, m'assure-t-on, enfin beaucoup d'étrangers, mais la gentille soubrette qui me conduit de pièce en pièce n'est pas prête à me donner les noms. Ici, on respecte l'anonymat, on le cultive. Mme Hédir n'étant pas là, raison de plus pour ne pas se vanter. L'accueil y est agréable, l'atmosphère sans tapage, car, sans mots dire, on se connaît.

Madame Hédir
Ouvert du 1/1 au 31/12
Tél. (1) 326.64.41, 326.32.39 et 326.59.96
29, rue Jacob. 75006 Paris. 37 chambres et 1 appartement. De 253 à 460 F. Petit déjeuner à 23 F. Pas de restaurant.

LES MARRONNIERS

Paris, VIᵉ

La volière littéraire

En retrait de la rue Jacob, ce petit immeuble classé a toujours été un hôtel, et ce, depuis Henri IV. Calme, secret, on a l'impression d'être dans une volière quand on s'installe pour le petit déjeuner dans la véranda verrière, à l'arrière. Des arbres et des plantes, un fouillis de verdure plein de charme, et les piaillements de moineaux, des moquettes à ramages, des oiseaux partout, sur les tapisseries et les rideaux campagnards, mais les plus vrais, les plus authentiques sont ceux qui viennent picorer, en quête de paradis perdu et de vert à tout prix, loin de la poussière des livres. Je veux parler de cette espèce qui, lassée de digérer et de manger du papier, se pose là pour un moment : le Seuil et sa clique ailée. Il y a trois passages. On peut les voir à la jumelle : le matin, la plume hirsute et non encore lissée, à midi pour un en-cas œufs brouillés-jambon — il faut rester léger pour voler —, le soir, après le travail, pour un apéritif obligatoire, parce que l'on n'a jamais fini de piailler lorsque l'on appartient à la même famille de gallinacés. Car ici, que l'on soit des Etats-Unis ou d'ailleurs, on se retrouve entre littéraires ou artistes. Cela sous-entend que l'on aime les cachettes, le risque et le clinquant faisant peur. Alors, on s'isole pour des rendez-vous culturels dans les caves voûtées et classées, au beau mobilier de chêne astiqué (il vient de Bretagne). Les Américains en sont fous. C'est tout le parisianisme de gauche qu'ils trouvent en ouvrant les portes de leurs chambres mansardées, de leurs salles de bains riquiqui, et tant pis pour leurs ailes trop longues, quand on fait partie de la culture, il faut savoir y laisser quelques plumes. L'accueil est réservé. En êtes-vous vraiment, se demande-t-on ?

Monsieur D. Hennevaux
Ouvert du 1/1 au 31/12
Tél. (1) 325.30.60
21, rue Jacob. 75006 Paris. 39 chambres. De 170 à 363 F. Jardinet. Petit déjeuner à 21 F. Pas de restaurant, mais petits plats rapides et amusants sur demande.

HÔTEL
DU PAS-DE-CALAIS

Paris, VIᵉ

Profession : hôtelier

Lorsque je suis arrivé dans cette vieille maison du XVIIIᵉ siècle, M. Teissèdre était aux prises avec une chaudière défectueuse. Cela ne l'a pas empêché de me faire faire la visite des lieux. L'ensemble est résolument moderne (canapé de cuir fauve à l'entrée, laque, cuivre, tapisserie en daim roux), confortable, bien entretenu, dans des tons marron, beige, rouille. Les chambres, pas très grandes, ne sont jamais semblables (aussi bien dans l'arrangement que dans la décoration), car le directeur a essayé de tirer parti de tous les recoins de cet hôtel particulier où Chateaubriand séjourna en 1820, avant qu'il ne devînt un hôtel. Une vitrine présente les différents documents d'époque, dont une facture qui fait état de la transformation en hôtel. Les couloirs m'ont paru un peu sombres, et les salles de bains, bien que modernes, trop petites. Mais si Sartre, Beauvoir, Merleau-Ponty, Jacques Laurent, Anouk Aimée défilèrent dans l'hôtel, M. Teissèdre n'en a pas perdu son professionnalisme pour autant. Il sait qu'il est voisin des Editions Grasset, mais ne prend pas les tics des « cultureux » pour autant, comprenant pourtant que la renommée environnante travaille pour lui, ainsi que le prestige de sa rue. Un joli jardin intérieur permet de prendre le petit déjeuner dehors en été. Pour une clientèle d'étrangers ou artistes... Enfants de tous pays...

Monsieur et Madame Teissèdre
Ouvert du 1/1 au 31/12
Tél. (1) 548.78.74
59, rue des Saints-Pères. 75006 Paris. 41 chambres. De 255 à 305 F. Petit jardin. Petit déjeuner à 16 F (inclus dans le prix de la chambre). Pas de restaurant.

LA RÉSIDENCE
DU BOIS

Paris, XVIe

Chez les « Fochés »

L'avenue Foch et ses hauts arbres, l'avenue Foch et ses « fochés », l'avenue Foch et son petit monde nocturne ambigu sont là, à cinquante mètres. Et cependant, derrière trois troènes, un hôtel particulier construit sous

Napoléon III par le comte de Bonnot cache, en même temps qu'un jardin de poupée, une vie provinciale imprévue, parce qu'il est devenu un des hôtels de grand charme de Paris.

On pense que c'est tout à côté que vécut Anatole France, on sait que très longtemps il y eut un manège en face... C'était au temps très proche où ce Paris-là sentait encore la campagne du bois de Boulogne. Il semblerait, à propos d'histoire, que la propriétaire garde au fond d'un tiroir une plaque apposée encore il y a peu sur le mur de façade et qui rappelait qu'Ambroise Paré a opéré dans la maison qui précéda l'hôtel particulier. De cette demeure restent d'ailleurs des caves voûtées.

Pour l'heure donc, un petit coin de verdure, un calme admirable, des hôtes qui sont les plus « hôtes » de Paris, des chambres toutes plus harmonieuses les unes que les autres, sans fioritures, vastes et tellement confortables (salles de bains parfaites). Et l'hiver on ne se refuse même pas une flambée dans le salon bar drapé à l'ancienne, en forme de tente. Et c'est vraiment à Paris !

Monsieur H. Desponts
Ouvert du 1/1 au 31/12
Tél (1) 763.52.42 et 227.59.32
16, rue Chalgrin. 75116 Paris. 17 chambres et 3 appartements. De 620 à 1 045 F. Petit déjeuner inclus. Pas de restaurant.

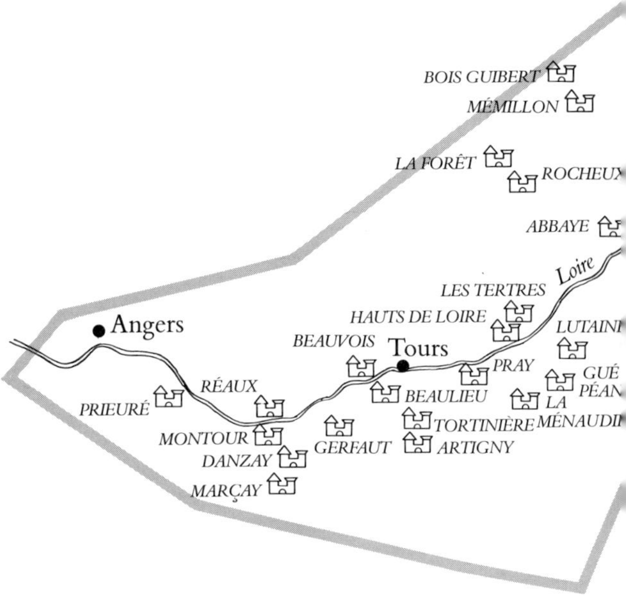

BOIS GUIBERT
MÉMILLON
LA FORÊT
ROCHEUX
ABBAYE
LES TERTRES
Loire
HAUTS DE LOIRE
LUTAINE
BEAUVOIS Tours
● Angers
PRAY
GUÉ PÉAN
RÉAUX
BEAULIEU
LA MÉNAUDIÈ
PRIEURÉ
MONTOUR
TORTINIÈRE
DANZAY *GERFAUT* *ARTIGNY*
MARÇAY

XIII — VAL DE LOIRE

Paris

Orléans

ONTESPAN

L'ABBAYE

Beaugency. Loiret

A deux pas du diable

Les escaliers monumentaux ont ceci d'admirable, c'est qu'ils ne sont pas seulement beaux, ils sont aussi « confortables ». Je veux dire par là qu'ils intercalent souvent plusieurs paliers entre deux étages, que leurs marches sont larges et de petite hauteur, et que leur cage en est si volumineuse qu'un promoteur d'aujourd'hui, non content d'y placer un ascenseur, y construirait un ou deux studios. Ce sont des escaliers que l'on pouvait monter jadis à cheval et que les femmes aiment descendre en robe longue. Celui de l'Abbaye de Beaugency, avec, de surcroît, son fabuleux plafond de bois travaillé, est de ceux-là, encore qu'en manière de robes il n'a jamais dû voir que celles des chanoines de Saint-Augustin. Quoique... les pénitentes parfois, et peut-être...

Car cet hôtel est bien une partie d'une authentique abbaye du XVIIIe, accolée à l'église Notre-Dame qui, par chance, est toujours consacrée. Il jouxte aussi une autre aile devenue, je crois, institution d'enseignement religieux, et il est pour le moins curieux, alors que l'on parcourt le beau couloir des chambres, d'entendre des voix d'enfants d'au-delà du mur ou bien des chants chrétiens d'au-delà d'un autre mur.

Si les chambres ont pris la place des cellules, par chance ces cellules étaient fort hautes de plafond pour une assez petite surface. L'astuce a donc été pour l'hôtelier de créer des mezzanines : au « rez-de-chaussée » se trouve donc un petit salon et, au « premier », la chambre (et sa salle de bains impeccable). C'est aussi agréable que peu banal. Le mobilier est un « à la manière » du Louis XIII (bois sombres, formes simples mais sachant être confortables), et les murs ont été tendus de tissus clairs. Cela pour l'étage noble, tandis qu'au deuxième étage de l'abbaye, même style, mais sans le phénomène de « duplex », avec la même rigueur et même un peu plus de dépouillement. C'est plaisant pour qui apprécie une certaine sévérité de bon goût. Je suis aussi de ceux-là.

Bien évidemment, on se dispute les appartements

donnant sur la Loire et le très beau pont, et, pour la vue encore, la salle à manger en véranda sur le fleuve est bien lumineuse. Je serais en mal de donner mon point de vue actuel sur la cuisine, puisqu'un nouveau chef vient à peine de poser ses casseroles.

Reste l'accueil absolument sympathique, car on a là affaire à un homme qui a englouti une petite fortune pour remettre à neuf cet hôtel. C'est dire s'il veut qu'on l'aime, son « abbaye », et qu'il fait tout pour cela. Ce qui explique l'atmosphère chaleureuse. Pour ceux que les antécédents religieux de la maison gêneraient, je tiens à leur signaler qu'en se penchant un peu par la fenêtre on voit, à portée de main, la tour dite « du Diable »... Ceci compense alors cela.

Monsieur A. Aupetit
Ouvert du 1/1 au 31/12
Tél. (38) 44.67.35
2, quai de l'Abbaye. 45190 Beaugency. 13 chambres et 5 appartements. De 300 à 440 F. Petit déjeuner inclus. Menu à 150 F. Carte à 200 F environ. Accès en ville.

CHÂTEAU D'ARTIGNY

Veigné. Indre-et-Loire

Le palace malgré lui...

J'ose ou je n'ose pas... je le dis ou je ne le dis pas... mais enfin, quand un parfumeur veut se mettre au parfum de la vie de château, il s'offre Artigny. Alors cela ne vous a pas échappé, et à moi non plus ; c'est en effet le parfumeur Coty qui s'est voulu un Versailles entre les deux guerres, un Versailles un peu lourd dont les toits sont aussi pesants que ceux de la gare d'Orsay, mais enfin on ne peut pas nier que cela, pardonnez-moi, ait de la gueule (encore que l'on se passerait volontiers des voitures stationnées devant).

Sur le fond (celui de mes préférences), j'aurais plus apprécié que M. Coty eût englouti la même fortune pour mettre en valeur le talent d'un architecte de l'époque. Cela eût été fastueux, richissime et somptueux comme l'est Artigny, mais alors de surcroît digne d'un véritable mécène plein d'imagination. Cela dit, ne boudez pas le plaisir d'y aller. Il y a peu d'hôtels en France, sauf quelques-uns de nos rares palaces, qui ont pu survivre. Voilà le mot, M. Coty a inventé un palace sans le savoir.

Alors les grands couloirs dallés de marbre, les escaliers à balustres, les plafonds peints en trompe l'œil, les panneaux de boiserie à filets dorés, la salle à manger en rotonde à colonnes corinthiennes et le bar de même inspiration, tout est parfaitement réalisé et entretenu.

Les chambres sont parfois d'étranges cheminements comme celle en duplex qui se trouve dans l'ancienne chapelle, idéale pour les dévotions amoureuses. Quelques autres sont parfois étriquées et basculent dans le néo-quelque chose presque kitsch. (Les salles de bains, on s'en doute, sont toujours parfaites.)

Pourtant, c'est une étrange vie de château puisqu'elle passe par le palace et ses quasi-perfections (de la direction particulièrement vigilante au service des plus attentifs) ; mais il y manque en fait la chaleur d'un authentique château avec d'authentiques châtelains. Il n'en est pas moins des instants rares comme ceux des concerts aux chandelles « habillés » et ceux d'une promenade le soir sur les terrasses.

Monsieur R. Traversac
Ouvert du 11/1 au 30/11
Tél. (47) 26.24.24 (+)
Veigné, route d'Azay-le-Rideau. 37250 Montbazon.
48 chambres et 7 appartements. De 320 à 1 050 F.
Parc. Piscine. Tennis. Un trou de golf et putting green.
Week-ends musicaux. Petit déjeuner à 37 F. Menus à 150, 185, 265 et 320 F. Carte à 350 F environ. Accès par A 10 sortie Montbazon et D 17.

CHÂTEAU
DE BEAULIEU

Beaulieu. Indre-et-Loire

La campagne en ville

Le château de Beaulieu mérite bien son nom, et la première chose que l'on remarque, en pénétrant dans sa cour, c'est un escalier double protégé par une superbe balustrade. L'ouvrage est classé, de même que la porte du salon de télévision, fort bien mise en valeur au demeurant.

Cela dit, pour avoir une vue d'ensemble du bâtiment, il faut descendre dans le parc, j'allais écrire dans la campagne tant on a ici le sentiment d'être loin de la ville, alors que celle-ci dresse ses immeubles de béton à quelques centaines de mètres seulement. Mais derrière un rideau d'arbres, pour ne pas dire une petite forêt.

La même ambiance, le même calme persistent à l'intérieur avec une touche de raffinement, un « je-ne-sais-quoi » de féminin qui ne s'explique que lorsqu'on sait que Mme Lozay, la maîtresse de maison, adore courir les salles de ventes et ne permet à personne, fût-on décorateur, de choisir un meuble à sa place.

Donc, on n'entre pas ici avec des bottes crottées, et il vaut mieux passer une veste avant de se mettre à table. Reste que j'aime qu'on puisse amener avec soi son compagnon à quatre pattes, chien ou... chat, à condition qu'il soit tenu en laisse. Les gentilshommes du XIe siècle — les fondations de l'ensemble datent du Moyen Age — ou ceux du XVIIIe qui vivaient là n'en usaient pas autrement.

271

Chambres féminines et charmantes (salles de bains complètes et coquettes).

Monsieur et Madame Lozay
Ouvert du 1/1 au 31/12
Tél. (47) 53.20.26
Beaulieu. 37300 Joué-lès-Tours. 17 chambres. De 170 à 320 F. Parc. Petit déjeuner à 25 F. Menus à 124, 160 et 240 F. Carte à 260 F environ. Accès par D 86.

DOMAINE DE BEAUVOIS

Luynes. Indre-et-Loire

Intrigant

L'enchantement de mes vies de châteaux commence toujours bien lorsqu'il débute par le franchissement d'une grille monumentale et le cheminement dans une allée qui ne révèle pas encore le château. Je sais que je suis déjà un peu chez moi, et les arbres plusieurs fois centenaires, nés souvent avant le château, me disent ou pourraient me dire déjà son histoire. Beauvois commence ainsi et continue par un étang et des prairies. Et au-dessus de tout cela pointe une tour du XVe.

D'équerre pour un architecte, les ailes s'ordonnent autour de cette tour en une étoile à trois branches. On ne sait d'ailleurs plus très bien comment s'y retrouver en matière de style, mais cela réalise un tout très classique pour ce pays, avec ce qu'il faut de fenêtres à la Mansart, avec des murs blancs et des toits d'ardoise. On n'a pas oublié, non plus, la pierre taillée brossée pour faire médiéval dans les couloirs, et, pardon si tout s'embrouille et se confond, j'ai eu un peu une impression de **romantisme et d'un peu de tout dans le mobilier. Enfin, c'est bien patiné et agréable à vivre, le tout drapé dans les tissus à fleurs chers au Président des Grandes Etapes Françaises**, expression du génie hôtelier de Traversac (coucou ! le revoilà !). Et, bien sûr, les fastueuses salles de bains sont le complément parfait du luxe d'ici.

P.-S. : Je tiens à vous rappeler que Marie-Aimée de

Rohan-Montbazon (quel beau nom !), première duchesse de Luynes, fut maîtresse du domaine. Et en dépit de son goût pour les intrigues, ce n'est pas un complot que de ne pas en avoir parlé plus tôt.

Monsieur R. Traversac
Ouvert du 15/3 au 15/1
Tél. (47) 55.50.11
Route de Cléré. 37230 Luynes. 35 chambres et 6 appartements. De 300 à 1 200 F. Parc. Piscine. Tennis. Petit déjeuner à 37 F. Menus à 150 et 220 F (déjeuner). Carte à 300 F environ. Accès par N 152 (Tours-Saumur) et D 49.

HOSTELLERIE
DE BOIS GUIBERT

Bois Guibert. Eure-et-Loire

La halte sur la grand-route

Avec un saint au Xe siècle, un antipape au XIe et, à peu près à la même époque, un bénédictin auteur d'une *Histoire des croisades* qui fait autorité, on constate que les Guibert ont fourni des personnages éminents à la chrétienté. Or, s'il ne semble pas qu'on puisse établir un lien quelconque entre ces prélats et Bois Guibert, il en existe un, en revanche, avec un quatrième homme d'Eglise du même nom, d'abord archevêque de Tours puis cardinal et archevêque de Paris, dont on a retrouvé un missel annoté dans les combles du bâtiment.

Il est vrai que la maison a brûlé trois fois avant d'être reconstruite vers la fin du XVIIe siècle dans la forme qu'elle a conservée aujourd'hui, ce qui nuit à une bonne conservation des archives.

A l'origine donc, la place forte possédait quatre tours dont deux subsistent et séparent, avec le mur des douves, le parc de la nationale 10 qui passe tout près. Il demeurait également un pont-levis qui, lui, a été démoli après la dernière guerre. Quant aux douves, M. et Mme Piraube ont dû les faire combler lorsqu'ils se sont installés, il y a un peu plus d'une dizaine d'années, les habitants des environs ayant pris la fâcheuse habitude d'y déverser leurs résidus ménagers. Un voisinage peu apprécié par les clients d'une hostellerie ! *O tempora ! O mores !* auraient pu écrire en latin les dignes ecclésiastiques évoqués plus haut.

Telle quelle, cette maison proprette et peu onéreuse, qui tient plus du pavillon que du château, si elle n'incite pas à un long séjour, constitue néanmoins une halte agréable pour l'automobiliste, avec, en dépit de sa simplicité, une personnalité qui me la fait préférer à la banalité répétitive des chambres des hôtels de chaînes à l'américaine (honorables salles de bains).

Monsieur et Madame Piraube
Ouvert du 15/1 au 15/12
Tél. (37) 47.22.33
Bois Guibert. 28800 Bonneval. 13 chambres et 1 appartement. De 110 à 300 F. Parc. Petit déjeuner à 19 F. Menus à 80 et 120 F. Carte à 220 F environ. Accès par la N 10.

CHÂTEAU
DE DANZAY

Beaumont-en-Véron. Indre-et-Loire

Le grand nettoyage

Si, d'aventure, en relevant quelque souterrain, les Sarfati découvraient un fantôme, il y a gros à parier qu'ils lui ôteraient immédiatement son drap pour le passer à la machine à laver ou, mieux, pour aller le battre à la rivière afin de faire plus authentique. Car, chez eux, tout sent l'authentique à tout prix, même l'encaustique.

Les murs de pierre brute « comme dans le temps », mais soigneusement nettoyés et polis ; l'escalier aux marches usées par les chaussures de fer des gens d'armes qu'on se garde de remettre à niveau ; le grand salon aux meubles rares pour qu'on en admire mieux les proportions ; les lits à baldaquin ; les meubles d'antiquaires choisis non pas sur un coup de cœur mais parce qu'ils « feront vrai » à tel ou tel endroit. (Salles de bains immenses et parfaites.)

Dieu sait, pourtant, si ce petit château du XVe siècle pourrait être joli, avoir du charme, si quelque laisser-aller lui donnait un peu plus d'âme. Hélas, il est corseté, apprêté comme si sa restauration avait été confiée à un décorateur. Chaque chose y est « briquée », chaque détail « léché », au point que cela finit par mettre mal à l'aise, mais doit plaire en revanche aux riches touristes venus d'outre-Atlantique qui pensent sans doute retrouver là l'âme médiévale de la vieille Europe.

Qu'on n'aille pas croire pour autant que je mésestime le travail de Jacques et Josiane Sarfati. Lorsqu'ils se sont installés là, il y a quelques années, le bâtiment, transformé en remise à foin, menaçait ruine. Ils l'ont sauvé. En travaillant de leurs mains ils lui ont rendu son lustre d'origine. Ils ont effacé les outrages du temps et ceux des hommes. En poussant, à mon goût, les choses un peu trop loin, mais peut-être est-ce parce que, justement, ils aiment trop leur maison.

Car eux, ils y vivent d'un bout de l'année à l'autre.

Monsieur et Madame Sarfati
Ouvert du 1/4 au 15/10
Tél. (47) 58.46.86
Beaumont-en-Véron. 37420 Chinon. 4 chambres et 2 appartements. De 350 à 700 F. Parc. Petit déjeuner à 35 F. Pas de restaurant. (Attention, ce château n'est pas un hôtel mais une demeure recevant des hôtes payants.)
Accès par D 749 (Bourgueil-Chinon).

CHÂTEAU DU GERFAUT

Azay-le-Rideau. Indre-et-Loire

Les chasses du comte Jean

Cette maison a toujours été habitée par des chasseurs et, s'il est impossible à l'hôte de passage de se faire convier à une battue, il lui serait néanmoins difficile de l'ignorer. Dès l'entrée, face au grand escalier, plusieurs « massacres » de cerfs, dont celui d'un dix-cors tué en compagnie de l'empereur François-Joseph par le grand-père de l'actuel propriétaire, sont là pour le faire clairement comprendre. Le nom du château trouve d'ailleurs son origine dans celui d'une ancienne ferme située à la lisière de la forêt de Villandry, où Louis XI puis François Ier avaient édifié leurs fauconneries. Ils y entretenaient des gerfauts, oiseaux de chasse nobles par excellence.

Quant au bâtiment lui-même, il suffit d'en voir la façade pour deviner qu'il est beaucoup moins ancien. « Du plus pur style Fallières », précise en souriant le marquis de Chenerilles, dont les pointes d'humour vont parfaitement à l'allure pleine d'un laisser-aller de bon goût que ne renierait pas un gentilhomme-campagnard anglo-saxon.

En fait, ce château a été construit en 1910 par le comte Jean de Sabran-Pontèves — celui qui tuait les cerfs de François-Joseph — au cœur d'un domaine où il aimait chasser. Le petit air Empire du salon ne doit pas tromper. Il n'a été voulu ainsi par l'architecte que pour entourer d'un cadre digne d'eux quelques très beaux meubles donnés par Jérôme Bonaparte, ce frère que Napoléon avait fait roi de Westphalie, en paiement d'une dette contractée auprès des aïeux de la famille.

Tout de même, il est dommage que ces chasseurs que sont restés le marquis et la marquise de Chenerilles n'admettent pas les animaux chez eux, dans une demeure où les chiens étaient rois au point que le comte de Sabran avait fait représenter ses deux limiers préférés, Whip et Thaïs, en pleine action dans deux immenses tableaux qui trônent toujours au salon. Les chambres qu'ils proposent à leurs hôtes ne risqueraient guère d'en souffrir, alors que cela retranche quelque chose à leur charmant accueil et à leur parfaite urbanité. (Salles de bains approximatives.)

Marquis et Marquise de Chenerilles
Ouvert du 1/4 au 1/8 et du 1/9 au 1/11
Tél. (47) 43 30 16
37190 Azay-le-Rideau. 4 chambres et 1 appartement.
De 165 à 600 F. Parc. Petit déjeuner inclus. Pas de restaurant. (Attention, ce château n'est pas un hôtel mais une demeure recevant des hôtes payants.) Accès par D 751.

CHÂTEAU
DU GUÉ PÉAN

Monthou-sur-Cher. Loir-et-Cher

La chambre du roy

Un monument ! Lorsqu'on le découvre, on est obligé de reprendre son souffle. Un énorme donjon s'appuyant sur une courtine, deux pavillons Renaissance de style Henri II (comme quoi il n'y a pas que les buffets du même) encadrant une cour élégante, deux bâtiments d'équerre datant de Henri IV et de Louis XIII, des toitures à la française parfois fantaisistes posées sur des murs d'un blanc pur... Avant même de passer la poterne, on est impressionné. Un monument, disais-je ? Doublement même, puisqu'il est « classé ».

Après avoir lu la remarquable plaquette éditée par le marquis de Keguelin de Rozières — hôte des lieux, compagnon de la Libération et vieux copain de Boris Vian avec qui il avait ouvert, le temps d'un été, une annexe du Club Saint-Germain-des-Prés à Saint-Tropez — par laquelle il raconte la très longue histoire du Gué Péan, je suis terrifié. Car je ne sais plus qu'en prendre puisque tout en est passionnant. Tout de même, le souvenir des amours de Louis XII et de Marie d'Angleterre, celui des premiers rendez-vous de Henri II et de Diane de Poitiers... j'ai noté. Les passages de Fénelon et de Balzac, j'y ai réfléchi. Et pour le tout, j'ai compris soudain que je devais réapprendre l'Histoire de France et d'une bonne part de ceux qui l'ont faite.

Le goût authentique, aristocratique des salons, le luxe des très, très beaux objets, des meubles signés ont à la fois quelque chose d'éblouissant et de familier. La vie de château telle qu'en elle-même depuis des siècles, c'est cela. Même d'ailleurs pour les chambres que le propriétaire définit ainsi : « Très simples et aux limites du confort (certaines avec bains, d'autres avec salle de bains commune). » Encore qu'il fasse preuve d'une certaine modestie quant à elles, car il souligne tout aussitôt : « Celles des maîtres de maison et que nous louons aussi ont une autre dimension. » Si je glisse qu'il existe aussi une « Chambre du Roi » assez exceptionnelle, elle aussi à la disposition des hôtes, on comprendra que le Gué Péan, c'est un peu comme à Versailles, jadis : il faut savoir se faire donner les bons appartements. Encore que l'esprit de ce séjour soit ailleurs que dans les salles de bains : il est dans les murs de la maison. Et l'hôte, présent et parfait, perpétue une manière d'être et de vivre magnifique. Solide cuisine familiale prise à la table d'hôte ou séparément.

Marquis de Keguelin
Ouvert du 1/1 au 31/12
Tél. (54) 71.43.01 et 71.46.09
Monthou-sur-Cher. 41400 Montrichard. 7 chambres. De 165 à 330 F. Parc. Centre équestre. Petit déjeuner inclus. Menu à 90 F. Pas de carte. (Attention, ce château n'est pas un hôtel mais une demeure recevant des hôtes payants.) Accès par N 76. N.B. : il y a aussi quelques chambres à l'annexe de 80 à 160 F.

DOMAINE
DES HAUTS DE LOIRE

Onzain. Loir-et-Cher

A la hauteur

L'échantillonnage d'ameublement auquel se livrent parfois les propriétaires d'hôtels châteaux ou leurs décorateurs n'est pas toujours heureux. Autant je trouve beau et subtil, correspondant à une réalité possible de générations successives ayant posé chacune leur meubles au milieu des précédents, le fait de trouver un mélange harmonieux de styles dans la même pièce, autant le genre, une pièce « machin » et une salle à manger « chose », à moins que ce ne soit l'alternance dans les chambres, m'irrite. Cela sent son exposition de magasin.

C'est pourquoi je comprends mal, dans ce très beau domaine luxueux, cette salle à manger à la façon Louis XIII (réussie au demeurant) et cet escalier (joli lui aussi) dont on a bêtement dégagé la brique de son plâtre à la médiévale, ces deux erreurs pour faire remonter le temps à un château qui n'a guère plus d'un siècle. Ceci d'ailleurs par parenthèse, puisque cela n'enlève rien au charme réel de toute la maison.

A commencer par celui du salon, parfait exemple de ce que j'évoquais tout à l'heure à propos du mariage heureux entre les meubles de style : voici quelque chose de gracieux et de vrai, même si tout a été créé (ce dont je suis sûr). Les chambres aussi sont meublées pour séduire, avec un goût sûr et mesuré (salles de bains frôlant la perfection). Et puis, la vue sur le vaste parc, la pièce d'eau (cygnes très décoratifs) ajoutent à l'état de plaisir sans retenue. La table, très inspirée des mignardises de la mode, soignée et assez affinée, gagnerait, j'en suis sûr — car le chef a un talent évident, à travailler pourtant —, si elle se souvenait aussi de quelques spécialités régionales.

Accueil parfaitement hôtelier et service parfois à éclipses.

Famille Bonnigal
Ouvert du 1/3 au 31/12
Tél. (54) 20.72.52
41150 Onzain. 22 chambres et 6 appartements. De 450
à 1 050 F. Parc. Tennis. Pêche. Hélisurface. Petit
déjeuner à 38 F. Menus à 180 et 270 F. Carte à 280 F
environ. Accès par Onzain et D 1.

CHÂTEAU DE LUTAINE

Cellettes. Loir-et-Cher

La mémoire perdue

Ainsi donc, Paul Claudel écrivit dans cette maison délicate et distinguée, devant ces pelouses parfaitement entretenues, ses *Conversations dans le Loir-et-Cher*. J'espère cependant que le souvenir et les jolies petites musiques de Jacques Offenbach qui avait choisi le calme élégant de cette même demeure quelque temps auparavant pour y tracer la musique de *La Périchole* ne l'auront pas dérangé.

J'aurais aimé, pour ma part, évoquer les mânes de l'un et de l'autre avec le marquis et la marquise de Chevigne dont l'approche est si courtoise, mais, en cette intersaison de la Toussaint à Pâques, nous n'avons pas pu accorder nos rendez-vous. Evidemment, j'ai jeté un œil indiscret « par-dessus le mur » sur cette maison qui m'a fait penser un peu à la Malmaison, et apparemment impeccablement tenue. D'anciens hôtes m'ont affirmé que les chambres y étaient à l'image de l'extérieur avec une intimité racée.

Cela a suffi pour me donner envie de venir m'y installer bientôt. À vous aussi peut-être, je l'espère.

Marquis et Marquise de Chevigne
Ouvert du 1/5 au 15/10
Tél. (54) 44.20.25
Cellettes. 41120 Les Montils. 10 chambres et 1 appartement. De 200 à 550 F. Pas de restaurant (buffet campagnard sur demande à 85 F par personne). (Attention, ce château n'est pas un hôtel mais une demeure recevant des hôtes payants.) Accès par D 765 et D 956.

LE MANOIR
DE LA FORÊT

La Ville-aux-Clercs. Loir-et-Cher

Le trésor caché

Le château des ducs de la Rochefoucauld ayant entièrement brûlé en 1948, ce rendez-vous de chasse, bâti en pleine forêt en 1850, est, avec une ferme et quelques ruines du XVIIIe siècle, tout ce qui reste d'un ancien et vaste domaine où François, l'auteur des *Sentences et maximes morales,* venait courre le cerf et où ses descendants tiraient le poil et la plume.

Encore est-ce une chance que les Autebon s'y soient installés il y a une dizaine d'années. La maison, transformée un temps en pension de famille, menaçait ruine. Ils l'ont restaurée, oubliant volontairement son passé tumultueux retentissant des sonneries de trompes et des abois de meutes. Sous leur direction, le manoir est devenu un endroit douillet qui ne dément nullement l'impression de douceur donnée par une façade paisible, envahie de vigne vierge. Les chambres sont gentiment installées avec des meubles sortis des greniers (salles de bains banales).

Quand même, la maison cache un mystère.

A en croire les anciens du pays, qui tiennent l'information de leurs pères auxquels elle avait été communiquée par leurs pères, cela depuis plusieurs générations, un trésor serait caché quelque part dans les souterrains qui se glissent sous la futaie et reliaient jadis le château au pavillon de chasse et à la ferme. Un coffre empli de pièces d'or, soigneusement caché à la Révolution par les La Rochefoucauld, afin qu'il échappe à la convoitise des « patauds ».

Alors, périodiquement, on aperçoit des gens qui creusent, dans les prés ou sous les arbres, mais jamais dans le parc du manoir.

Mme Autebon déteste qu'on fasse des trous dans sa pelouse.

Famille Autebon
Ouvert du 1/1 au 31/12
Tél. (54) 80.62.83
Fort-Girard. 41160 La Ville-aux-Clercs. 20 chambres et 2 appartements. De 110 à 320 F. Parc. Petit déjeuner à 22 F. Menus à 90, 130 et 175 F. Carte à 220 F environ.
Accès par N 10, puis 157 et D 141.

CHÂTEAU
DE MARÇAY

Marçay. Indre-et-Loire

L'armoire à secrets

Si vous vous arrêtez un jour au château de Marçay, je ne saurais trop vous conseiller de demander la chambre 25. D'abord parce qu'elle le mérite par son charme, mais, surtout, à cause de sa salle de bains ronde comme la tour dans laquelle elle a été aménagée, immense, hollywoodienne, oserais-je dire, et dont la fenêtre donne directement sur les mâchicoulis de l'ancienne forteresse. Une invitation à des promenades romantiques à laquelle n'avait pas su résister un Américain de passage, qu'il fallut rattraper en pleine nuit sur le chemin de ronde, alors qu'il se prenait pour Ivanhoé.

C'est que, même aujourd'hui, on ne peut que difficilement oublier la vocation militaire de l'endroit. Construit en 1150, il faisait partie d'un vaste ensemble de fortifications qui constituaient la ligne de défense

avancée de la ville de Chinon. Rebâti au XVᵉ siècle, ayant dû subir de nouveau de grosses réparations après les dégâts provoqués par les guerres de Religion, il n'a pratiquement pas changé depuis.

Du coup, on ne s'étonne pas de trouver dans les appartements d'époque des meubles comme cette admirable armoire à secrets du XVIᵉ siècle qui, lorsqu'on connaît ses dissimulations, jette une touche de mystère dans la chambre n° 1. On imagine alors les huguenots dissimulant leurs hallebardes dans ses caches, des chouans de 93 y glissant leurs redoutables canardières.

Il fallait donc tout le savoir-faire d'un homme rompu à la pratique de l'hôtellerie pour que cette maison belliqueuse devienne l'exemple même de la douceur de vivre en Touraine. Il est vrai que Philippe Mollard a de qui tenir. Car, si les portraits de ses ancêtres que l'on peut admirer au salon sont ceux de propriétaires terriens du XVIIᵉ siècle, dans sa famille on est hôtelier depuis quatre générations.

Un véritable brevet de noblesse professionnelle qui convient parfaitement à une maison aussi noble que celle-là. (Salles de bains parfaites.)

Monsieur P. Mollard
Ouvert du 1/3 au 31/12
Tél. (47) 93.03.47
Marçay. 37500 Chinon. 22 chambres et 4 appartements.
De 290 à 800 F. Parc. Piscine. Tennis. Petit déjeuner à 35 F. Menu à 180 F (déjeuner seulement). Carte à 250 F environ. Accès par D 116 et D 749.

CHÂTEAU
DE MÉMILLON

Saint-Maur-sur-le-Loir. Eure-et-Loir

Le domaine d'une Dame de fer

Nul hôte ne s'installera plus, pour quelques jours, au château de Mémillon. Le dernier étage a brûlé l'an dernier et, lorsque les travaux de remise en état seront terminés, la propriétaire s'en réserve l'usage exclusif, tout en proposant à ceux que tente un séjour paresseux sur les bords du Loir plusieurs pavillons et appartements historiques, disséminés sur la propriété.

Car Mémillon c'est plus qu'un château, c'est un domaine où se sont succédé des maisons fortes qui ont laissé derrière elles de très beaux restes. Il est vrai que le site, protégé par une boucle de la rivière, avait de quoi retenir nos ancêtres qui l'ont habité dès la préhistoire, comme en témoigne un dolmen. Les bâtisseurs du IXe siècle l'ont marqué d'un pont. D'un premier château qui s'y dressait au Moyen Age subsiste la « grange à champart », autrement dit la bâtisse où était collectée la dîme civile.

La « maison des seigneurs » est un manoir du XVe siècle, construit par un sire de Mémillon apparenté aux Mervilliers qui fournirent des compagnons à Dunois, dit « le Bâtard d'Orléans », un des principaux lieutenants de Jeanne d'Arc.

Sous le règne d'Henri IV, c'est un contrôleur des Finances qui a fait sa fortune en inspirant de tendres sentiments aux dames, en particulier à Gabrielle d'Estrées, la maîtresse du roi, qui rachète l'ensemble, lequel passe ensuite de main en main pour être vendu comme « bien national » à la Révolution, avant d'échoir à un Rougemont. Un de ses descendants fait construire le château Napoléon III, celui-là même dont les combles viennent de brûler, à l'intérieur duquel un décorateur habile inclut des éléments de décoration authentiquement XVIIIe siècle achetés ici et là.

En 1917, au plus fort de la Grande Guerre, ce sont les propriétaires de la maison de couture Maggy Rouff qui s'y installent. Ils le revendent, en 1940 — encore la guerre !—, aux parents d'Anne Ide qui restaure aujourd'hui les différents bâtiments les uns après les autres.

Le logement dans les jolies maisons du parc (meubles de grande banalité et salles de bains honorables) donne l'impression de vivre sous la protection du château mais non au château.

Madame A. Ide
Ouvert du 1/1 au 31/12
Tél. (37) 47.28.57 et 47.32.51
Saint-Maur-sur-le-Loir. 28800 Bonneval. Maisons indépendantes et appartements dans les communs. De 800 à 3 500 F par semaine. Parc. Practice de golf et putting green. Piscine en construction. Pêche dans le Loir qui traverse le domaine. Petit déjeuner à 25 F. Menus à 75 et 85 F les week-ends à l'auberge dans le parc. Pas de carte. (Attention, ce château n'est pas un hôtel mais une demeure recevant des hôtes payants.) Accès par N 10 et, à Flacey, direction Saint-Maur.

CHÂTEAU
DE LA MENAUDIÈRE

Chissay-en-Touraine. Loir-et-Cher

Un ouvrage de dames

Il en va des maisons nobles comme des familles bien nées, les cousinages ne sont pas toujours aussi certains qu'on le prétend. Ainsi, lorsqu'un dépliant publicitaire laisse entendre que la même Catherine Briçonnet est responsable de la construction de Chenonceaux et de celle de La Menaudière, ne faut-il pas prendre cela pour architecture comptant.

Certes, c'est effectivement dame Catherine qui, en 1515, se chargea de surveiller les travaux de Chenonceaux, commandés par son mari Thomas Bohier, receveur des

Finances, lequel était trop occupé à percevoir les impôts pour faire autre chose. Elle n'est en revanche pour rien dans l'érection de La Menaudière en 1443, pour la bonne raison qu'elle n'était pas née, ni dans sa réfection en 1548 car, alors, elle était morte. Ce sont à son grand-père d'une part et à son neveu de l'autre qu'il faut les attribuer.

Il y a donc là une erreur que je me devais de rectifier dans la mesure où elle risque d'entraîner une certaine confusion, peut-être voulue.

Mais cela ne signifie nullement qu'il ne faille pas apprécier à sa juste valeur cette demeure maintes fois remaniée au cours des siècles. Au contraire, on peut aimer son porche - qu'on appelle ici « la porterie » et où se trouvent de très belles chambres - de proportions harmonieuses, avec sa grande entrée médiévale protégée par des mâchicoulis et flanquée de tours carrées. Quant au corps de bâtiment lui-même, son élégance classique se passe bien de cette tricherie.

Les dernières transformations datent de l'arrivée, il y a trois ans, de Mme Colette Moulard qui a restauré et décoré les pièces pour en faire un hôtel confortable, privilégiant un côté intime et chaleureux d'inspiration toute féminine. (Bonnes salles de bains.)

Ce en quoi elle se montre la digne continuatrice de ces Dames de Touraine auxquelles son dépliant invite à rêver, tandis qu'un feu de bois anime dans la grande cheminée du salon.

Mutuelle générale de l'Education nationale. Directrice *Madame C. Moulard*
Ouvert du 15/3 au 15/11
Tél. (54) 32.02.44
A Chissay-en-Touraine. 41400 Montrichard. 25 chambres. De 130 à 390 F. Parc. Tennis (installé courant 1984). Petit déjeuner à 25 F. Menus à 135 et 175 F. Carte à 280 F environ. Accès par D 115 et D 61.

AUBERGE
DE LA MONTESPAN

Saint-Jean-de-la-Ruelle. Loiret

Y a-t-elle été ?

Les rendez-vous de chasse accueillent plus souvent un gibier qui n'est pas celui que l'on croit. Celui-là, qui n'a aucun intérêt esthétique (on dirait une bonne maison citadine pour commerçant balzacien ayant un petit bien), bénéficie pourtant du privilège appréciable d'un joli petit parc bien dessiné allant jusqu'au bord de la Loire ; la rive opposée étant vierge de constructions, la vue y gagne encore et n'a donc pas changé depuis le XVIIe siècle.

Il appartint au duc d'Antin, fils légitimé de Mme de Montespan (la légitimité des enfants de femmes illégitimes de nos rois m'a toujours laissé rêveur), ce qui ne laisse pas obligatoirement supposer que sa maman y soit venue avec le roi.

En tout cas, il n'y a rien de fastueusement royal dans cette gentille maison, où l'accueil est rieur et enjoué. La salle à manger — véranda — ne sort pas de la banalité bourgeoise, et les chambres, très calmes, et toutes vers le parc non plus. Il me semble qu'il en est de mansardées très « soubrette coquette », et le mobilier des plus grandes (au premier étage) ne se remarque pas (salles de bains approximatives parfois).

En matière de table, les relais de chasse ont toujours été des endroits de bonne fourchette : celui-ci ne déroge pas ; si les prix de la carte sont assez élevés, au moins peut-on être satisfait d'une cuisine sérieuse. Pour digérer, il est de tradition d'aller faire le tour du cèdre quadricentenaire du jardin en se demandant si Mme de Montespan en a jamais fait autant.

Monsieur J. Fournier
Ouvert du 24/1 au 19/12 (sauf du 1 au 8/8)
Tél. (38) 88.12.07
45140 Saint-Jean-de-la-Ruelle. 8 chambres et 1 appartement. De 170 à 320 F. Parc. Petit déjeuner à 25 F. Menu à 115 F. Carte à 260 F environ. Accès par Orléans et N 152.

MANOIR
DE MONTOUR

Beaumont-en-Véron. Indre-et-Loire

Le repos d'un guerrier

Quoi qu'on en imagine, la vie d'un gentilhomme d'aventure n'était pas toujours rose sous l'Ancien Régime. Ainsi pour Louis-Jacques Bérard, vaillant capitaine de cavalerie au service du roi Louis XV, blessé plusieurs fois en campagne et réformé pour cela, l'heure de la retraite était-elle difficile. Par bonheur, il avait hérité de ses parents un petit domaine en Touraine. Il s'y retira en compagnie de son épouse Marie-Perrine et, pour arrondir la pension royale, se mit à élever des vers à soie.

C'est de cette manière que le manoir de Montour devint magnanerie et contribua à alimenter les manufactures de soieries du Véron, lesquelles étaient, d'ailleurs, plus appréciées que celles de Lyon à l'époque.

Le vieux soldat y finit paisiblement son existence, bien que ses derniers jours aient été troublés par la Révolution, en notant scrupuleusement ses dépenses. Aussi, aujourd'hui, Mme Krebs, la propriétaire de la maison, peut-elle savoir quand il a fait retendre les murs du salon de soie jaune ou la quantité de bois de chauffage utilisée au cours d'un hiver.

Des archives précieuses, car elles sont l'âme d'une maison, le trait d'union entre notre époque et un passé qui resurgit derrière chaque porte, au détour de chaque corridor. Les chambres sont vieillottes (salles de bains datant) mais font preuve de bien des charmes : ici, c'est une cheminée où une brassée de sarments attend l'hôte qui y mettra le feu avant de tendre ses paumes vers la flamme ; là, une table du XVIIIe à laquelle se sont peut-être accoudés quelques traîne-rapière, compagnons de Bérard ; ailleurs, un petit cheval de bois de la même époque sur lequel a dû grimper le jeune Louis-Marie, futur garde du corps dans la compagnie de Villeroy. Et puis, soudain, un tableau résolument moderne, une toile

signée Krebs qui lance ses taches de couleur vive comme
un défi à la tendre luminosité de la campagne tourangelle
qu'aimait le vieux soldat éleveur de vers à soie.

Madame Krebs
Ouvert du 1/1 au 31/12
Tél. (47) 58.43.76
Beaumont-en-Véron. 37420 Avoine. 3 chambres et 5
appartements. De 170 à 300 F. Parc. Petit déjeuner à
15 F. Pas de restaurant. (Attention, ce château n'est pas
un hôtel mais une demeure recevant des hôtes payants.)
Accès par D 749 et V.O.

CHÂTEAU DE PRAY

Amboise. Indre-et-Loire

L'inventeur bougon

M. Farard est un brave homme aussi fougueux que
bavard. Il m'a ainsi appris qu'il fut à l'origine, avec
son bon vieux château bien pris entre deux tours
rondouillardes dominant la Loire avec son jardin à la
française, de cette chaîne des Châteaux Hôtels qui devait
plus tard fusionner avec celle des Relais de campagne,
née à peu près à la même époque à La Cardinale, à l'autre
bout de la France, au bord d'un autre grand fleuve, le
Rhône. Il a peu apprécié que cette chaîne lui échappe un
jour pour passer entre les mains de René Traversac,
grand inventeur de magnifiques autres hôtels châteaux.
Il a si peu apprécié qu'il a créé une autre chaîne de même
esprit, celle des Châteaux Hôtels Indépendants, peut-être
moins axée sur les maisons de luxe, mais intéressante
aussi. Les choses en sont là, et je crois que c'est assez
« parlé boutique ».

Il n'a sans doute alors pas eu beaucoup de temps
pour se préoccuper de sa demeure XVIIe-XVIIIe qui va,
vieillissant, peut-être pas très bien, avec des chambres
très inégales (certaines belles, d'autres fatiguées... comme
certains sanitaires). Mais on se croit de passage chez un
vieil oncle aussi gentil que bougon, et l'ambiance n'est
pas à l'ennui.

Monsieur et Madame Farard
Ouvert du 10/2 au 31/12
Tél. (47) 57.23.67
37400 Amboise. 16 chambres. De 202 à 269 F. Parc.
Petit déjeuner à 26 F. Menus à 107 et 134 F. Carte à
150 F environ. Accès par A 10, sortie Amboise.

LE PRIEURÉ

Gennes. Maine-et-Loire

Le début d'une croisade

Un château qui domine le fleuve pour mieux s'y regarder et s'y contempler, ça c'est très original en Val de Loire. Or, le Prieuré de Chênehutte-les-Tuffeaux, c'est cela.

Tout est calme et doux comme le Val de Loire lui-même et la tendre et parfaite douceur angevine. Pour d'autres ce pourrait être une fin, pour René Traversac ce fut un début, le début d'une aventure d'hôtellerie châtelaine qui le mènera d'ici jusqu'au village du Vieux Castillon et à celui de Saint-Paul-de-Vence, mais aussi à Artigny comme à Beauvois, à Esclimont comme à Rouffach.

En remontant le temps comme d'autres le courant, revenons à Chênehutte et soyons clairs et précis. Ce fut, on en est à peu près certain, l'un des premiers endroits habités de la région, et l'on pense qu'un oppidum gaulois y existait dès le IIe siècle de notre ère. Puis vinrent les invasions normandes, les pierres des constructions des envahisseurs servant, après leur départ, de matériau pour toute la région. Dans ses chroniques, dès le VIe siècle, Grégoire de Tours parle de Chênehutte, et c'est entre le Xe et le XIIe que les bénédictins de Saint-Florent construisent l'église Saint-Pierre et un prieuré dont une partie subsiste et abrite aujourd'hui les cuisines de l'hôtellerie.

Quant aux agrandissements des XVe et XVIe, ils ont légué au manoir actuel double pignon, porte en

accolade surmontée d'un écusson, tourelle hexagonale contenant un large escalier tournant de pierre, galerie, vastes chambres avec cheminées décoratives dont une ornée de quatre feuilles et d'animaux accroupis, greniers élevés à charpente en forêt.

Sur une trame pareille, René Traversac a appliqué son confort et son style parfois approximatif, le goût des salles de bains grandioses, des tissus à fleurs et des meubles d'époque ou de style.

Monsieur R. Traversac
Ouvert du 1/3 au 31/12
Tél. (41) 50.15.31
Gennes. 49350 Chênehutte-les-Tuffeaux. 35 chambres et 2 appartements. De 280 à 790 F (+ 15%). Parc. Piscine. Tennis. Pêche. Equitation. Petit déjeuner à 35 F (+ 15%). Menus à 135, 180 et 250 F (+ 15%). Carte à 270 F environ. Accès par D 751 (Saumur-Angers).

CHÂTEAU DES RÉAUX

Port Boulet. Indre-et-Loire

Quelle famille !

Pour être juste, il est bien difficile de dire qui, du château ou de la maîtresse de maison, est le plus remarquable aux Réaux.

La dame des lieux, sans doute, dans la mesure où ses racines familiales remontent à Guillaume le Conquérant par le truchement de sa fille Mathilde, alors que les origines de la place forte ne dépassent pas 1435.

C'est en effet cette année-là que Jean Briçonnet, le premier maire de Tours, décidément saisi par le démon de la pierre puisqu'il a fait aussi bâtir, quelques années plus tard, La Menaudière dont je vous parle par ailleurs, entreprit d'ériger la forteresse. Son fils Guillaume, le grand-père de Sully, lui succédant, l'aménageait bellement, pour le plus grand plaisir - ultérieur - du sire Gédéon Tallemant des Réaux qui s'y retira pour écrire ses *Historiettes* irrévérencieuses sur les règnes d'Henri IV et de Louis XIII.

La demeure allait vivre ensuite ce que vivent les demeures, prêtant tour à tour sa façade de pierre blonde et ses merveilleuses tours à damiers de brique aux différents propriétaires qui s'y installèrent. Jusqu'à ce qu'il y a un siècle environ s'y implante une lignée peu ordinaire.

Dans son arbre généalogique trône, nous l'avons déjà rencontré, le Grand Bâtard de Normandie. Il y est rejoint par Marie-Charlotte de Corday d'Armont, qui acquit quelque célébrité dans l'histoire non parce qu'elle descendait directement de Corneille, mais à cause d'un certain coup de couteau assassin qui mit prématurément fin à l'exercice de Marat.

Si on ajoute à cela un M. de Redinger, lequel a introduit la culture du houblon en Alsace, et Félicie Boissin qui créa *l'Illustration,* le plus célèbre périodique d'avant-guerre, on comprend que Florence Goupil de Bouillé a hérité un tempérament volontaire et un sang plein d'énergie. Qu'elle use en tapissant, carrelant, cirant et lustrant, en compagnie de son époux, ce patrimoine exceptionnel considéré comme un des joyaux de la Touraine. Et en recevant comme des amis tous ceux qui descendent chez elle, poussant même l'hospitalité jusqu'à leur laisser sa propre chambre conjugale si cela est nécessaire...

Monsieur et Madame Goupil de Bouillé
Ouvert du 1/1 au 31/12
Tél. (47) 95.14.40
A Port-Boulet. 37140 Bourgueil. 15 chambres et 1 appartement. De 170 à 400 F. Parc. Practice de golf. Montgolfière. Hélisurface. Petit déjeuner à 30 F. Menu à 120 F. Pas de carte. (Attention, ce château n'est pas un hôtel mais une demeure recevant des hôtes payants.) Accès par N 152.

CHÂTEAU
DE ROCHEUX

Le Rocheux. Loir-et-Cher

« Le roi est mort... »

« Maison seigneuriale, court, escurye, le tout clos à murs et grands fossés avec pont-levis, basse-court en laquelle il y a volière à pigeons et édifices pour le mestayer aussi close à mur et à fossés, hors laquelle court est la touche de bois de haulte fustaye, garenne, jardins... »

Cette énumération, signée d'un obscur tabellion, sonne à mes oreilles comme un poème.

C'est donc dans cette « maison seigneuriale », bâtie en 1551 sur l'emplacement d'une antique forteresse datée de 1258 et sans cesse embellie, qu'ont vécu Marc Hyacinthe de Rosmadec, vice-roi des Indes et gouverneur des îles et terres fermes de l'Amérique au début du XVIIIe siècle, puis, quelques années plus tard, Jean-François Bruc, mousquetaire noir de Sa Majesté.

Le vice-roi des Indes est mort, hélas ! Le mousquetaire noir aussi. Des splendeurs d'antan ne restent que la belle grille qui a remplacé le pont-levis, une diane chasseresse au milieu du rond-point, une partie des douves, la façade où briques et pierres se mêlent pour lancer vers le ciel les lignes pures d'une architecture qui fait songer à la « haulte fustaye » de jadis et un parquet de chêne frappé de l'hermine noire de Bretagne incluse en marqueterie dans chaque carreau.

Dans les années trente, un architecte de la ville de Paris est passé par là. Il a cru bon de faire réaliser des copies de sculptures se trouvant dans la chapelle pour en décorer la grande pièce de réception du rez-de-chaussée qui est, maintenant, la salle à manger.

Jean de Morès, premier seigneur du lieu au Moyen Age, l'eût fait rouer pour ce double sacrilège.

Quant au reste, la maison est lourde à tenir et cela se sent. M. et Mme Brugues font ce qu'ils peuvent. Ils ont, surtout, la sagesse de pratiquer des prix raisonnables. Ainsi, tant qu'à vivre la vie de château, autant le faire dans l'appartement. Le lit et l'armoire Louis XVI valent bien la dépense supplémentaire, même si le papier des murs s'écaille par endroits.

Monsieur et Madame Brugues
Ouvert du 1/1 au 31/12
Tél. (54) 23.26.80
Le Rocheux. 41160 Fréteval-Morée. 3 chambres et 1 appartement. De 140 à 320 F. Parc. Rivière. Pêche (le chef peut accommoder le produit de votre pêche). Petit déjeuner à 24 F. Menus à 100 et 115 F (mais uniquement sur commande des résidents). Pas de carte. (Attention, ce château n'est pas un hôtel mais une demeure recevant des hôtes payants.) Accès par Fréteval et D 12.

DOMAINE
DE LA TORTINIÈRE

Montbazon. Indre-et-Loire

Ecoutez mesdames

Eclaircissons immédiatement un point de droit : c'est Pauline Dalloz, la veuve du célèbre jurisconsulte Emile Dalloz, auteur du *Code civil* encore utilisé aujourd'hui par tous les juristes français, qui fit construire en 1861 ce château de La Tortinière en place d'une ancienne demeure plutôt fermière que deux tours plutôt pigeonniers n'arrivaient pas à rendre guerrière. Cette vocation avait sans doute marqué l'endroit, puisque le seul événement historique qui devait souligner l'histoire toute familiale de La Tortinière fut la signature d'un traité, ou plutôt d'un acte, celui de la reddition de la ville de Tours aux Allemands pendant la guerre de 1870.

Sans doute Mme Dalloz, veuve donc d'un homme qui toute sa vie avait mis des points sur des i, était-elle lassée de cette vie réglée à l'article près. Alors, par réaction, elle voulut son manoir romantique, inspiré d'une Renaissance tendre et douce. C'est toujours l'impression qu'il donne et on l'imagine toujours abritant des amants heureux qui rêveraient au petit matin devant les brumes légères montant de l'Indre qui coule au pied de la colline, avant d'aller se promener dans le parc bien fait aussi pour les émotions bucoliques.

Histoire familiale, disais-je. La Tortinière continue de l'être : achetée en 1954 par un personnage assez extraordinaire, M. Capron, homme d'affaires dynamique et passionné, tout d'une pièce, que l'on n'aurait jamais imaginé dans une demeure aussi jolie : on l'aurait plutôt vu dans une forteresse ou dans un de ces châteaux puissants et fastueux qui sont la marque de la force. Mais peut-être pensait-il alors à ses filles qu'il adore : quelle belle maison de poupée cela allait leur faire !

Mais les petites filles, cela grandit : il leur donna La Tortinière après l'avoir transformée en hôtel. On est homme d'affaires ou on ne l'est pas. Née féminine, La Tortinière continue donc d'être féminine. C'est vrai que tout y est charmant, délicat et de bon goût, avec des audaces parfois dans l'ameublement qui n'ont rien de choquant. Décoration très magazine féminin, confort absolument impeccable (salles de bains de haute qualité), service attentif, cuisine assez distinguée servie dans une ancienne orangerie délicieuse.

Une des sœurs, Denise Capron, mène tout cela d'une main de fer qu'elle sait quelquefois transformer en gant de velours pour ses clients. Et parfois, l'apparition de l'autre sœur, Françoise Capron Delavigne, une des plus jolies femmes que j'aie rencontrées dans mes châteaux.

Famille Capron
Ouvert du 1/3 au 15/11
Tél. (47) 26.00.19
37250 Montbazon. 14 chambres et 7 appartements. De 215 à 635 F. Parc. Piscine. Petit déjeuner à 35 F. Menu à 180 F. Carte à 230 F environ. Accès par N 10 et D 17.

CHÂTEAU
DES TERTRES

Onzain. Loir-et-Cher

En toute modestie

C'est une de ces maisons de campagne comme la fin du siècle dernier en a éparpillé à travers toutes les provinces de France, se ressemblant toutes, plus riches à l'extérieur qu'à l'intérieur, parfois un peu étouffantes d'être décorées « richement » en abusant de bois sombres que l'on tentait d'égayer par des dorures.

Heureusement, lorsqu'elles se sont transformées en hôtels, on a allégé ces lourdeurs, et même en conservant des meubles Napoléon III, en les habillant quelquefois de tissus un peu originaux et clairs, cela donne une ambiance amusante tenant du rétro qui est en train de plaire aujourd'hui.

Le château des Tertres est assez caractéristique de ce genre-là, avec quelque chose en plus de doux, de timide et de presque modeste, jusque dans la réception. Les chambres sont plutôt sympathiques, au mobilier assez divers (salles de bains ou douches parfois indécises) et le sommeil le plus calme est assuré par un parc qui, lui non plus, n'a pas de prétentions, comme tout le reste jusques et y compris les prix.

Société
Ouvert du 13/4 au 1/11
Tél. (54) 20.83.88
41150 Onzain. 14 chambres. De 150 à 240 F. Parc. Petit déjeuner à 22 F. Pas de restaurant. Accès par Onzain et D 58.

BELGIQUE

⌂ *LES CRAYÈRES*
● Reims

⌂
CHÂTEAU

⌂ *LA CATOUNIÈRE*

●
Châlons-
sur-Marne

● Paris

LUXEMBOURG

ALLEMAGNE

● Metz

● Nancy

Strasbourg ●

ISENBOURG 🏰

Belfort ●

XIV — CHAMPAGNE ET ALSACE

LES CRAYERES

Reims. Marne

De bulle en bulle

« Reportez-vous donc à votre journal habituel » : c'est exactement ce que j'ai failli vous dire à propos de ce château des Crayères à Reims que le jeune Boyer, bon cuisinier de son état, fils de son père bon cuisinier avant lui, a trouvé dans la pochette surprise d'un fabricant de Champagne. Comme pour la découverte d'une mine d'or en Eldorado, la presse a en effet relaté, plusieurs fois même, le faux mécénat de ces chevaliers du champagne qui ne savaient plus trop quoi faire d'un gros château, devenu trop important pour leurs réceptions. Constatant l'absence dans la ville d'un hôtel restaurant de luxe digne de leur fortune et de leurs clients, ils décidèrent donc de le transformer à très grands frais (combien de milliers de bouteilles de champagne ?) en hôtel château et parallèlement, ils s'adressèrent au meilleur cuisinier local en lui demandant de s'en occuper. Et tout le monde a été très content...

Ce vieil hôtel particulier du XIXe (style XVIIIe) trouve enfin son heure de gloire ; le cuisinier se retrouve héritier d'un endroit splendide que son véritable talent n'aurait jamais pu lui offrir, sauf traites tirées sur trois générations ; le fabricant de champagne passe pour un bienfaiteur et se prépare de beaux articles dans les journaux ; et, avouons-le, les clients ont affaire là à une cuisine exceptionnelle, un service parfait, un accueil de grande tenue et des chambres proprement luxueuses, un peu chichi-décoration, totalement agréables même si elles sont « fabriquées »... Non, je n'ai pas écrit « parvenues »...

P.S. : je vous épargnerai la photo mille fois parue de cette « gentille équipe » (qu'aurait aimée Jean Nohain, vous vous souvenez : « vous êtes merveilleux ») tenant dans ses bras devant le château des magnums des plus grandes marques de champagne. En ce domaine, tout le monde a déjà donné... moi aussi, c'est fait !

Monsieur et Madame G. Boyer
Ouvert du 16/1 au 23/12
Tél. (26) 82.80.80
64, boulevard Henri-Vasnier. 51100 Reims. 15 chambres et 1 appartement. De 500 à 800 F. Parc. Hélisurface. Petit déjeuner à 35 F. Pas de menu. Carte à 400 F environ. Accès en ville.

HOSTELLERIE DU CHÂTEAU

Fère-en-Tardenois. Aisne

Week-end es-tu là ?

Ce que je préfère ici, ce sont les ruines du château dont je n'ai pas encore décidé si elles avaient été « construites » par Hubert Robert ou par Victor Hugo. Mais pour le seul plaisir de tenter de vous faire une opinion, cela vaut la peine d'y aller. D'autant que cette hostellerie, manoir approximativement Renaissance, ne manque pas de caractère, même si les chambres aux installations soignées (belles salles de bains) et décorées dans le style « pompier châtelain » ne me semblent pas mériter le dithyrambe des habitués du week-end qui croient toucher au nec plus ultra de la vie de château. Si l'accueil est totalement sincère, amène et obligeant, si le tout est cossu, on ne peut pas parler d'un grand luxe réel mais d'un très bon confort.

Mais j'abonde dans le sens des plus grands compliments quant à la cuisine très fine, un peu tarabiscotée mais de très grande tenue, qui convient parfaitement au décor plus prétentieux mais plus réussi de la salle à manger. En me relisant j'ai l'impression de faire le portrait idéal du château de week-end lorsqu'on a décidé de partir (pas trop loin) avec quelqu'un qu'on n'est pas sûr d'avoir envie de revoir le lundi.

Monsieur G. Blot
Ouvert du 1/3 au 31/12
Tél. (23) 82.21.13
02130 Fère-en-Tardenois. 02130. 13 chambres et 7 appartements. De 280 à 660 F. Parc. Tennis. Petit déjeuner à 30 F. Menus à 200 et 300 F. Carte à 350 F environ. Accès par N 31 et D 967.

CHÂTEAU
D'ISENBOURG

Rouffach. Haut-Rhin

Un Maréchal chez les sous-off...

Sur la terrasse du château d'Isenbourg j'aurais dû rester l'œil rivé sur la ligne bleue des Vosges, sur le Jura et la Forêt Noire avec Rouffach en premier plan. Mais, tout à coup, en comptant les clochers, il y en a plus de trente, je me suis pris pour un autre et pas n'importe quel autre, le ci-devant Traversac, moderne seigneur d'Isenbourg, mais aussi duc d'Artigny, comte de Castillon, baron de Beauvois, châtelain du Prieuré et autres lieux (hôteliers, bien sûr). Et le ci-devant se mettait à rêver que toutes ces cloches pourraient bien un jour carillonner pour sa plus grande gloire.

Abandonnant ma rêverie, je me suis posé la question de savoir quel était le style (XIXᵉ je suppose) de cet hôtel château unique dans la région, et d'où venaient les deux tours. L'histoire donne le vertige ; on y trouve pêle-mêle Charlemagne et Henri V (d'Allemagne), Dagobert (II) et Maximilien, Philippe de Souabe et Henri III (l'évêque), Charles le Simple et Léopold (d'Autriche), et j'en oublie ! Et le château eut une longue alternance de destructions et de reconstructions. Seules les anciennes caves voûtées longues de 120 mètres restent d'origine lointaine.

Alors, direz-vous, quel style ce château ? Eh bien, peut-être simplement le style... Traversac, et à l'intérieur (lui aussi peut-être XIXe) comme à l'extérieur ! Les salles de bains sont superbes, la décoration tout autant, mélangeant les meubles vrais et faux, accumulant les tissus à fleurs avec un luxe très appréciable et de très bon ton. Enfin, la cuisine est devenue aussi un attrait supplémentaire.

Ainsi, au-dessus de cette ville de sous-off qu'est Rouffach c'est un maréchal qui commande, le maréchal... Traversac !

Monsieur P. Traversac
Ouvert du 13/3 au 8/1
Tél. (89) 49.63.53
68250 Rouffach. 37 chambres et 3 appartements. De 370 à 850 F. Parc. Piscine. Tennis. Petit déjeuner à 38 F. Menus à 170 et 220 F. Carte à 240 F environ. Accès par N 83 Belfort-Colmar.

LA CATOUNIÈRE

Sancy-les-Meaux. Seine-et-Marne

Le Puzzle

C'est une grande banlieue qui n'est pas encore tout à fait massacrée que celle-ci, à tel point que Paris finirait par donner l'impression d'être loin, une fois que l'on est à l'abri dans ce parc. Les propriétaires sont très aimables, assez contents de leur maison, et j'aime le puzzle qu'elle assemble en une suite cocasse. De la fin du XVIIᵉ il reste les poutres de la salle à manger, du XVIIIᵉ le salon et une cheminée Louis XV de marbre rose avec sa coquille et des plaques de côté (ce qui n'est pas très répandu). On a couvert le tout d'un toit à la Mansart !

Si on ajoute le souvenir de la générale de Barrailh (cf. Mac-Mahon je crois) et trois pierres tombales dans le parc de trois chevaliers de Sancy dont le fameux Maison Rouge, on aura fait le tour des curiosités.

Pour le reste, quelques chambres gentiment aménagées (bonnes petites salles de bains) et assez rustiquement passe-partout dont le principal charme est d'ouvrir sur la verdure. Le salon bar se veut anglais, la salle à manger « provinciale chic », la cuisine un peu chichiteuse dans ses fausses simplicités et plutôt chère. Service selon le bon plaisir du personnel.

Monsieur G. Balestier
Ouvert du 1/1 au 20/8, du 1/9 au 11/11 et du 1 au 31/12
Tél. (6) 025.71.74
Sancy-les-Meaux. 77580 Crécy-la-Chapelle. 11 chambres. De 190 à 210 F. Parc. Piscine. Tennis. Equitation. Petit déjeuner à 23 F. Pas de menu. Carte à 220 F environ. Accès par Meaux et D 228.

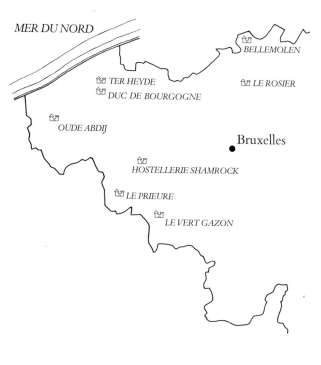

MER DU NORD

BELLEMOLEN

TER HEYDE

LE ROSIER

DUC DE BOURGOGNE

OUDE ABDIJ

Bruxelles

HOSTELLERIE SHAMROCK

LE PRIEURE

LE VERT GAZON

XV — BELGIQUE

BELLEMOLEN

Essene

L'Hôtesse excessive

« Nous ne voulons pas que vous nous classiez d'une façon ou d'une autre... nous n'aimons pas que l'on écrive que... nous n'acceptons pas... » Madame Van Ransbeeck ne se cache pas d'être femme de tête et ne cherche même pas à dissimuler son mépris pour les journalistes. Nous ne lui en voulons pas car son ferme caractère ne diminue en rien son charme distingué et qu'au fond nous l'avons sentie avant tout attachée à son très joli moulin (né au XIIe) pour lequel elle nous a semblé se donner complètement.

Il n'en demeure pas moins que je classe le décor de sa salle à manger, premier parmi tous les autres moulins que j'ai pu visiter en France et en Belgique. Cette formidable machinerie préservée, ces niveaux multiples sous d'énormes poutres et au-dessus de l'eau, ce mobilier proche du Louis XIII, cette admirable tapisserie, ces lustres d'un XIXe extravagant, ces tables si élégamment dressées avec la très belle argenterie que le personnel semble vous soupçonner de vouloir voler, cette grâce aussi mondaine que faussement rustique, ce fouillis artistiquement pensé et très richement voulu sont une réussite qui n'est pas banale. Tant pis pour ceux qui peuvent, justement, trouver cela surchargé et ne pas supporter : on ne peut nier la séduction de l'endroit.

Les chambres, dans leur fausse rusticité, frôlent un certain luxe (belles salles de bains) par cette même volonté d'étonner avec un goût sûr, une originalité évidente, et plus encore le désir de plaire : c'est cela le talent, en décoration. A s'étonner, on peut bien sûr se lasser et on ne peut, à mon avis, passer plus de deux nuits ici. D'ailleurs, le séjour n'est pas la vocation du lieu, posé près d'une route, et en dépit de la verdure alentour.

La cuisine mérite, si j'en crois mon correspondant de confiance car je n'ai pas eu le temps de m'attabler là, une mention la situant assez haut pour sa qualité et sa vérité, et plus encore pour la place qu'elle accorde à la couleur locale (jets de houblon). Je ne doute pas d'aller l'y essayer, d'autant que Madame Van Ransbeeck s'est fait, en fin de visite, une raison quant à notre volonté bien claire de dire, lui en déplaise ou non, notre point de vue. C'est fait.

Madame Van Ransbeeck
Ouvert du 2/1 au 24/12
Tél. (53) 66.62.38
9, Bellemolenstraat. 1705 Essene. 6 chambres. De 1 850 à 2 500 FB. Parc. Rivière. Petit déjeuner inclus. Menu à 1 550 FB. Carte à 2 500 FB environ. Accès par E5 à 18 kilomètres de Bruxelles.

OUDE ABDIJ

Lo

Les herbes du jardin

On a contourné l'église du village, puis pénétré dans le parc qui n'est qu'un grand jardin. La maison est là toute proche, toute simple aussi, visiblement refaite à neuf et ne ressemblant plus à l'abbaye qu'elle fut jadis. Mais tout de même à portée de main un pigeonnier qui porte bien ses siècles et trois niches à chien bâties en pierre de taille signalent qu'il y a bien eu ici un passé. Il faut sonner à la porte et l'on est accueilli par un homme rond, souriant, à l'évidence heureux de vous voir. Il a l'air d'un moine gourmand tel qu'on les imaginait. A cela rien d'étonnant, nous sommes bien à la vieille abbaye de Lo. A la place où existait celle fondée il y a mille ans environ.

Brasserie entre-temps elle est depuis 1976 reconstruite comme on la voit, transformée en hôtellerie sous la houlette de Jan Clément (ancien du Ritz de Paris) et de son épouse. Des poules et des canards qui courent, le cheval qui trotte dans le petit pré derrière vous, font un clin d'œil, un signe.

Dès l'entrée, minuscule comme tout le reste de la maison, un bar avec une collection d'objets de marine du grand-père de Madame Clément, un feu de bois dans la cheminée apportant une douce chaleur bien dans la tonalité de l'accueil. On y a des attentions très délicates : on note les habitudes et les goûts des clients, des bonbons sont posés un peu partout avec des mots aimables, des kimonos et des eaux de toilette attendent dans les salles de bains impeccables. Autres attentions encore, la bouteille d'eau minérale, des fleurs et une corbeille de fruits plus habituelles dans les palaces que dans une petite maison comme celle-ci. Les petites chambres agréables d'un style néoclassique hésitant ont un mobilier en bois fruitier, propre et neuf, naïf mais combien sincère. C'est dans la toute petite salle à manger très familiale que l'on sert une cuisine très proche du terroir et profondément honnête reposant sur les produits locaux. Le patron fait même pousser ses herbes dans son jardin comme les moines d'antan. (Prix raisonnables.)

Monsieur Clément
Ouvert du 1/1 au 31/12 (mais téléphoner fin février et fin octobre)
Tél. (58) 28.82.65
3, Nourdstraat, 8180 Lo. 6 chambres et appartements. De 1 250 à 2 000 FB. Parc. Petit déjeuner à l'anglaise inclus. Menus à 1 250 et 1 600 FB. Carte à 2 000 FB environ. Accès en ville.

LE PRIEURÉ

Blandain (près de Tournai)

...Par tous les saints !

« Les bonnes sœurs » comme disaient jadis « les braves gens » de la campagne n'en reviendraient pas et invoqueraient tous les saints du paradis si elles voyaient ce que l'on a fait de leurs cellules dans ce prieuré qu'elles ont pourtant occupé pendant près d'un siècle. Sans doute est-ce une femme qui a décoré ces chambres d'aujourd'hui, mais elles trouveraient dans toutes ces mignardises de quoi remettre en cause l'austérité et la rigueur auxquelles elles étaient habituées. Tout est douillet, capitonné, tendu jusqu'aux plafonds de tissus fleuris. Il y a de la fanfreluche, de l'abat-jour froncé, des pendeloques aux lustres, du chichi partout et en même temps une certaine originalité dans le genre. (Salles de bains complètes et très soignées et des prix raisonnables.)

Des « retraites » qu'incontestablement un très grand nombre de femmes vont adorer même si cela ne relève pas du luxe, tant elles s'y sentiront femmes femmes, tandis que les hommes auront l'étrange impression de dormir dans une chambre de jeune fille.

Avec le sens de la surprise qui est celui de ce Prieuré de briques rouges construit donc il y a un siècle à peu près — un peu fatigué depuis — en un style roman approximatif dans une campagne un peu ingrate, on bascule dans un tout autre monde avec une salle à manger contemporaine très élégante dans sa fausse simplicité tandis que le bar en sous-sol hésite entre un orientalisme convenu et un rustique gaillard, alors que le salon jouerait plutôt les intimités de sports d'hiver.

Oserai-je le dire, et en dépit de toute la sympathie que peut m'inspirer cette maison qui semble en pleine évolution et qui par là se cherche, on ne sait plus à quel saint se vouer. Mais le fait est que l'on s'y sent plutôt bien et cela tient, bien sûr, à l'accueil extrêmement gentil des deux jeunes couples — sœur plus sœur plus beau-frère plus belle-sœur, je m'y embrouille — pleins de bonne volonté, acharnés à bien faire et qui vont finir par réussir une maison plus attachante encore. (Cuisine assez bien venue balançant des plus grandes simplicités à certaines sophistications.)

Monsieur Gwinner
Ouvert du 11/8 au 10/7
Tél. (69) 35. 25.06
7, rue du Prieuré. 7710 Blandain. 25 chambres. De 1 240 à 2 280 FB. Parc. Jardin. Tennis. Piscine. Squash. Petit déjeuner inclus. Menus à 900, 1 200 et 1 400 FB. Carte à 2 000 FB environ. Accès à 4 kilomètres à l'ouest de Tournai.

LE ROSIER

Un bouquet de séductions

Bienheureux soit ce bourgmestre de Bruxelles qui dans les années 1625 a fait construire cet hôtel particulier que l'on peut bien baptiser de « patricien ».

Bienheureux soient ces trois complices qui lui ont rendu sa splendeur passée en le faisant hôtel après qu'il fut passé entre bien des mains et eut vécu bien des destinées diverses entre les mains de nobles familles et même d'un ordre de sœurs blanches d'Afrique.

Bienheureux soit celui des trois, qui, antiquaire réputé et décorateur talentueux, l'a installé à merveille avec un goût aussi rare qu'habile, aussi flatteur qu'intelligent, aussi distingué que roué.

J'ai peu d'exemples de chambres aussi gracieuses sans mièvrerie, aussi chaudes sans facilités, aussi prenantes sans snobismes (très belles salles de bains), aussi proches de l'hôte qui y est reçu. Si vous avez déjà quelque peu voyagé, pensez à l'« Hôtel » à Paris, par exemple.

Je ne pense pas que l'élégance d'un endroit se décrive vraiment : elle se sent. Et des salons admirables au jardin secret et un peu théâtral à la ravissante salle à manger, des chambres les plus intimes aux appartements les plus éblouissants, quel plaisir de vivre. Et comment l'accueil et le service ne pourraient-ils pas être de la même classe ?

Et sans doute est-ce parce que j'étais sous ce charme fou, absolu, que j'ai relevé deux ou trois détails (une ampoule grillée, un galon de tapisserie décousu, un abat-jour branlant), histoire de me défendre d'un véritable coup de cœur pour cet endroit incomparable et délicieux où le temps ne m'a paru compté que par les pigeons des toits et le « bourdon » aussi sonore que profond d'une église voisine. (Prix impressionnants.)

Monsieur B. Claes
Ouvert du 1/1 au 31/12
Tél. (3) 231.24.97
21-23 Rosier. 2000 Anvers. 15 chambres. De 4 350 à
9 200 FB. Piscine. Petit déjeuner inclus. Carte à
2 500 FB environ. Accès en ville.

HOSTELLERIE
SHAMROCK

Nukerke (près Ronse-Renaix)

Clair et net

Les pelouses sont vraisemblablement terminées au
ciseau à ongles ; on doit ravaler la façade chaque année ;
et il est visible que les peintures à l'intérieur sont lessivées
et même refaites à chaque saison. Cette belle maison de
maître qui dépasse à peine la cinquantaine, bâtie en se
souvenant des manoirs Tudor chers à la campagne
anglaise mais sans chercher à passer pour un château,
n'est devenue hôtel que très récemment.

Hôtel, certes, mais avant tout restaurant car je suis
persuadé que le jeune Claude De Beyter est un des plus
prometteurs parmi les cuisiniers de Belgique. A celui-ci
je ne saurais reprocher d'avoir délibérément choisi la
cuisine moderne car il y fait la preuve de ses connaissances

et de ses imaginations. L'homme a le sens de l'équilibre dans ses cuissons et ses sauces, tandis que ses produits sont à l'image de la maison, clairs et nets.

Les deux petites salles à manger, ouvrant toutes deux sur des bois, sont elles aussi gaies et impeccables, tandis qu'un petit salon oriental-fantaisie du premier propriétaire de la maison ose un clin d'œil à toutes ces rigueurs impressionnantes qui cautionnent un certain luxe de table.

Pour les chambres « pasteurisées », à qui l'on ne peut rien reprocher (mobilier sage et belles salles de bains), on pourrait cependant en espérer plus de chaleur, plus de cœur, plus d'âme. Mais, après tout, ici c'est la cuisine qui me met en joie. (A noter, cas très rare, une carte des cigares.)

Monsieur De Beyter
Ouvert du 1/8 au 16/7
Tél. (55) 21.55.29
148, Ommerganstraat, 9681 Maarhedal. 6 chambres.
De 1 600 à 2 200 FB. Parc. Petit déjeuner inclus. Menus
à 1 100, 1 700 et 1 800 FB. Carte à 2 300 FB environ.
Accès à 3 kilomètres au nord de Ronse-Renaix.

DUC DE BOURGOGNE

Bruges - Brugge

Sur les canaux

Dans le Vieux Bruges, je craque. Pourtant, et contrairement aux apparences, je n'ai pas de nostalgies de nos passés mais j'adore lorsqu'ils vivent dans notre présent. Or Bruges n'est pas une ville morte et, de savoir que ses fonctionnaires travaillent parfois à l'intérieur de maisons âgées de plusieurs siècles, sous des peintures dignes des plus beaux musées du monde satisferait plutôt mes goûts d'esthète même si les fonctionnaires ne m'ont jamais fasciné... mais au moins y apprennent-ils la beauté.

Alors, lorsqu'un hôtel prend pied dans une maison du XVIIᵉ et quand bien même a-t-elle été reconstruite il y a cinquante ans, qu'il a les pieds dans un de ces canaux bordés d'autres demeures aussi anciennes, qu'il s'est ouvert une salle à manger véranda au-dessus de l'eau, je ne résiste pas.

Je ne vais tout de même pas lui reprocher la décoration-mise en scène inspirée des XVIᵉ-XVIIᵉ puisqu'elle crée une atmosphère agréable et bien dans le ton. Après tout, Bruges finit, par ses perfections d'architecture, par avoir l'air d'un sublime théâtre qui jouerait à tous nos quotidiens. Je serais bien malhonnête de ne pas le féliciter d'une cuisine riche et abondante, soignée, très capable de belles légèretés, et d'un service attentif.

Les chambres n'ont pas le même panache que la salle à manger, il est vrai : un peu Louis XV, un peu Louis XVI dans l'esprit des catalogues de vente de mobilier par correspondance, sympathiques et impeccables (bonnes salles de bains), ouvrant sur le canal ou une placette et vivant ainsi sous le charme, elles sont les mieux situées de la ville vieille. Que demander alors de plus : car enfin, à Bruges, on ne s'enferme pas dans sa chambre. Encore qu'il y ait là un bel appartement moderne, dont les fenêtres donnent sur deux canaux et d'où l'on peut avoir à rêver. Et, au diable les bateaux surchargés de touristes qui passent au-dessous !

Monsieur W. Van de Vijver-de Mey
Ouvert du 1/2 au 30/6 et du 1/8 au 31/12
Tél. (050) 33.20.38
Huidenvettersplein 12, B-8000 Bruges. 8 chambres et 1
appartement. 2 100 à 3 600 FB. Petit déjeuner inclus.
Menu à 1 675 FB. Carte à 2 500 FB environ. Accès en
ville.

CHÂTEAU
LE VERT GAZON

Stambruges - Stambrugge

Le château de M. Duchâteau

Les riches industriels des provinces belges de la fin du siècle dernier louchaient tout autant vers les manoirs anglais que vers nos châteaux Napoléon III dès qu'il s'agissait de se construire une demeure à la hauteur de leur réussite. Monsieur Duchâteau (nom prédestiné s'il en est donc) sucrier de son état n'a pas échappé à ces influences qui ne signifient pas pour autant que nos voisins du Nord manquent de personnalité en matière d'architecture privée.

Et je dois bien avouer, qu'en l'occurrence, cette grosse demeure avoue sans aucune honte une certaine influence britannique. Ces murs de grosses pierres, ces encadrements de fenêtres, ces très hautes cheminées disent leur filiation sans pour autant se hisser jusqu'à la prétention de château. On est à la sortie du village, à deux pas de la route car il fallait bien être vu à l'époque avec cependant quelques parterres et massifs de fleurs, quelques pelouses, quelques statues qui permettaient de prendre ses distances tout de même. Tandis que derrière la maison le parc se fait plus riche, plus vaste, plus secret aussi dans un désordre bien ordonné.

L'intérieur ne trompe pas, non plus : c'est l'hôtel particulier tel qu'on le concevait au début du siècle, belles boiseries sombres, escalier imposant, parquets soignés, salon tournant autour d'une cheminée presque monumentale mêlant pierre et bois, salle à manger lambrissée et distinguée... Monsieur Duchâteau ne manquait pas d'argent mais il ne le gaspillait pas dans un luxe inutile. Les chambres sont pleines de surprises, celle du maître de maison toute rose avec un lit de milieu et un mobilier totalement extravagant venu lui aussi de la même époque étant la plus surprenante. Les autres sont honorables, un peu vieillottes et surannées, charmantes à cause de cela, justement, et tout de même chaleureuses. (Salles de bains à l'unisson.)

Madame Tjolle la propriétaire se veut avant tout maîtresse de maison et assure ce rôle avec une cordialité souriante. Et je suis bien certain qu'on doit prendre ici très facilement des habitudes. Cuisine très largement au-dessus de la moyenne dans un registre extrêmement classique.

Madame Tjolle
Ouvert du 1/7 au 14/6
Tél. (69) 57.59.84
1, route de Mons, 7980 Stambruges. 6 chambres. De 900 à 1 690 FB. Parc. Petit déjeuner inclus. Menu à 600, 960 et 1 300 FB. Carte à 1 800 FB environ. Accès par la route de Mons.

CHÂTEAU
TER HEYDE

Bruges - Brugge

Flambée et musique d'ambiance

Il n'y a pas que Richelieu qui ait fait raser les tours des châteaux qui paraissaient inquiétantes pour son roi. Pour donner un petit air de jeunesse à son château qui avait trouvé son inspiration dans le néo-gothique de la fin du siècle dernier son propriétaire décidait de le ramener il y a quelques années à des proportions moins hautaines et plus humaines en supprimant pignons et tourelles pointues.

Cela donne aujourd'hui cette maison aussi cossue qu'élégante, impeccable d'aspect comme tout ici, posée bien au carré derrière sa pièce d'eau et des pelouses prairies avec ce qu'il faut de grands arbres pour que l'on puisse déjà parler de parc. On est loin de l'image que nous, les Français, nous nous faisons du château, car on a à faire là bien plus à une de ces demeures faussement campagnardes que les gens des villes ayant réussi aiment à se faire construire dans une nature policée.

Et, si j'ose l'écrire, c'est au « privé » que l'on vous reçoit à l'hôtellerie de Ter Heyde qui n'a pas encore atteint ses dix ans. En quelques secondes nous étions installés dans les profonds fauteuils de velours du petit salon, on avait allumé pour nous le feu dans la cheminée et mis une musique d'ambiance. Pour moi cela suffit à donner le ton. Un ton qui signifie que le client a droit à toutes les attentions : attentions qui sont celles de tables très joliment dressées avec une très belle argenterie, bien sûr, des nappes très soignées dans le décor très intime d'une salle à manger dont on sent bien qu'elle fut familiale.

Ne vous étonnez donc pas plus que moi si les chambres s'inscrivent dans la même pensée. Là, non plus, on n'a pas affaire à de grandes surfaces ni à de grands volumes, mais à des intimités qui ne se cachent pas d'être assez riches sans pour autant avoir de prétentions. Le mobilier assez puissant serait plutôt d'un rustique épuré ayant les moyens (les salles de bains sont impeccables).

En fait, on imagine très bien dans cette maison une clientèle portant avec aisance les meilleurs tweeds et les meilleurs cachemires.

La cuisine est extrêmement intelligente, distinguée elle aussi, sans vaine concession au modernisme et le chef propriétaire est amoureux de son métier comme de sa maison.

Monsieur Hanbuckers
Ouvert du 15/1 au 15/12
Tél. (50) 32.37.58
620, Torhoutsesteen WE4. 8000 Bruges. 5 chambres.
De 1 750 à 2 500 FB. Parc. Pièce d'eau. Petit déjeuner
inclus. Menus à 985 et 1 650 FB. Carte à 2 400 FB
environ. Accès par la route de Turhout depuis Bruges.

INDEX

CARNET DE NOTES

Ces pages sont réservées à vos notes personnelles sur votre séjour mais aussi sur vos découvertes. N'hésitez pas à nous faire part de celles-ci, nous en tiendrons compte pour l'établissement de la prochaine édition de ce guide.

Imprimerie Hérissey, Evreux, 5-1984
N° d'édition : 11818 - N° d'impression : 34619
Dépôt légal : juin 1984